KU-560-529

楽園 下

宮部みゆき

文藝春秋

楽園　下❖目次

楽園

下

第八章　子供の事情

「あおぞら会」からは、取材を快諾する返事が来た。会の名前入り封筒のなかには、カラー写真を豊富に使用した美麗なパンフレットも同封されていた。

手紙の主は事務局長の荒井馨（あらいかおる）という人物で、美しい手跡だった。名前からは性別が見当つかないが、この手筋は女性だろう。

荒井氏は、手回しよく、取材に都合のよい日にちを何日か列記してくれていた。七月中旬から八月いっぱいまでに亘っている。また、金川会長も今回の取材依頼を歓迎しており、ぜひ「あおぞら会」の活動を広くアピールしていただけると有り難いという言葉があったと書き添えてあった。

滋子は荒井氏に電話をかけた。予想どおり、女性の声が出てきた。やや早口で、こちらが何か言う前に先回りしてしゃべる。非常に好意的で熱意に溢れていた。

滋子は、会員の子供たちが集まるイベントも取材したいが、それ以前に会の運営についても知りたいから、取材日を二度とってくれるように頼んだ。荒井氏は喜んで承知した。事務局の取材だけなら、明日でもいいという。

イベントの方は、子供たちが夏休みに入って最初に行われる「読み聞かせ読書会」の日を選んだ。金川会長も、自ら絵本を一冊、会員の子供たちの前で朗読するのだという。

「ただ読むだけではないんですよ。スライドを使ったり音楽をかけたり、いろいろな演出をするんです」

荒井氏は本当に楽しそうに説明した。

「読み聞かせ読書会は、子供たちのあいだでも人気の高いイベントなんですよ。特に夏休み中のこの会では、ちょっぴり怖いお話を選んで読みますから」

「夏はやっぱり怪談ということですか」

滋子が笑って問い返すと、荒井氏はそうですそうですと喜んだ。

「心が柔らかいうちに怖いお話に触れておくというのは、とても大切なことだと思うのです。陰惨な話とか殺人事件の話などではなくて、怖い物語。よくできたお話を通して、世の中の暗い部分や人間の怖い心の動きなどを知っておくことは、子供たちの成長の糧（かて）になります」

でも今の学校教育では、そういうことはできませんからねぇと言う。

「先生が怪談なんか語ろうものなら、すぐ保護者から文句が出るそうです。そんなくだらないことに時間を使うなとか、作り話で生徒を怖がらせるなんて、この先生はおかしいとか。間違ってますわよね」

聞き入っていると、いつまでも話していそうだった。滋子は仕事柄、赤の他人と話すことには慣れているし、そこからの感触で人を見ることも、それなりにできるつもりだ。荒井馨事務局長は、金川会長の「あおぞら会」設立の趣旨に熱烈に賛同し、運営に打ち込んでいる感じがする。この熱弁は、建前ではなさそうだ。

「イベントでは、金川会長から直接お話を伺うことはできるでしょうか。ご迷惑にならないよう、短時間にいたしますが」

たぶん大丈夫だと思います、確認しておきますと答えてから、荒井氏は誇らかに言い足した。

「会長はご多忙ですから、いい時に取材をなさることになりますよ。めったにつかまらない方なんですから」

荒井氏が懇切丁寧に道順を教えてくれたので、翌日の午後二時ちょうどに、滋子は迷うことなく「金川有機材工業」本社へと到着した。「あおぞら会」事務局と図書室へ行くには、正門ではなく西側の通用門を通ればいいという。

金川有機材の敷地は広く、そのぐるりを塀が囲っている。荒井氏も、「駅からは近いんですが、塀を巡って西側通用門に行くまで、かなり歩いていただくことになります」と言っていた。滋子の頭より高い灰色の塀の向こうに、いくつかの建物が見える。六階建ての鉄筋コンクリートのビル。スレート葺(ぶ)きの屋根のついた建屋。倉庫も二つある。駐車場も塀の内側にあるらしく、矢印と「P」の標識が、あちこちにつけられていた。

西側通用門に通じる角をひとつ曲がったとき、ちょっと先の信号を渡って、小学生の女の子が二人やってきた。ランドセルを背負い、それぞれに可愛い布製の手提げ袋をぶらぶらさせている。三年生ぐらいだろうか。

どうやら、この子たちも図書室に行くらしい。ちょうどいい、後をついていこう。女の子たちはにぎやかにしゃべったり笑ったり、ときどきぴょんと跳びはねたりしながら、滋子の先に立って歩いていった。

西側通用門は、重々しい両開きの鉄扉(てっぴ)に、入ってすぐ右手に守衛の詰所が設けられているという、堂々たる構えのものだった。鉄扉の脇に、「株式会社金川有機材工業　通用口」という表示

板に並べて、

「あおぞら会事務局、図書室への入り口はこちらです。みなさん、元気にごあいさつしましょう」

という掲示もあった。漢字の部分には大きめのひらがなで読みを添えてある。

先に行く二人の女の子は、門の内側に入ると、そろってぺこりと頭を下げ、詰所の前に立っている制服姿の守衛に、「こんにちはぁ」と挨拶した。ライトブルーのシャツに黒ズボン、突き出た腹にごついベルトを巻いて、そこから警棒を提げた姿の、どこからどう見ても警備員そのもののいかつい守衛が、同じように「こんにちはぁ」と返して、笑顔になった。

「図書室に行くのかなぁ？　はい、じゃあパスを見せてね」

女の子たちは手提げやスカートのポケットからピンク色のカードを出した。守衛はそれをちらっと見ると、

「はぁい、いいですよ。行ってらっしゃい」

ニコニコと女の子たちを送り出す。

塀の内側には、ちょっと見には公園のような風景が広がっていた。建物と建物のあいだを緑地が埋めている。そのあいだを縫うように走っている歩路(ほろ)も、味も素っ気もないコンクリートではなく、きれいなタイル舗装になっていた。女の子たちは、六階建てのビルのすぐ隣に立っている、三階建てでチョコレート色の外壁の建物へと、駆けっこするように走ってゆく。あれが事務局と図書室のある建物なのだ。

滋子も守衛に挨拶し、荒井氏との約束の旨を告げると、守衛は詰所の電話で連絡をとった。通話はすぐ済んだ。「どうぞ、あのチョコレート色の建物です、入り口で事務局長がお待ちしてい

ます」

退職警官かもしれない。ごま塩頭で、塩辛い声を出す年配者だ。

「ありがとうございます。こちらは、とてもきれいな眺めですね」

守衛はうなずいた。「会長さんが子供の会をなさるようになって、きれいにしたんですよ」

「さっきの女の子たちも、あおぞら会の会員ですか」

「いや、あの子たちは図書室に来てるだけです。地元の子供たちに開放してますから」

「子供たちにとっては嬉しいことですね。でも、警備が大変じゃありませんか?」

守衛は笑った。「たいしたことありませんよ。ここに来る子供たちは、みんな行儀がいいですから。会社や研究所の方には迷い込まないようにしてありますしね」

滋子は礼を言って、女の子たちと同じ道を歩いた。チョコレート色の建物の両開きの自動ドアの前に、小ざっぱりしたスーツ姿の女性がいて、滋子を認めると一礼した。にこやかな笑顔である。

荒井馨事務局長は、五十そこそこという年齢だろう。ほっそりと長身で、足が長い。髪は頭の後ろで古風にまとめてあり、薄化粧も品がいい。

「わざわざご足労いただきまして」

名刺を交換し、滋子は自動ドアを通った。パステルカラーを基調としたロビーで、正面に受付がある。ソファが点在し、壁には子供たちの絵がたくさん張り出してあった。

「五月のピクニック会のあと、みんなで描いたものなんですよ。あ、お花見のときのもありますね」

「よくみんなで絵を描くんですか?」

「お絵かき会やスケッチの会もありますが」

事務局長は右手の階段をさして、

「二階にプレイルームがあるんです。読み聞かせ会もそこでやるのですけれど、子供たちが何でも好きなことができるように、いろいろなものを準備してあります。そこで絵を描いてる子は多いですよ。できあがると張り出すんです。みんな喜びますからね」

萩谷等は「あおぞら会」がらみで絵を描いたことはあったろうか。もし描いていたのなら、ここでも注目を集めたことだろう。滋子は足を止めたまま、張り出されている絵を端から端まで眺めていった。色調が豊かで、構図がはっきりしていて、よく描けている。ただ、何となくどれもこれも似通った絵であるように思えるのは、滋子の錯覚だろうか。

「どうなさいます？　まずぐるっとご覧になりますか」

そうさせてもらうことにした。一階はロビーと図書室、二階はプレイルームと事務局、三階には金川会長の部屋と会議室があるという。

ロビーと図書室は一応仕切られているが、ドアはない。滋子の腰の高さほどの仕切りも、書架なのだった。見渡すと、書架はすべてその高さで統一されていた。

「子供たちの手に取り易い高さですし、わたしたちスタッフも見通しがよくなります」と、事務局長は説明した。

「ここに来ると、子供たちは自由に行動します。また、そうできるように工夫をしています。その分、スタッフの目から死角になる部分がないように気をつけなくてはならないのです」

子供同士の争いや、不測の事故などに備えるためだ。

図書室に備え付けられている机や椅子も、みんな背が低い。そして家具の角が丸い。図書室内のカウンターに若い女性が一人いて、パソコンを操作している。子供たちはざっと十人ばかりか。女の子が多い。本を読んだり、机で勉強したりしている。さっき見かけた二人の女の子は、窓際の机で向き合い、ノートと教科書を広げていた。

「学校帰りに宿題をしに来てるんでしょうか」

滋子が尋ねると、事務局長はうなずいた。

「今は、小学生のお母さんでもフルタイムの仕事をお持ちの方が多いですからね。うちに帰っても独りぼっちで留守番では、寂しいんでしょう」

「図書室は、会員でなくても利用できるそうですね」

「はい、遠方のお子さんは無理ですが、この近所の小学生と中学生でしたらね、公共図書館と同じように使うことができるんですよ」

公共図書館では、子供たちが見ず知らずの大人たちと混じらなくてはならない。昨今、子供を標的にしたおかしな事件が起こるので、神経を尖らせている父母たちからは、その点、あおぞら会の図書室なら安心だと評判が高いという。

「ここは守衛さんもいますし、もともと事業所ですからセキュリティーをきちんとしております。怪しい人間が入り込むことはできませんのでね」

二階のプレイルームには、四、五人の小学生がいて、パズルを解いたり絵を描いたり、一人は粘土細工を作っていた。真剣なまなざしだ。

こちらにも、やはり若い女性スタッフが一人いて、隅の事務机についていた。滋子が会釈すると、礼を返した。事務局に入る前に、三階もざっと見た。金川会長の執務室には入れなかった。

「会長がこちらにいらしたとき、お使いになる部屋です。書庫にも会長の蔵書の一部を置いているのです」

そのせいか、一、二階とまったく違い、三階はしいんとして薄暗い感じがした。会議室もがらんとした眺めだったが、部屋の隅に白いシートカバーをかけて、何か機械が片付けてあった。段ボール箱も二つ積んである。読み聞かせ会で使う機材と、衣装や小道具だそうだ。

「すみません、お見苦しくて」と、事務局長は笑った。

事務局は、滋子が想像していたより広いスペースがあり、きれいに片付けられていた。いわゆる事務室の雑然とした雰囲気はほとんどない。家具や備品の選択と配置にも、おそらくコーディネーターが入ったのだろう。一流企業の秘書室みたいにお洒落で高級な雰囲気だ。これはちょっと、予想外だった。

室内には、事務局長より年長に見える男性が一人いた。今は上着を脱いでいるが、きちんとした背広姿だ。事務局長に案内されて滋子が近づくと、椅子から立ち上がって迎えてくれた。

「田無(たなし)と申します。今日はご苦労さまです」

机の上には帳簿のようなものが広げてあり、伝票の綴りもあった。パソコンにも表計算の画面のようなものが映っている。

「経理担当ですのよ。ここのお財布の紐(ひも)を握っている人です」

事務局の窓際に来客スペースが設けてあり、滋子はそこに通された。同じ来客スペースといえども、ノアエディションの使い古されたソファとテーブルの組み合わせとは天地の差がある。しっとりとした手触りの革張りのソファに、滋子はおそるおそる腰をおろした。

窓からは、隣の六階建てのビルと、倉庫もスレート屋根の建屋も見渡せた。庭園風の造りの敷地内に、よく見ると、ところどころに柵が設けてある。さっき守衛が言っていた、「会社や研究所の方には行かれない」というのは、これのことか。研究所とは、あのスレート屋根の建物だろう。

事務局長が手ずからコーヒーを持ってきて勧め、滋子の向かいに座った。滋子は郵送してもらったパンフレットと取材帳を取り出した。

「素敵なところですね」

率直に、そう切り出した。

「何から何まできれいに整っていて、清潔で。わたしが子供のころにこういう場所があったなら、入りびたりになっていたでしょう。天国みたいです」

お世辞ではないし、大げさな表現でもなかった。まさしくゴージャスなのだ。子供のための場所に「ゴージャス」という表現は違和感がある。が、確かにここはそうなのだ。高級感のある空間なのだ。つまり、ここの設備には何か子供にはふさわしくないものがあるということになる。少なくとも滋子の感覚では。

が、いきなりそれを口にしてしまうのは得策ではない。まずは持ち上げておこう。

事務局長は笑み崩れた。「おかげさまで、会員の皆さんにも好評です。子供たちがこういう環境で勉強したり遊んだりできることは、理想的だと」

「それぞれの家庭では、ここまでできるものではありませんものね。こちらの事務局も素敵なインテリアですが、ちょっと心配になりませんか？　子供たちが家具を汚したり、何か壊しちゃったりとか、ありませんか。わたしは子供のころからそそっかしかったんで、ついそんな心配をしてしまいました」

軽く手を振ると、事務局長は言った。「それはございませんの。子供たちは、何かちゃんとした用事がなければここには入れません。あおぞら会にもいくつかルールはございまして、これはそのルールのうちのひとつです」

はあはあと、滋子はうなずいた。「ルールを守ることを、ここで教わるわけですね」

「おっしゃるとおりです。近頃の学校では、それができてませんでしょう」

ねぇねぇ先生――と、生徒たちがどたどた踏み込む職員室。滋子の時代はそうだった。そんな環境には、こんな美しい家具は置けまい。確かにそうだ。

ゴージャス、という言葉の放つ違和感が、もう一段階濃くなった。

「最初に、あおぞら会の趣旨と運営の形からご説明した方がよろしいですわね?」

滋子はひと通りの説明を聞いた。すでにホームページやパンフレットを読んで知っていることも、熱心にメモを取った。

ようやく、話が具体的な運営のことにさしかかる。

「今現在、会員の子供たちは何人ぐらいなのでしょう」

資料も何も見ずに、事務局長は即答した。「百二十三人いるんですよ」

萩谷敏子の話では、敏子と等が参加したイベントで一緒になった子供たちは、せいぜい二十人から三十人ぐらいだったという。ずいぶんと差がある。

「それだけの人数が、いつもこちらで集まったり、イベントをしたりしているんですか? それですと取りまとめが大変でしょう」

いえいいえと、事務局長はかぶりを振った。

「こちらを利用したり、イベントに参加したりする子供たちは、そうですわねぇ……その半分もいないでしょう。会員の皆さんが、ひとしなみに熱心だというわけではないんです。半分ぐらいは、会報を取っているだけというご家庭になりますわね」

もったいないですねと、滋子は言った。まあ、親御さんもそれぞれですからと、事務局長は笑う。

「それに、ご存知と思いますが、あおぞら会では格別な入会資格を設けておりませんので、かなり遠方のお子さんが会員になることもあるんですよ。それですと、ここを利用できなくても無理はありませんわ」

「どうしても、イベントのときだけということになってしまいますね」

「そうなんです。あ、うちのホームページはご覧いただいたんでしょうか」

「拝見しました。充実してますね」

事務局長は小首をかしげた。「でも、全部は見られませんでしたでしょ?」

そのとおりだ。「写真館」は等の会員番号を入力すればよかったのだが、他にはいくつか開かないコーナーがあった。

「会員が子供たちですし、情報はきちんと守らなくてはなりませんので。パスワードが必要なシステムにしてあるんですの」

「当然ですね」

「会員の子供たちと、親御さん方と、それぞれに利用できる掲示板とチャットルームがあるんです。そちらの方は盛んですのよ。とても動きが活発なんです。事務局でも、今後はもっとネット上での展開に力を入れなくてはならないと話し合っているところです。会員数の増加にもつながりますしね」

熱心にうなずきながら、滋子は取材帳に書き留める。

「そちらのパスワードは、教えていただくわけには参りませんか？　どんなやりとりがあるのか、取材してみたいのですが」

にこやかな笑顔のままで、事務局長は少し考えた。いや、考えるふりだ。

「さあ……それはちょっと。今までも、取材の方にはお教えしてないんですよ。ごめんなさい」

滋子はすぐ引き下がった。「わかりました。ところで、これだけの規模の会を運営して、しかもイベントの数も多いですから、事務局の皆さんはそうとうお忙しいだろうと思うのですが、何人で切り回しておられるんですか」

「わたしを入れて三名です」

萩谷敏子の観察眼に間違いはなかったわけだ。

軽く胸に手をあてて、事務局長は苦笑した。

「ですから事務局長なんて肩書きは大げさなんですのよ。でも、会長がどうしても名乗れとおっしゃいまして」

経理・財務担当の田無氏のほかに、森という女性事務員がいるという。

「今日はちょっと出ておりますけれど、森の主な仕事は庶務業務です。ホームページも彼女が管理しております。もちろん、ここでのイベントでは手伝いますが」

「そうしますと、先ほど図書室とプレイルームでお会いした女性スタッフの方は」

「ああ、アルバイトの人なんですよ。曜日や勤務時間をいくつかに分けて、主に大学生の方にお願いしてるんです。いくつかの大学に求人を出しましてね」

教育学部の学生が多い、という。

「全体で――そうですねぇ、アルバイトは人の出入りが多いですから、十人ぐらいはいるでしょうかしら」

　天井を仰ぐようにして考えてから、事務局長はゆっくりと言った。が、すぐ、にこやかに滋子を見る。

「でも、運営にはまったく支障はないんですの。事務局の仕事は、会報の発行とホームページの管理と、あとはこまごました連絡です。残業が続いてどうしようもないなんてことは、ございません」

　滋子もにこやかにうなずき返す。

「もともと、わたしたち三人は金川有機材工業の社員でございます。こちらには出向の形をとっておりましてね」

　荒井氏は秘書課から、事務員の森氏は総務課から、そして田無氏は元経理課長で、定年退職の年がちょうど「あおぞら会」発足のときで、金川会長に請われ、嘱託としてこちらに勤務しているのだ、という。

「本社の業務の忙しさに比べましたら、それこそ、先ほどの前畑さんのお言葉じゃございませんが、こちらは天国です。子供たちは可愛いですしね。ここで働いておりますと、わたしも元気をもらえます」

　本社という言葉が、ごく自然に荒井氏の口をついて出てきた。発起人は何人もいるが、やはりそれは看板で、「あおぞら会」は事実上、金川会長一人の意思で成立し、運営されているものと見て間違いないだろう。

「それに、イベントには運営委員の皆さんのお力添えがございます。というより、むしろ運営委員会が主体で、わたしたちはサポート役ですの」

「ホームページでも拝見しました。委員の皆さんは、会員の子供たちの親御さんなんですね？」

「はい。会の趣旨にご賛同くださる、特に熱心なお父様お母様方が、ボランティアで活動を支えてくださっているんです。イベントの折――特にピクニックやキャンプには、いくら手があっても足りないくらいですから、運営委員の皆さんが応援を呼んでくださったりもしますのよ。ご親戚とか、お友達とか、職場の同僚とか。ですから、子供はいないけれど子供好きという独身の若い方もお手伝いにいらしたりしますわ」

　荒井事務局長は、これこそ「あおぞら会」の宣伝ポイントだとばかりに声を強めるが、相槌を打ちつつ、滋子は内心、これは面倒になってきたと思った。

　土井崎家の秘密を知り、その記憶を持っていて、等に「見られた」人物は成人のはずだ。茜が殺されたのは十六年も前のことなのだから、時間的にも、等が接触した同年代の子供たちは対象外にして問題ない。だから「あおぞら会」の運営関係者と、等が参加したイベントに来ていた会員の保護者だけに的を絞って調べていけばいいと思っていたのだが――。

　イベントごとに、運営委員の引きで、さまざまな関係の外部の人間が入り込んでいたとなると、話はまったく違ってくる。いつ誰が来ていたのか、きっちりした記録が残っていない可能性も高い。ボランティア参加で給与や日当の支払いがなければ、記録の必要などないからだ。

　参ったなと、心のなかで独りごちた。

「そうしますと、トータルではかなり大勢の方々が運営に関わっていることになりますね」

　滋子の問いかけに、荒井事務局長は大きくうなずいた。

「有り難いことです。皆さん、この会の設立趣旨にご理解とご賛同を寄せてくださる方々ばかりです」

「会員名簿はございますでしょうか」

言ってから、滋子はにこやかに言い足した。

「もちろん、個人情報は固く守ります。ただ、会員の皆さんのなかに、わたくしからの取材に応じてくださる方がいらっしゃればいいなと思いまして。ご連絡先がわかれば、わたくしの方でご意向を伺い、個別にお訪ねしたいのです」

「まあ、そんな必要はありませんよ、前畑さん」

会員への取材ならこちらでセッティングします、という。

「これまでの取材の折も、そうして参りました。少しも手間ではございません。ご遠慮なさらないで」

さっそく、誰がいいか検討にかかっているのか、目がきらきらと動いている。やはり、ストレートなやり方では名簿には届かないか。

滋子とて、けっして「あおぞら会」の薄暗い部分——そんなものがあると仮定しての話だが——を嗅ぎ出そうと思っているのではない。確かにこのゴージャスさは何となく感じが良くないが、それは滋子の好みだ。会の活動に文句があるわけではない。ただ滋子は、土井崎家につながる誰かを探し出したいだけなのである。

さらに、その「誰か」に対してなにがしかの疑惑を抱いているわけでもない。土井崎茜の死を知っており、しかし秘匿していた。その動機はたぶん、土井崎家の人びとを守ることにあるのだろう。また、それに比べればかなり可能性は低くなるが、「誰か」が茜の死につながる何かを目撃していて、しかし本人はそれに気づいていないというケースも考えられなくはない。記憶として残っていたから等に「見られた」が、本人はその記憶の重大性を意識していない、という場合だ。

だけど――イベントや活動のエピソードを熱心に語り続ける荒井事務局長に相槌を打ちながら、滋子は考えた。

この人に事情をすべて打ち明けたとして、そのように受け取ってもらうことは難しいだろう。どうしたって、滋子が「あおぞら会」に難癖をつけようとしていると解釈されてしまうだろう。時効が成立しているとはいえ、茜は殺害されているのであり、これは立派な殺人事件だ。それと「あおぞら会」がどこかでつながっているのではないかと匂わせた瞬間に、事務局長は滋子をここから叩き出すのではないか。いや、怒るよりもなお悪いことに、泣き出してしまうかもしれない。

この人は信者だ。信者には、どんなに筋道立てて説明したところで、教義への疑問と解釈されかねない意見を述べることは、マイナスの結果しか生まない。

他人の記憶を「見て」しまう能力の存在など、事実だから信じてくれと言い張れば言い張るほど怪しげに聞こえてしまうだろう。しかし、だからといってそれを伏せたままいくら「あおぞら会」を調べても、らちが明かない。どこかできっちり、一連の事情と滋子の目的を打ち明けた上で協力を仰ぐなら――。

やっぱり、教祖だな。金川会長だ。あたってくだけろで、読み聞かせ会の折の会見に賭けてみよう。

二時間の取材時間の終わりに、滋子はあらためて次の約束を確認し、ついでのように質問した。

「会がスタートしたころの会員は、やはり金川有機材の社員の皆さんが多かったということですが、現在はその状況も変わってきているのでしょうね？」

事務局長は「はい」と明るく応じたが、瞳にちょっとためらいの色が浮いた。正直な人だ。まだ、金川有機材を始めとする発起人たちの経営する会社の社員が「あおぞら会」の土台を形成しているのだろう。

「いろいろなお仕事の保護者の皆さんが集まっておられるとなると、たとえば現職の先生もいらしたりとか？」

「教師の方は――はい、おられますね」

「頼もしいですね。ひょっとして、警察関係やマスコミ関連のお仕事をなさっている方はおられませんか」

事務局長はまばたきをした。「警察、でございますか」

滋子は笑った。「わたしは以前、事件関係の取材をしていた時期があるんです。そのころ、刑事さんとか新聞社の記者の方とかから、ときどき聞きました。あんまり忙しくて、お子さんと触れ合う時間がない。たまに時間ができても、日頃のコミュニケーションが少ないので、どうやって一緒に過ごしたらいいかわからないで困ってしまうって、要するにお父さんのぼやきですね」

ああ、まあそうですかと事務局長も笑う。

「今度そういうことがあったら、あおぞら会に入会すればいいんじゃないって、勧めてみようかなと思いまして」

「それはいいお話ですわ。ぜひお願いいたします」

今はちょっと――その方面のお仕事をされているお父様方はおられませんけれどと、小首をかしげて言った。

帰り際、出口まで送ってくれた事務局長の前で、滋子はもう一度プレイルームと図書室に立ち寄り、アルバイトの女性たちに直に挨拶し、名刺を渡した。もし、誰かが興味を持って接触してきてくれればラッキーというものだ。

事務局長にあんな質問をしたのは、会員の子供たちの保護者のなかに、九年前の事件を扱った刑事や記者がいて、その人の「記憶」を見ることで、等が「山荘」の絵を描いたのかもしれないと思いついたからである。映画人でもいい。『死の山荘』を撮ったスタッフ。あの場所を、シャンパンの瓶を知っている人物。

――ま、そう簡単にはいかないか。

真面目(まじめ)に、秋津に頼んで父子で会員になってもらおうか。いいアイデアかもしれない。

次の週の祝日、「海の日」である。滋子は、自宅に土井崎誠子と萩谷敏子を招いた。久しぶりに休みのとれた昭二は、その予定を聞くなり狼狽し、ゴルフ練習場へ逃げ出してしまった。

いつも時間厳守の敏子が先に来た。二人で「あおぞら会」の話をしているところに、前畑家の前に車が着く音がした。滋子が玄関先へ出てゆくと、白いスポーツタイプの車の助手席から、誠子が降りてくるところだった。

「こんにちは。お邪魔します」

運転席からは、背の高い、ぼさぼさ髪の若い男性が降りてきた。車の屋根越しに滋子と目が合うと、あわてたようにひょいと頭をさげる。

「――達ちゃんです」

はにかんだように、誠子が紹介した。井上達夫もバツが悪そうに首をすくめている。

一緒に来たか。滋子はおおらかに笑ってみせた。

「お目にかかれてよかった。散らかってますけど、どうぞ」

うだるような暑い日だった。梅雨が明けたのだろうか、空は真っ青だ。冷たいアイスコーヒーをふるまって、互いの自己紹介を終えたところで、滋子は本題に取りかかった。

等の作品——風見蝙蝠のついた家で眠る灰色の少女の絵を、テーブルに載せた。

「まず、これをご覧ください」

敏子も達夫も誠子も、それぞれかちんこちんに緊張している。誠子が手を伸ばし、そっと絵の端に触れた。指先が震えていた。

滋子は説明した。発端から現在まで。川崎先生のくだりは敏子に話すのも初めてで、敏子は危うくアイスコーヒーのグラスを取り落としそうになるほど驚いていた。

滋子が話し終えて口を閉じると、前畑家のリビングに、クーラーが心地よい冷気を吐き出す音だけが響くようになった。

「なんていうか……とんでもない話だ」

沈黙を破ったのは井上達夫だ。目は等の絵に釘付けのままだが、話の途中から、隣に座っている誠子の背中に掌で触れ、労るように撫でていた。その手をようやく離して、汗を拭うように鼻の下をこする。

「ただ聞きかじっただけなら、本気になんかできない種類の話ですよ。けど、これ本物なんですよね」

誰にという方向性もなく問いかける言葉だったが、彼の視線は最終的には敏子の顔の上に落ち着いた。

敏子は土井崎誠子を見つめていた。誠子の目は開きっぱなしで、瞳孔(どうこう)まで開いているかのように見えた。

「ごめんなさい、ね」

敏子は小声で、そう謝った。土井崎誠子が目を上げる。たった今まで絵のなかに入り込んでいて——彼女自身が灰色の肌の眠る少女に成り代わっていて、敏子の声で現実に引き戻されたというように。

「わたしが前畑さんにこんなことをお願いしたばっかりに、お嬢さんに辛いことを思い出させてしまって」

消え入りそうな呟きを聞き、誠子の顔にやわらかな表情が戻った。

「とんでもないです。わたし——わたしは嬉しいです。ホントです。姉もきっと同じ気持ちだと思います」

「嬉しい？」

潤み始めた目をしばたたかせて、敏子が意外そうに問い返す。誠子はうなずく。今日は白い半袖のシャツにチェックのスカートで、女子高生のようだ。

「はい。この絵がなかったら、萩谷さんがこの絵に目を留めてくださらなかったら、わたし前畑さんに会うこともなかった。姉のことも、ずっと埋もれたままでした」

等君——と、両手で捧げるように絵を持ち、誠子は呟いた。呼びかけているかのようだった。

「可愛いお子さんだって、前畑さんに伺いました」

滋子は等の写真を取り出した。誠子と達夫は、顔を寄せ合うようにしてそれを見た。

「わあ、ホントに可愛い」

はしゃぐように、誠子は笑った。

「直ちゃんとこの友ちゃんも朋ちゃんも可愛い顔してるけど、もっと可愛い。きっとハンサムな男の子になったでしょうね」

そう言ってしまってから、小さく息を呑んだ。

「お悔やみを……申し上げます」

敏子は黙ったまま、深々と身を折った。

この場で、滋子がたったひとつだけ伏せた事柄がある。さくら小学校で、萩谷等は自殺したのではないかという噂が飛んでいる件だ。今後も言うまい。これだけは。

「絵はもう一枚あるんです」

今度は〝山荘〟の絵を取り出し、手早く説明した。

「本物だ……間違いなく本物だよ」

達夫がうわ言のように繰り返し、誠子が微笑む。

「達ちゃんたら、さっきからそればっかり」

「だってさ、これ見たらほかには何も言えないよ」

滋子は「あおぞら会」のことと、等が記憶を「見た」人物と、会のイベントで接触したという仮説を立てていることを話した。

「これを検証するのは、ちょっと手間がかかります。金川会長が話のわかる方で、協力していただければぐっとスムーズに運ぶと思うのですが」

「こういうこと、頭から信じなかったり、バカにする人もいますものね」

誠子は心配そうだった。きれいに整えた眉を、ちょっとひそめている。

「かといって、すぐ超能力だの霊感だの怪奇現象だとか言い張るのも、好きじゃないですけど。

頭から否定するのと、頭から丸呑みにしてしまうのは同じことだし」

それから急に、ひとりで苦笑した。

「なに?」と、達夫が気にする。

「言っちゃおうかな。達ちゃんに話すとまた怒ると思って、ずっと黙ってたんだけど、もういいね」

事件が発覚した直後、達夫の実家である井上家の方に、霊媒師や宗教家と名乗る人物が何人も連絡してきて、

「おたくのお嫁さんには、殺されたお姉さんの霊が憑いてるから祓った方がいい、このままにしておくと、茜という娘の恨みで井上の家にも災いが起こるって、言ってきたんですって」

誠子は笑っているが、達夫は目を剝いた。

「マジか? 誠子、なんでそれ知ってんだ」

「お義母さんに聞いたの」

達夫の真ん丸い目に怒りの色が浮いた。

「姉さんはわたしのことも、もちろん両親のこともすごく恨んでるから、わたしたちに祟ってるんですって」

第三者には反応の難しい話題だったが、誠子が気楽そうに笑っているので、滋子は救われた気分だった。敏子もそうだろう。微笑ましげに二人のやりとりをながめている。

「それさ、流しの霊能者とかじゃないよ。流しって言い方も変だけど。おふくろ、その手の関係と、前々から付き合いがあったからね」

知らなかったと、誠子は驚いている。

「うちのおふくろ、そういうところがあるんです」

　達夫は滋子たちを見ると、弁解するように首を縮めた。

「大した金持ちじゃないんですけどね、一応、地元じゃちょっとばかり古い家で、山林とか持ってるもんだから、いろんな輩（やから）が近づいてくるんです。おふくろ、そういうのにかぶれ易くて。占いが大好きだし」

　達夫の母親が二人の結婚に反対した理由のひとつもそれだったという。

「この結婚には凶の卦（け）が出てるって言われたとかって。それでもどうしても息子さんが結婚したいっていうなら、事実婚にしときなさい、籍は絶対に入れちゃ駄目だとか。バカバカしいですよね」

　誠子はそれも知らなかったのだろう。へぇ……と、可愛らしい声をあげた。

「僕らの結婚にいちゃもんつけてきた占い師は、父方の叔父の知り合いなんですよ。どういう知り合いなんだかわかったもんじゃないですけど。だから俺、すぐピンときたんだ。叔父さん、ホラあのとおりの人だからさ。俺が所帯持たないで一人でふらふらしてる方が、いずれ相続だの何だの話が出てきたとき、口を突っ込み易いじゃないか。達夫じゃ頼りない、東京に出たきりなんだから、こっちの資産はこっちの人間が面倒みんとならんとか言って。そうやって、自分の得になるようにしようっていう腹なわけだよ。だから横槍（よこやり）を入れてきたんだ」

　終わりの方は、誠子に向かって説明していた。その叔父さんの人となり――おそらく欲張りなのだろう――を、誠子は承知しているらしく、うなずいている。

　ここで、思いがけず敏子が自分から口を開いた。「わたしの祖母も、霊感占いみたいなことをする人だったんですよ」

若い二人はぱっと敏子の顔を見た。まずいこと言っちゃったかなという表情だ。が、敏子は笑った。

「よくあたるという人もいましたけど、じっくり考えてみたら、本当に的中してたのかどうか、今ではよくわかりません。けど、うちでも、お祖母ちゃんのご託宣のおかげで、ずいぶんといろいろ面倒がありました」

萩谷家の内情と等の出生については、滋子は、敏子がシングルマザーであることと、実家とは縁が切れているので、等がそちらの筋から土井崎家の情報を得た可能性は無に近いということを説明するのみに留めていた。まさか自分から言い出すとは。

「そのお祖母様は……」

「もう亡くなりました。百歳まで生きましたけども」

敏子の口調は優しかった。そういえばこの人は、未だに一度だって、萩谷ちゃやに対する恨み言を口にしたことがない。

「世の中には本当に、他人様の身の上のことがよくわかる神眼みたいなものを持ってる人がいるのかもしれませんけども――」

「等君がそうじゃないですか」と、達夫が勢い込んで言った。「うちのおふくろにくっついてたような輩じゃなくて、本物です」

ありがとうございますと、敏子はしみじみ嬉しそうに呟く。

「それでも、等は子供でした。あのまま大きくなってまだそういう力を持っていたとしても、わたしは、それで他人様になんやかんや言う人間にはなってほしくなかったです」

座がしんとした。誠子はひたと敏子を見つめている。

敏子は少し考えてから、続けた。

「そういう事柄は、心の問題です。理屈でどうなるものじゃございませんですよね。だからこそ救いになる場合もありますけども、悪いことの場合は、言ったら言った方の勝ちで、言われた方は、信じないって思っていても、やっぱりどこかで気になるものです。そういうやり方で他人様の心に踏み込むのは、他所のうちに土足であがり込むのと同じですよねえ」

達夫が下を向き、口を引き結んで「うん」と言った。

テーブルに目を落とし、口元をうっすらとほころばせて、敏子は言う。「わたしは、今でも等がすぐ近くにいるのを感じます。それが霊というものだというなら、霊なのかもしれないです。けども、ホントのところ、わたしにはそんなことはどうでもいいんです。等は等で、ずうっとわたしの子供です。わたしが生きてる限り、わたしの心のなかにおります」

つと顔を上げ、自分をじっと見つめている誠子の目を見返して、敏子は言った。

「茜さんは、妹さんであるあなたを恨んでなんか、おられませんよ。むしろ今は、きっと喜んでおられるはずです。あなたがお姉さんのことを知りたがっているから」

「はい」と、誠子が答えた。

敏子はうなずく。

「亡くなったらみんな、仏様です。茜さんも仏様になって、あなたを見守っておられます。そんなのは生きてる人間にばっかり都合のいい考え方だって、怒られるかもしれないけれど、わたしはそう思うんです。そういう思いを、等に教わりました」

滋子は、目を瞠る思いで敏子の横顔を見ていた。

「あなたのお父様お母様のお苦しみは、わたしなんぞにはとうていわかりません。お察しすることもかないません。ごめんなさい」

頭を下げて、敏子は言う。

「でも、お父様お母様が苦しんだり悲しんだりしておられるのは、茜さんに恨まれているからじゃないと思うんです。茜さんを手にかけなくてはならなかった。そのことそのものに、今も苦しんで、悲しんでおられるんです。辛い辛い、本当に辛い罰です。お父様お母様は、茜さんは仏様になったと思いたくても思えない。これからも、たぶん、ずっとそうは思えないことでしょう。それも辛い辛い罰です。だけども、茜さんの祟りなんかじゃございませんよ」

いつの間にか、誠子の目に涙がいっぱい溜まっていた。

「ご主人のお母様に、お祓いをしなさいと勧めた方は、本当に霊が見えたり占いができたりする方なのかもしれません。でも、わたしにはその方は、人の気持ちがあんまりわからない方のように思えます。どういう形であれ、血のつながった者を失って、そのあともずっと生きてゆく者の心の内を少しでも知っていたなら、そんなものの言いようはなさらないはずですから」

たまりかねたように面を伏せて、誠子が膝のそばに置いたハンドバッグのなかをかきまわし始めた。ハンカチを探しているのだろうが、涙で目が曇っているからうまくいかない。横から達夫が自分のハンカチを出した。誠子はそれを顔に押しあてた。

「わたしだって、等に恨まれても仕方のない母親です」

自分も涙ぐみながら、敏子は言葉を続けた。

「わたしがもっと注意していたら、等は今でも元気でいたことでしょう。あの子が十二年で人生を閉じなければならなかったのは、わたしの責任です。命を取り替えてやれるなら、今からだって取り替えたいです」

でも、等はそんなふうには望まないでしょうと、敏子は言い切った。

「あの子を失ったあとも、わたしが元気で生きていくことを望んでくれるでしょう。わたしがそう育てたのではなくて、あの子はそういう子だったんです。天からの授かりものでした。子供は、みんなみんなそうです」

茜さんだって――と、涙声で言い足した。

「でも、地上ではいろんなことが起こります。天からの授かりものでも、壊れたり、歪んだりしてしまうことがあります。悲しいですね」

しばらくのあいだ、前畑家のリビングには、敬虔とでもいうべき雰囲気がたちこめた。誠子が涙を拭き、敏子が鼻をしゅんしゅんと鳴らす。

「えと、あの」

目の縁をうっすら赤くして、達夫が口を開いた。

「ありがとう、ございます」

敏子は黙ってにっこりした。誰も言葉が続かない。沈黙が戻る。と、また達夫が言い出す。

「でも、僕はあの、誠子のご主人じゃないんですよ」

頭をかいて、困っている。

「一応、離婚してるもんで。だから元カレ――じゃないか、元亭主か。けど、また付き合ってますから、そうすっと恋人――になるのかなぁ？」

とても大きな問題だというふうに考え込んで、意見を求めるように誠子の顔をのぞきこむ。誠子はまだハンカチで目元を押さえたまま噴き出した。

「もう、達ちゃんたら！」

背中をぺんと叩かれて、えへらえへら笑った。すると、敏子も笑い出した。

「今も仲良しでいらっしゃるんですねえ。ごちそうさまでございます」

互いを励ましあうような明るい笑顔を、滋子は見つめていた。人間は強い。そんなことを、ぼんやりと思った。

昭ちゃんがいなくてよかったな。こんな場面、もらい泣きで男泣きに泣いちゃう人だから。でも、見せてあげたかったな。

「前畑さん」

誠子がしゃんと顔を上げると、達夫が手に提げて持ってきた大きな紙袋を、膝の上に載せた。

「宿題、やってきました」

土井崎家に、茜に関するものは残っていないか。誠子が覚えている限りの、茜についてのエピソードを思い出して書き出してほしい。滋子はそう依頼しておいた。

「こっちがわたしの覚書（おぼえがき）」

リング綴（と）じのノートを一冊取り出す。

「それと、こっちが貸し倉庫のなかにあったもので、姉に関係がありそうなもの――です」

薄いクッキーの空き缶だった。平たい長方形で、縦が二十センチ、横が三十センチあるかないかのサイズだ。だいぶ古いものであるらしく、絵柄は薄れ、缶の周囲をめぐるセロハンテープの跡が黒く汚れている。

「これ、缶ごとそうなんです」

明らかに、誠子は落胆していた。

「たったこれだけなんです。ほかには何もありませんでした。アルバムなんか、一冊も」

火事で焼けたものもあるかもしれないが、おそらくは、北千住の家を離れるときに、土井崎夫妻が持ち去ったのだろうという。

「わたしの目に入れたくなかったんでしょう」

噛み締めるように、誠子は呟く。

「火事が起こる以前には、古いシャツとかセーターとか、出し入れすることのない衣装ケースに、半分ぐらいはあったはずなんです」

「でも、着る物じゃ手がかりにはならないだろうからさ」と、達夫が言う。

「そうね……」

滋子はいずまいを正してクッキーの缶を見おろした。すぐ手を出せない。掌が軽く汗ばんだ。

「わたし、前畑さんとお会いしたあと、直ちゃんと今井さんに会いに行ってきたんです」

誠子は言って、滋子に笑いかけた。

「行くまではすごく緊張してたんですけど、行ってみたら何てことありませんでした。直ちゃんは大喜びしてくれたし、今井のカッちゃんは、ちょっと泣いちゃって」

おやおや、役割が逆ではないだろうか。でも、その光景が目に浮かぶようだ。

「いろいろ昔話をして、前畑さんに姉のことを調べてほしいってお願いしたことも、ちゃんと打ち明けました」

「酒井さんも今井さんも、驚いていたでしょう」

「最初は、カッちゃんは賛成してないみたいでした。でも直ちゃんは、その方がわたしの気持にきりがつくなら、いいんじゃないかって。直ちゃんがそう言うと、カッちゃんも、ね」

そういうコンビなんですよと、笑った。

二人に頼み、地元で、茜のことを覚えていそうな人びとを、思い当たる限り教えてもらってきたという。これには直美の両親も、今井勝男の母親も手伝ってくれたそうだ。

やはり、誠子本人の意向というものは強力だった。

「全部書き留めてきましたけど、この方たちのところを訪ねるときは、わたしも同行させてください。その方がスムーズに運ぶと思うんです」

願ってもない。しかし滋子は言った。「お願いします。でも、あなたのお気持ちに無理のない範囲内でね」

そうだぞと、横から達夫が念を押す。はいはいと、誠子は明るく返事した。

「直ちゃんたちに聞いたんですけど、うちの両親が北千住の家を離れるとき、父が軽トラックを運転していたっていうんです。どこかで借りてきたんだと思います。その荷台に、二人で荷物を積んでいたって」

大した量ではなかったそうだ。家具や家電はほとんど置き去り（水と煤をかぶり、使い物にならなかったのだろう）で、段ボール箱がいくつかと、紐で束ねた靴箱と自転車、ポータブルの耐火金庫がひとつ。

焼け残った茜の持ち物やアルバムは、そのなかに含まれていたに違いない。

「耐火金庫の中身は、わたしにもわかります。保険の証書とか、あの家の借用契約書とか、実印とか。母がしまっているのを見たことがありますから」

茜には関係ないと思う、という。

「でも——両親に連絡してみようと思ったんです。母の携帯電話の番号を教えてもらってありますから、持ち去ったものがあるなら、見せてって頼んでみようかと」

誠子の言葉に、他の三人が緊張した。

「でも、結局はしませんでした。まず無理でしょうから。かえってまずいことになるかもしれないし」

「まずいって？」と、達夫が訊く。

「わたしが姉さんのことを調べてるなんてわかったら、父も母も、今いる場所から逃げ出しちゃうかもしれないもの」

今度こそ完全に――と、誠子は呟いた。

達夫は目に見えて萎れた。敏子が気の毒そうに眉根を下げる。

「だから前畑さん、いよいよ本当にうちの親から話を聞き出さなくちゃならないという局面がくるまでは、この切札はとっておいた方がいいですよね？」

滋子はうなずいた。誠子の強さにあらためて感嘆した。この問題を自身から切り離し、客観的に向き合おうとしている。自分のことではないかのように。

それでいいんだろう。滋子が調査員。誠子はアシスタント。依頼人は――

そう、土井崎茜だ。

「じゃ、開けてみましょうか」

達夫が子供のように固唾（かたず）を呑み、萩谷敏子は少し怯（ひる）んだようになって、目を伏せた。

ところどころ錆（さ）びている缶の蓋は、軽く抵抗した。

開けると、気抜けするような眺めが見えた。

実に雑多なものが混ぜこぜに放り込んである。滋子はひとつひとつ取り出してみた。書きかけのメモ帳。名刺が三枚。ちびた赤鉛筆。使った形跡のないマッチが――十個。ブックマッチも箱のマッチも、店の名前が刷り込んであるものばかりだ。何かの部品のような金属製の小さな輪っか。ゴムキャップ。

「椅子の脚にかぶせる滑り止めですねえ」と、敏子が言った。そのとおりだろう。これも使った形跡がある。

携帯用ラジオの取扱説明書。ラジオ本体は見当たらない。大手の書店で年末年始にサービスでくれる小さなダイアリー兼アドレス帳。

「一九八九年」

滋子は、思わず声に出して言った。誠子はうなずく。

この年の十二月八日に、茜は殺害されている。

さっとめくってみると、アドレス帳の部分に電話番号が何件か載っている。番号だけで、名前はない。メモの部分にも文字がいくつか飛び飛びに書いてあるが、殴り書きで読みにくい。

「方南町――四時」

また声に出して読む。

「これ、母の字です」と、誠子は言った。「あのころ方南町には叔父が、母の弟が住んでたんです」

そこを訪ねる約束をメモしたものではないか、という。

ちょうどいい。滋子は手をとめ、テーブルの上の空いたスペースに、自分の取材帳を広げた。

「ちょっと話がそれますが、ご両親の親戚関係のことを教えていただけますか」

誠子の父、土井崎元は山梨県甲府市の出身で、生家は今もそこにあるそうだ。

「父は三人兄弟の長男です。二番目の叔父さんはＪＡに勤めていて、けっこう偉くなってるんじゃないかな。末の叔父さんは葡萄園をやってます」

「親しくお付き合いをしていらしたんですか」

誠子は首を振った。「父だけ、母親が違うんです。父のお母さんは早くに亡くなって、後妻さんが入ったんですね。それで――」

元にとっては居心地のいい家ではなかったらしい。

「それでお父様は、ご長男なのに東京に」

「はい。わたしは父の実家に行ったことがありません。従兄弟姉妹たちもいるんでしょうけど、会ったことないんです」

土井崎元は地元の高校を卒業すると上京し、東京・三田に本社のある製紙会社に就職した。職場はその会社の管理倉庫で、就職して間もなく資格を得て、フォークリフトの操縦を担当していた。

「倉庫があるのは埼玉の草加です。今度のことがあって退職するまで、ずっと同じところで働いていました」

今井クリーニングで、土井崎の旦那さんはサラリーマンだったけれど、背広を着て出勤するような仕事ではなかったと言っていたことを、滋子は思い出した。

「三年ぐらい前になりますか。父のお父さん――わたしから見れば、会ったこともないけどお祖父ちゃんですよね、その人が亡くなったんです。さすがに父のところにも連絡が来て、父は一人でお葬式に行きました」

「お母様はいらっしゃらなかった」

「はい。一緒に行こうかって言ったんですけど……。実はわたしも」

しかし、土井崎元は妻と娘の申し出を退けた。

——行っても不愉快なだけだから、いい。

そう言ったという。

「葡萄園やってるくらいなんだから、土地とか持ってる家なわけだろ。相続はどうしたんだろう」

誠子は達夫の顔を見た。「ちゃんと説明してはもらえなかったんだけど、うちの父は関係ないっていうか、もう家を出ちゃってたから——」

葬儀のあと半月ほどして、甲府から土井崎家の代理人だという弁護士が訪ねてきて、書類を差し出し、父がそれに署名して実印を押すのを、誠子は見た。

「相続放棄の書類か、あるいは遺産分割協議書だったのかもしれないですね」

滋子が言うと、誠子は何度もうなずいた。「そうそう、その協議書です。父が言ってました」

——しょうがない。山や畑を割っちまうと、向こうが食っていけなくなっちまうからな。

格別、気を悪くしているふうもなかったそうだ。

「土井崎のお義父さんもお義母さんも、欲のない人だったからなぁ」

腕組みをして、達夫が納得したように唸る。

「そうですか。金銭にはあっさりなさってた？」

滋子が問うと、彼はちょっと困ったような顔になり、うなじを撫でた。

「うちの親がホラ、金持ちだってンで嫌な連中でしょ？　でしょって、前畑さんが知ってるはずないけど、何かもう、やることなすこと嫌味なんですよ、ホントいろんな意味で」

当時、達夫の両親が結婚に難色を示していることは、強いて説明しなくても、土井崎夫妻は感じ取っていたらしい。あるとき、達夫にこう言ったそうだ。

——誠子がそちらさまの嫁になったからって、私らまで井上さんの財産をあてにするなんてことは、けっしてないからね。

——そんなつもりはないから、ご両親によく言ってください。

「俺、もうホント面目なかったですよ」

敏子が誠子に話しかけた。「ご両親は、あなたを達夫さんと添わせてあげたかったんですね」

誠子は軽く目を瞠り、はいと小声で言った。

「お優しいご両親ですね」

また「はい」と言ったけれど、その声はもっともっと小さくなっていた。

「あ、でも」と、心の揺れを振り切るように声をあげ、「弁護士さんが帰って、二カ月ぐらいしてからだったかしら、お金が振り込まれてきたんですよ。百万円。母が喜んで通帳を見せてくれました」

——誠子のお祖父ちゃんが残してくれたお金だよ。

「わたしの結婚資金にするんだって」

故人の預貯金か、保険金の一部だろう。土井崎元は、まったく遺産をもらえなかったわけではないのだ。

「せっかくだから、二人で温泉旅行にでも行ってきなさいよって勧めたんですけど、結局はどこにも行かずじまいでした」

実際にその金は、誠子が達夫と結婚するときに使われたそうである。

「お父様のご実家とのお付き合いは、それきりでしたか。納骨とか、一周忌には」

「呼ばれませんでした。お葬式に行ったきりです。叔父さんたちと、年賀状のやりとりはしていたと思うんですけど――」

そうそう、と、うなずいて、

「年賀状も見当たらなかったんですよ。母は几帳面で、三年分ぐらいの年賀状を、箱に入れてとっていたんです。あれは焼けちゃったのかな」

では土井崎向子はどうだったのか。

「母は東京の生まれです。実家は大崎にありました」

向子が長女で、三つ違いの弟が一人。

「母の両親は、雑貨屋をやってたんです。家もお店も小さくて、夫婦二人で充分に切り回せる商売でした」

誠子も、母方の祖父母のもとは何度も訪ねたことがあったそうだ。

「でも、姉さんと一緒に遊びに行った記憶がないんです。いつも母とわたしと二人だけ。父も、あまり出入りしてませんでした」

向子の両親が北千住の家を訪ねてくることは頻繁にあったそうだ。

「わたしが覚えているのは、五歳とかそのぐらいからこっちのことでしょう？　それもおぼろげで……ちゃんとした記憶があるのは、やっぱり小学校にあがって、二、三年ぐらいから以降のことです。そのころはもう、姉は十四歳とか十五歳とかで、それであの……」

店をやっているから、向子の両親も、日曜や祝日でないと訪ねて来ることはできない。

「そういうとき、姉さん、家にいたためしがありませんでした。お祖母ちゃんが、また茜は外を遊び歩ってるんだねって、よく渋い顔をしてました」

そのたびに気まずい雰囲気になった、という。

「カズ叔父さん——あ、わたしはそう呼んでたんですけど」と、誠子はにっこりした。「木村一哉という名前です。うちの母とは違って大学を出て、東京の人なのに、なぜか地方銀行に就職しちゃったんですよ。東京支店にいたり、神奈川にいたり、転勤ばっかりだったんですけど、九七年だったかな、本店のある静岡に転勤になって。それも栄転で」

これからは、異動があるにしても静岡県内だろうということで、落ち着いた。

「それで向こうに家を建てて、お祖父ちゃんお祖母ちゃんを呼び寄せました」

大崎の家と土地は、そのとき売却した。

「惜しかったって、叔父さん、笑ってました。バブルのころに売っときゃ、この五倍ぐらいの金になったって」

実際、八八年から九〇年ぐらいまでのあいだ、大崎の向子の実家には、何度も売却話が持ち込まれたそうだ。が、向子の両親はうんと言わなかった。

「小さな商店街のなかだったんですけどね、古くから住んでる人たちが集まっていて、みんなで手を組んで地上げに対抗しましょうって、頑張ったんだそうです」

「うーん」と、達夫がまた唸る。「結果として良かったのか、悪かったのか、微妙だな」

「良かったのよ」と、誠子は言う。「いくら大金をつかんだって、お店がなかったら、お祖父ちゃんもお祖母ちゃんも生きがいがなかったもん」

滋子は尋ねた。「ご両親が静岡に移られて、弟さんと同居されることに、お母様は反対なさらなかったんですね？」

「はい。むしろ喜んでいました」

「土地を売ったお金は――」

「母も少しもらったみたいですけど、たいした金額じゃなかったろうと思います。叔父さんたちが家を建てたりする方に使ったんじゃないかな」

達夫が滋子の方に頭をかしげた。「ね？　金に執着しない人でしょ？」

「そうですねぇ」

「だって、叔父さんたちはお祖父ちゃんとお祖母ちゃんを引き取ったんだよ。それもあのころ、お祖母ちゃんはあっちこっち具合が悪くて病院に通ってたし、お祖父ちゃんは、えーと今は何ていうんでしたっけ、認知症？」

「ええ、そうですね」

「だから叔母さん、介護が大変だったんだもの。静岡に移って、一年もしないうちに、在宅介護は無理だってお医者様に言われて、専門の施設に入れたんです。それにもお金がたくさんかかりました」

木村夫妻は子供に恵まれなかった。だから誠子には、母方の従兄弟姉妹(いとこ)はいない。

「お祖母ちゃんは去年の夏に、胆嚢(たんのう)ガンで亡くなりました。お祖父ちゃんも症状が進んでしまって、今ではカズ叔父さんの顔もわからなくなっているそうです」

それで良かったと、ぽつりと言った。

「お祖父ちゃんもお祖母ちゃんも、うちの両親と姉さんのこと、知らずに済みましたから」

敏子が黙ったまま、ゆっくりと、ひとつだけうなずいた。

「叔父さんご夫婦とは、今年の四月以来、連絡をとっておられますか」

辛い質問だから、さらりと訊いた。

「事件のことが騒ぎになって、叔父さんも叔母さんもすごく心配してくれて、わたしにも会いに来てくれましたし、今でもときどき電話で話します。両親も、警察から戻ったあと、一度は静岡に行ったみたいです」

「そうですか……」

「でもわたし、叔父さんたちには頼らないでいようと決めています」

きっぱりと、強い口調だった。

「わたしたちと叔父さんが血縁だってことがわかって、叔父さんの立場が悪くなると申し訳ないですから。銀行って、堅い商売ですものね」

木村夫人、誠子の義理の叔母は、華道の先生だそうだ。

「向こうに移ってから教室を開いて、お弟子さんが大勢いるんです。おかしな評判を立てられたら、そっちでも迷惑をかけることになります。そんなの絶対ダメ。誰にも知られないようにしなくっちゃ」

口先だけではなく、力のこもった言葉だった。誠子の細い両肩が、見えない荷を負うようにぐいと張った。

「叔父さん叔母さんは、茜さんのことはまったくご存知なかった……？」

滋子の目を正面から見て、誠子は答えた。「はい」

「家出したきりだと思っておられた？」

「そうです。ですから死ぬほど驚いていました」

滋子はうなずいた。仮にそれが事実ではないとしても、どのみち、九七年に静岡に移ったきりならば、等と接触する機会はない。木村夫妻は外していい。

「これはね、叔父さんが言ってたことなんだけど」

誠子は、滋子たち三人の顔をぐるりと見た。

「さっきから達ちゃんが言ってるみたいに、うちの両親はお金に淡泊でした。娘のわたしから見てもそうでした。お金だけじゃなく、この世のなかの楽しいこととか、みんなが興味を持ったり、欲を出したりするようなことに、まるっきり関心がありませんでした」

それは、自分たちにはそんなことを思ったり願ったりする資格がないと考えていたからではないかと、一哉叔父は誠子に言ったという。

「お祖父ちゃんお祖母ちゃんのことでも、大崎の土地のことでも、叔父さん夫婦が相談を持ちかけると、すぐうんうんて承知して、おまえたちに全部頼むよ、いいようにしておくれ——という感じだったんですって。叔父さんも、訝しく感じたことがあったそうです。何でこんなに簡単に賛成してくれるんだろう。姉さん本当にいいのかって、不安になって、何度も念押しするくらいに」

——誠子の父さん母さんは、茜という大きな秘密を抱えていただろ。ずっと隠してきたけど、そのまま隠し通せるなんて、一度も思ったことはなかったんじゃないかね。いつかは露見するって、覚悟してたんだろう。そうなれば親の面倒なんて見られないし、責任も負えない。だから全部頼むよ、頼んだよって、そういう気持ちだったんじゃないかと、叔父さんは思うよ。

「それでね、そういう気持ちだったなら」

ここまで言って、誠子はちょっと詰まった。

「なんで早いとこ、誠子を叔父さんとこに養女にくれなかったかなぁって。さすがにそれは、どうしてそんなことするんだって理由を訊かれたら、上手い言い訳を考えられなかったからかなぁって」

いちばん可哀相なのは誠子なのに——と。

「叔母さんは、一時は怒ってました。火事になったからって、埋まってる遺体を見つけられちゃったわけじゃないんだから、隠そうとおもえばまだ隠せた。まだ手はあった。今になって白状すれば、誠子ちゃんが離婚されちゃうかもしれないことぐらい想像がつくんだから、何がなんでも頑張って隠し通すべきだったって」

一理ある怒りだ。滋子の心にも、同じ疑問はずっと引っかかっていた。なぜあの夜、土井崎夫妻は告白し、出頭したのか。

「そりゃやっぱ、時効がさ……成立してたから。もう重荷をおろせるっていうか……」

言ってから、達夫はうなだれた。

「でも、法律の問題だけじゃないもんな」

隣で、誠子もうつむいてしまった。

「時効は……頭になかったんじゃございませんか」

敏子が囁(ささや)くように言い、滋子たちは彼女を見た。

「時効なんてもの、誠子さんのご両親にとっては、関係なかったんじゃないんでしょうか。わたしが言うのも僭越(せんえつ)ですが、どうしてもそんな気がします」

滋子は深く息を吐き、暗く垂れ込めてくるもののなかから頭を持ち上げた。

「叔父さんご夫婦は、あなたのご両親と連絡を？」

誠子はかぶりを振った。「今はないはずです」

やはり、迷惑になることを憚(はばか)っているのだろう。

「それでも俺はやっぱり思っちゃうんですけど、お義父さんもお義母さんも、誠子からは逃げることないですよね？」

「もし、同じお立場になったら、あなたは誠子さんと会いますか」

達夫の表情が強張った。

「それ言われちゃうと……辛いな」

「いいのよ、達ちゃん」

誠子が軽く彼の腕を叩いた。

「叔父さんご夫婦が、北千住の家に遊びに来ることはありましたか？」

「時たま、お盆とかお正月とかに。泊まっていくようなことはありませんでした。叔父さんは仕事が忙しいし、叔母さんもお花の修業をしてたし」

木村夫妻が頻繁に引っ越ししていたせいもある。

「お父様が、会社の同僚や後輩や、お客を家に招くようなことは――」

「なかったです」と、誠子は言下に答えた。「うちにお客さんが来たことはありません。保険の外交の人でさえ、母はうちに入れませんでした。玄関先で用事を済ませていました」

言葉だけなら、大きな意味のあるやりとりには聞こえまい。だが誠子は歯を食いしばるようにして声を吐き出している。

「両親は、家を空けることも、他人を家に入れることもしませんでした。理由はわかりきってますけど」

「例外は俺だけ」と、達夫が指で自分の顔をさす。「で、前畑さんが、俺が何か気づいてることがあったんじゃないかってお尋ねだったんで、誠子とも話し合ってみたんですけどね」

彼は座り直して膝を正した。

「初めて、ちゃんと土井崎さんにこの顔を見せに行ったときなんですけど……な？」

と、誠子にうなずきかける。

「お父さんお母さん、この人がわたしの付き合ってる人よ。井上です、よろしくお願いしますって場面ですよ」

ドラマのなかの一シーンのように、身振り手振りで達夫は話す。

「僕もすごい緊張して出かけてったんです。うちの前まで誠子を送って、じゃまたねって帰るのとは、わけが違いますもんね」

「僕」と言ったり「俺」と言ったり、達夫の自称は話の中身や調子によって変わるが、どちらの自称でも、少年ぽいというか子供っぽい。話しながらくるくると目を動かすところも、イタズラ小僧のようだ。

どう話を続けるのかと思ったら、そんな表情のまま、彼は滋子に質問してきた。

「ちなみに、前畑さんのときはどうでしたか？」

「どうって？」

「前畑さんの実家に、初めて旦那さんを連れて行ったとき、どんな感じでした？」

虚を突かれた感じで、滋子は用もないのに敏子の顔を見てしまった。敏子はにこにこしている。

「まあ……やっぱり、あらたまった感じになりましたかねえ。旦那は背広着てたし」

「飯とか、一緒に食いますよね、普通」

そうだったと思う。

「そのとき、前畑さんのお母さん、どんなもてなしをしました？」

滋子は思い出してみた。まずビールだビールだと父が騒ぎ、母は――

「お鮨をとった、かな」

「ははぁ、鮨ですか」と、達夫は感じ入る。

「うちの母は、あんまり料理が得意じゃないんですよ。だからお客さんが来ると、すぐお鮨」

達夫は指で鼻の頭を掻く。「けど、わりかしよくあるパターンは、お母さんが家庭料理を作ってテーブルいっぱいに並べる、って形ですよね？」

敏子がうんうんとうなずいている。「わたしの妹たちのときもそうでしたねえ」

そうですよね？　と、達夫は勢い込んだ。

「僕の大学時代のサークル仲間にね、名古屋出身の奴がいるんです。名古屋っていったら、そりゃ海老フライですよね！」

そうなんですかと敏子が真面目に問い返す。

「名物ですよ。でね、そいつの彼女が、初めてそいつの実家に遊びに来るってとき、おふくろさんは気合いを入れて海老フライをつくるわけです。僕の友達は笑っちゃってね。東京の女の子には、海老フライなんて珍しくも何ともないから、もっと洒落たもんにしてくれって。でも、おふくろさんはこれでいいって。うちの海老フライを食べてもらうんだからって」

達ちゃん、前ふりが長いと誠子が彼の肩を叩く。

「待ってよ、話には順番があるんだから」と、彼も言い返す。「つまりね、そういうときこそ家庭料理の出番だってことです。我が家の味。ね？」

何だか可笑しくて、滋子も敏子も笑った。「ええ、そうですね」

「でも、土井崎さん家は違いました」

達夫は真顔に戻った。

「僕が訪ねて行くと、まるで玄関先で待ち構えてたみたいにご夫婦ですぐ出てきて、じゃあ出かけましょうって」

「出かける？」

「近所の鰻屋に、座敷を取っておいてくれたんです」

初顔合わせはそこで行われたのだという。

「旨い鰻屋で、あとで聞いたら地元の名店でした。でも、妙なもんでしたよ。僕、誠子にも言いましたから。正式に交際させてくださいって、挨拶と面通しに行っただけなのに、いきなり結納って感じだったなって」

この「面通し」という言葉の使い方は正しくないが、気分はわかる。

結局その日は、達夫は土井崎家にあがらないまま、鰻屋の前で夫妻と別れた。

「わたしも両親に話したんです。次からは、もっと気楽にしてねって。父は何にも言いませんでしたけど、母は、さっき前畑さんがおっしゃったことじゃないけど、あたしは料理が下手だから、大したもんが出せないからとか、うちは狭いし散らかってるからとか、言い訳っぽくなって笑っていました」

次に達夫が土井崎家を訪ねるまで、一カ月ほど間があいたそうだ。

「そのあいだに、母は折を見て家のなかを片付けていました。わたしは昼間は会社に行ってますから、母が片付けているところを見たわけじゃないんですけど、帰れば気がつきます。家具の置き場所が変わったり、押し入れのなかが整理されたりしていました」

当時は、次に達夫が来たとき見苦しくないようにしているのだろう――ぐらいに考えていた。

「でも、今思うと、母は何か整理していたんでしょうね。その時点で処分された姉の遺品もあったかもしれない」

遺品と、誠子は区切るように声を強めて言った。

達夫が続ける。「で、二度目に行ったとき、やっと家にあげてもらったんですけど、最初のうちは雰囲気が硬かったんです。でも、僕がヘボだけど将棋をさすってことがわかって、とたんに土井崎のお義父さんが喜んじゃって、急にフランクになりました」

以来、ちょいちょい顔を出すようになったという。

「お父様は将棋がお好きなんですね？」と、滋子は誠子に尋ねた。

「はい。職場では、昼休みに毎日やってたみたいです」

「それでも、どなたか親しい好敵手がいて、その人が将棋をさしに来ることはなかった？」

「ええ。父が出かけて行くこともありませんでした」

「お父様は、今井勝男さんのお父さんと、居酒屋で飲み仲間だったそうですよね。将棋の話はしなかったのかしら」

ないと思うと、誠子は答えた。「飲み仲間って言っても、そんなに親しいわけじゃなかったんです。そもそも父が居酒屋に行くこと自体が珍しかったですから。せいぜい月に二度くらい」

「会社の帰りに誰かと飲みに行くことは？」

「まったくありませんでした」

歓送迎会や忘年会などの行事のとき以外は、仕事が終わると常に真っ直ぐ帰宅していたそうだ。

「直ちゃんとこのお母さんが、セイちゃんのお父さんが仕事から帰ってくるのを見て、時計を合わせられるねって冗談を言ったことがあるくらいです」

休日の土井崎元は、新聞の将棋欄や将棋雑誌を傍らに広げて、ぽつりと一人で盤面に向かっていたという。

「それじゃあ、お相手ができて、さぞ嬉しかったんでしょうねえ」

敏子の言葉に、達夫はえへへと笑った。「土井崎のお義父さん、強いんですよ。マジでアマチュア初段ぐらいの腕は、確実にあったと思います。俺、負けてばっか」

「なおさら楽しいですよ」

達夫が土井崎家に遊びに行くと、向子と誠子が買い物に出かけており、元が一人でいて、

「こっちは焦っちゃうでしょ。誠子、俺と約束してたのに忘れちゃったのかなって。でもお義父さんが、誠子は近所のスーパーに行っただけだからすぐ戻る、まあ一局、一局って」

そこへ向子と誠子が「ただいま」と帰ってくる。そんなこともあったそうだ。

「また将棋？　って、わたし、ムクれたときもありました。お父さんが達ちゃんを独り占めしちゃうから」

それでね――と、達夫が滋子に向き直った。

「正式に結納をして、そのちょっと後だったかな、前だったかな。どっちにしろ、僕が土井崎さん家に馴染んだころに」

その日は向子が町内会か何かの用事で外出しており、家には元と誠子がいた。元と達夫はすぐ将棋盤を囲み、

「わたしはケーキを焼いてたんです」

対局しているうちに、元の煙草が切れた。ちょっと買いに行ってくると立ち上がる。

「僕が行きますよって言ったんだけど、いい、いい、自分で行くって。達夫君、長考していいよ

とか。長考って、わかります？」

「そんなこといいのよ、達ちゃん」

元は履物をつっかけて出かけた。と、間もなく今度は誠子が騒ぎ出した。

「バニラエッセンスがなかったんです」

彼女もあわてて買いに行く。達夫は一人で留守番となった。

「そこへ、土井崎のお義母さんが外出から帰ってきたんです」

達夫は、お帰りなさいお邪魔してますと声をかけた。

「お義父さんとセイちゃんは買い物ですって、言ったんですよ。そしたら――」

途端に、向子の顔色が変わった。

「井上さん、一人でいたんですか？　一人ですか？　ずっとここにいました？　何してたんですかって、問い詰めるみたいに迫ってくるんです。俺は将棋盤の前に座ってて、駒もいっぱい並んでたんですけど、お義母さんがあんまりぐいぐい詰め寄ってくるもんだから、上着の裾（すそ）だかスカートだかが触っちゃって、駒が動いて落っこっちゃって」

仰天した達夫は、すみませんすみませんと謝った。彼の狼狽ぶりに、向子も自分の態度がおかしいことに気づいたのか、急に取り繕（つくろ）うように笑い出して、

「ごめんなさい、誠子ったらそそっかしくてとか、いろいろ言ってました。だけどそのとき、お義母さんの手がこう、戦慄（わなな）いてるのを、俺、見たんです」

当時、このちょっとしたアクシデントを、達夫は誠子には黙っていた。話しにくかったのだ。

結婚後、新婚所帯に友達を招こうという折に、誠子が、うちの親は家に人を呼ぶのが嫌いだという話を持ち出したので、

「そういえば、以前こういうことがあったよって、初めて話したんです」

俺、図々しかったかな。結婚前に、誠子の実家に一人でいたことが、お義母さんは嫌だったのかな。達夫は素直に誠子に尋ねた。

軽くくちびるを噛み、誠子は滋子に言った。「わたしの姉が家出したきり消息が知れないことは、交際を始めてすぐに達ちゃんに話してありました。でも、その話はそのときりで終わってたんです」

「うん。茜さんの話は――なんとなく、俺のなかでもタブーになってたなぁ」

触れない。持ち出さない。話題にしにくい。しても仕方がない。

〝失踪者〟のいる風景を、滋子は思う。

「それでそのとき、あらためて姉のことを持ち出して、わたしなりの解釈を話しました。うちの両親は、いつかふらっと、ひょっこりと、姉が帰ってくると信じてる。だから家を空けられないんだって。達ちゃんが一人でうちにいたとき、お母さんがそんな態度をとったのは、もしもそのとき姉が帰ってきて、声なんかかけられないから家のなかをこっそり覗(のぞ)いて、知らない人がいるのを見て、ああ、お父さんもお母さんも引っ越しちゃったんだなって思って、そのまま、また姿を消しちゃってたらどうしようって、とっさに考えたからじゃないかって」

達夫は考え込むように顎を引き、半目になった。

「それを聞いて、俺も腑(ふ)に落ちました。ああ、そういうことだったのか、って。お義父さんもお義母さんも辛いなぁって、しみじみ思いましたよ」

言葉と一緒にため息を吐き出した。

「でも、あれは……今となってみれば、ね」

達夫が一人で留守番していたからといって、それだけで茜の亡骸の存在に気づかれる可能性など、皆無に近い。何も警戒する必要などないし、激しい反応を見せてしまうことの方が、かえって危ない。

それでも、反応せずにはいられない。罪の意識を持つ者は、追われずとも逃げる。

誠子の恋人とあれば家にあげないわけにはいかないのに、最初はそれさえできなかった。土井崎元は、達夫とのあいだに将棋という共通の趣味を見つけたとき、どれほど嬉しく、ほっとしたことだろう。これで間が保つ。達夫と二人で熱心に盤面を囲み、もっぱら将棋の話ばかりをすることで、元は将来の娘婿との距離の取り方を見つけた。これなら大丈夫だ——。

でも一方で、やはり滋子は思うのだ。元は純粋に嬉しかったのだろうと。夫婦二人きり、茜の死を押し隠し、彼女の遺体を足元に、他所から誰かが来ることはなく、親しく打ち解ける近所付き合いも、親戚も友人もいない。そんな存在を得ること自体を諦める人生。

そこに、達夫が現れた。真面目で気の優しい青年で、純に誠子を想い、自分たちにも気を使ってくれる。しかも将棋が好きだというじゃないか！

誠子に文句を言われるほどに、「まあ一局、まあ一局」と、元が達夫に親しんだのは、達夫が彼のそれまでの孤独な人生にさしかけた、唯一の光だったからなのではないか。そして、そんな夫の笑顔やはずむ会話は、向子にとっても救いになったことだろう。

ただ——。

滋子は以前、一緒に仕事をした編集者に、事実をもとに記事を書くルポライターにしては想像力が強すぎると言われたことがあった。ライター仲間からも似たような指摘を受けたことがある。

その旺盛な想像力が、滋子の心の目に、ある光景をつくりあげてみせる。

土井崎家で一人、達夫は将棋盤を前に長考している。ぼさぼさの髪をかきむしり、独り言なんか呟いたかもしれない。盤面の反対側に回って、土井崎元のさした手を検討し、やっぱり誠子の親父さんは手強いと唸ったりもしたかもしれない。

そんな彼の様子を見つめる、一対の瞳がある。

押し入れの戸が、いつのまにか音もなく開いている。掌ほどの幅に。その奥は暗がりだ。そこにほの白い少女の顔が浮かんでいる。すべすべした膝頭(ひざがしら)が並んでいる。中学校の制服姿で、胸元にはリボン。結び目がゆるんで形がくずれている。少女の髪は赤茶色で、顔立ちは整っているが、目つきは暗い。

少女は達夫を観察している。達夫の背中をじっと見ている。見られていることに、彼はまったく気づかない。なぜなら少女がそこにいることを知らないし、思ってもみないから。

今しも、少女が口を開いて呼びかける。

――ねえ、あんた誰？　誠子のボーイフレンド？

そして、するりと押し入れから出てくる。

これこそが、土井崎向子が前後を忘れて激高するほどに恐れた遭遇なのではないか。あるはずのないこと。あってはならないこと。しかし、土井崎夫妻にとってはあり得ること。夫妻は茜の死体と共棲(きょうせい)していたのだから。

――あたしは茜よ。この家にいるの。

まといつくような甘ったるい声。

――この家で、ずっと死んでるのよ、あたし。

「前畑さん？」

呼ばれて、滋子は我にかえった。三人の視線が滋子に集中している。

「あ、すみません。ちょっとぼんやりしちゃって」

冷や汗が出そうだ。あわてて立ち上がった。「お茶でもいれますね」

気がつけば、湯沸かしポットに水を注ぐ滋子の手も震えていた。土井崎向子が乗り移ったかのように。

「よく考えてみると、俺、誠子の実家の間取りとか、よく知らないんですよ」

達夫が敏子に話している。

「いつも通されるのは、茶の間っていうんですか、家族がご飯食べたりテレビ観たりする座敷で。あとはトイレと、せいぜい誠子の部屋」

そうだったねと、誠子がうなずく。

「けど、お義父さんとお義母さんのいるところへ遊びに行って、僕が誠子と二人で誠子の部屋に閉じこもってるなんて、できませんからね、たいていは茶の間にいました。ほかの部屋には足を踏み入れたこともありません」

「でも、それは普通、そういうものじゃございませんか?」と、敏子が穏やかに笑う。「ご両親と同じ屋根の下にいても、自分の部屋で恋人と二人っきりになっていて平気だという方が、ちょっとはしたないように、わたしなんぞは思いますが」

おっしゃるとおりですと、達夫は力説する。

「でも、最近のガキめらは、平気でそういうことやるそうですよ。プチ同棲なんてのもあるくらいだし」

誠子が何気ない様子で立ち上がり、台所の滋子のそばに来た。そっと差し出すように小声で言った。

「姉さんが埋められていたのは、茶の間の奥の、両親が寝室に使っていた六畳間の床下です」

茶の間じゃありません、という。

滋子は誠子の顔を見た。誠子は慰めるような目で微笑んだ。どうやら、滋子のつい今しがたの放心の理由を、誠子は察しているらしい。

あるいは、同じことを考えていたのか。

「誠子さん、事件が発覚する以前に、お姉さんの夢を見たことはありますか」

「ありません」首を振り、ふっと表情を消す。「姉が夢枕に立ったことはないかという意味のお尋ねでしたら、それもなかったです」

「――近頃では？」

「二度くらい、ありました」

茜らしい制服姿の少女がいるのだが、遠目だったり後ろ姿だったりして、顔は見えなかったそうだ。

「わたし、姉の顔をよく思い出せないんです。今井のおばさんと直ちゃんのおばさんは、姉とわたしは似てないと言ってました」

ちょっとイタズラっぽい目つきになり、

「出るらしいですよ」と言う。

「出るって？」

「姉の幽霊。あの更地に。見たっていう人が、ご近所にいるそうです。直ちゃんが教えてくれました」

人騒がせな話だと、酒井直美は怒っていたそうだ。

「そこに死体があったってことがわかってから出てくる幽霊なんて、本物のはずありませんよね」

口を尖らせてそう言って、誠子は湯飲みを並べた盆を手にテーブルへ戻っていった。

お茶を飲んで小休止。そして滋子はクッキー缶の中身の検分を再開した。

まだまだ雑多なものが出てくる。衣類に付属してくるボタンと端切れ入りのビニール袋がいくつか。端切れの柄を見る限り、女物の衣服のそれのようだ。パウチ処理していない、紙製の診察券。「橘(たちばな)耳鼻咽喉科」という医院のもので、氏名欄には「土井崎茜」とある。一九八六年七月一日作成（初診ということか）で、かなり汚れている。

「橘先生は、うちのかかりつけのお医者様です。わたしはアレルギー性鼻炎になり易いので、小学校のころからずっと診(み)てもらってました」

八六年なら茜は十二歳、誠子は六歳だ。

「茜さんも、鼻炎にでもかかったんですかね」

「何となく覚えがあるんですけど……」誠子は小首をかしげた。「中耳炎じゃなかったかと思うんです。すごく痛がって、熱が出て寝てたことがありました」

「そうですか。この橘先生は？」

「今も開業しておられます」

ならば、あたってみることができる。

三つワンセットの壁掛けフックが、ふたつ使われてひとつだけ残っているシート。ばらの単三電池が二本。半分ほど巻きの残った黒いビニールの絶縁テープ。ＪＲの指定券購入用の書き込み用紙。郵便振替用紙。どちらも記入はない。すっかり黄ばんでいる。

金属製の古い指貫。ボールペンのキャップ。小さなパックに入った化粧品の試供品。使用期限は「1985. 05. 31」とある。新聞の家庭欄に載っている料理のレシピの切り抜きが二枚。どちらも古いものだが、日付はない。「彩り野菜の炒め煮」と「豆腐ハンバーグ」だ。

「お豆腐をつなぎに使ったハンバーグは、母がよく作るお菜でした」

「誠子も作るよな？　お義母さん直伝」

旨いんですよと、達夫が得意そうに言った。

「お母様はよくこういうレシピを参考に？」

誠子は苦笑した。「気まぐれでした。ホントに料理は上手じゃなかったから、ときどき、これじゃいけないから工夫しようと思うんでしょうね、急に本を買ってきたり、熱心に切り抜いたりするんですけど、すぐ熱が冷めちゃって。我が家の味として定着したのは、この豆腐ハンバーグぐらいだったんじゃないかなぁ」

幅三センチぐらい、長さが二十センチぐらいの細長いプリントアウト用紙の、端をホッチキスで留めたもの。数えてみると六枚あった。今では見かけることのない簡素なフォントで、カタカナと数字が並んでいる。

「ドイザキ　コウコ」と、滋子は読んだ。「これ、給料明細じゃないかしら」

「たぶんそうだと思います。母はいろんなところでパート勤めをしてましたから、そのうちのどこかが出したものじゃないでしょうか」

薄れかけた小さな数字をよく見る。一九八五年三月から、同年八月までのもののようだ。毎月の給料は六万円前後。

「さっきの話に戻っちゃいますけど」と、誠子が言った。「父は母が勤めに出ることに反対でしたし、母も乗り気じゃなかったんです。つまりその、家を空けたくなかったから」

外出さえ控えるほどに。

「でも、経済的に苦しくて、どうしようもないときは働きに出ないわけにもいかなかったんでしょう。だから、ひとところで長続きしたことはありませんでした。一年続いたところなんか、なかったと思います」

働いて、少し楽になると辞める。また苦しくなると働く。そういう働き方だと、雇う側はあまり良い顔をしないだろうから、その都度勤め先が変わる。

それでかまわない。とにかく家を空っぽにしたくない。

また、滋子の想像力がイタズラをした。土井崎夫妻は誠子と茜を二人きりにしたくなかったのだ。学校から帰った誠子が留守番しているところに、茜の死霊が出現するようなことがあってはならない。

するりと、床下から起き上がってきて。

ほかにもいくつか、商品タグとか、改札で回収しない特急券（熱海—東京間）とか、新型オーブンの広告の切り抜きなどが見つかった。そして最後の最後に——

「校章？」

小さなビニール袋に入ったバッジだ。袋は古びて端が白濁しかけているが、中身は新品同様だった。直径が一センチ半ほど。紺地の丸いバッジで、金色の二重の輪の内側に、丸くデフォルメされた字体で、「千住南」という漢字が収まっている。

「区立千住南中学校」と、誠子が言った。「姉の通っていた中学です。わたしの母校でもあります。でも、これは姉のです。わたしは自分の校章、とってあるから」

一九七四年生まれの土井崎茜が中学へあがるのは、一九八七年の四月である。このバッジは新品のようだから、入学してすぐ支給されたものだろう。

「お姉さん、学校に校章を着けて行かなかったのかしら」

ずっとしまいこんだままだったのだろうか。

「わたしたちは着けました。そういう規則ですから」

「そうですよね……」

「でも姉は、素行が良くなかったから」と、誠子は首をすくめた。「反抗してつけなかったのかも」

「最初から？　いきなり？」

「さすがにそれはないでしょうか」

滋子は校章を掌に載せ、考えた。

「いずれ学校へお伺いして尋ねてみましょう。当時の担任の先生はもういらっしゃらないようでしたけど、誠子さんが一緒に行ってくれれば、わたし一人で乗り込むよりは、ずっと話が通り易くなります」

これで缶は空になった。滋子は缶をゴミ箱の上に持って行き、底をぺんぺんと叩いて、残っていた埃(ほこり)を捨てた。

「ここに入ってるのは、おおよそ、八五年から八九年ぐらいまでのものだと考えてよさそうですね」

名刺やマッチはこの限りではないが。

「このお名刺――」敏子が三枚の名刺を並べて言った。「これは生命保険の外交員の人のようですね。こっちはガス会社の営業所の人のです」

そして三枚目は、

「有限会社加藤紙工業社長の、加藤宣夫さんという方で、先の二枚とはちょっと種類が違う感じがいたしませんか、先生」

敏子の言うとおりだ。前者の二枚は、保険の外交員が営業で土井崎家を訪れて置いていったとか、夫妻が何らかの用事で来てもらったガス会社の担当者からもらったとか、入手経路を簡単に想像することができる。が、加藤紙工業・加藤宣夫の名刺は違う。

「お父様のお仕事関係のお知り合いですかね？」と、敏子は誠子に問いかけた。誠子は小首をかしげる。

「だったら、こんな缶に名刺を放り込んでおかないと思うんですけど……」

「ああ、そうですよねえ」

加藤紙工業の所在地は、荒川区の宮地町というところである。二十三区の地図を引っ張り出して広げてみると、北千住から遠くはないが、近所付き合いの範囲内ではまったくない。

「ここも訪ねてみる必要がありますね」

まずは中身の一覧表を作らなくては。

「先生、こういう缶とか箱とか、わたしのところにもございますよ」

どういう意味かと、滋子は敏子を見た。

「こうして見ると……使いかけのものとか、たぶん用はないだろうけどすぐ捨ててしまうのは気が引けるものとか、とりあえずこれはここにしまっておこうとか、そういう類のものが多いようでございますよね？」

　言われてみれば、そのとおりだ。だから種々雑多なのである。

「茜さんの診察券にしても、中耳炎の治療のために通っているあいだは必要で、治ったら要らなくなって、その後は使うことがなくて、ここに入れっぱなし——という感じがいたします。わたしもそういうこと、ございますよ。知り合いに勧められて通ったマッサージの先生のところの診察券とか」

　敏子の身体には合わなくて、通うのをやめてしまったそうだ。

「でも、すぐには捨てられません。もしかしてまた行くことがあるかもしれないから、なんて、何となく思うものですから」

「ええ、わかります」

　前畑家では、缶や箱ではなく、テレビ台の脇の小引き出しがそういう用途で使われている。昭二も滋子も何か捜し物をしていて、それがありそうな場所で見つからなかった場合、その小引き出しをひっくり返す。とりあえずここに入れちゃって、忘れちまってるのかもしれないからな、と。

「この、洋服の替えボタンとか端切れとか、よくそういう目に遭いますよね」と、達夫もうなずく。「あれ、取っておくんですよ。けど、必要になることって、まずないんだな。で、いざ必要になったときには、今度はどこにしまったか思い出せない」

　日常生活は、そういうこまごまとした品物の集積だ。

「パート先の給料明細が、ひとつの会社の分だけここにぽんと放り込んであるのも、何かそれらしい感じがしますよねえ」

要らないものだけど、すぐには捨てないもの。

達夫の言葉に、しかし誠子は困惑したふうに眉を寄せる。ほんの少しだが、イラついているようだ。

「じゃ、どうして姉さんの校章が入ってるの？」

「それは、さあ……」

達夫は詰まってしまう。誠子はたたみかける。

「校章は大事なものじゃない？　姉さんが着けても着けなくても、少なくともうちの母は、子供の学校関係のものを粗末にする人じゃないの。わたしの校章だって、お母さんがちゃんととっておいてくれたから、今も手元に残ってるのよ。高校のもあるもの。結婚したときに、そういう記念になるようなものを、全部くれたの」

「だとすると、うん、確かにヘンだ。ギモンだな」

二人の顔を見比べて、滋子は笑った。

「まあ、一足飛びに結論を出そうとしても無理ですよ。順々に調べていきましょう」

前畑滋子様
姉の思い出、姉について覚えている事柄を書いてみるというお約束でしたが、いざとなると、なかなか上手くいきません。どれもこれも断片的なので、ひとつひとつ取り上げてみると、途端に意味が失くなってしまったり、つかみどころがないものになってしまうように感じました。
何度も書き直してみて、やっぱり前畑さんへのお手紙の形にするのがいちばんいいかなと思い、こうして書いています。

まず最初に、わたしの依頼を受けてくださったことに、あらためてお礼を申し上げます。あのとき、わたしは「姉のことをよく知りたい」「何が起こってしまったのか知りたい」と言いました。二つのうち、後の方の希望は、今でもまったく変わりがありません。もしかしたら、世間の人たちには、

「何が起こったのかって、あなたのお姉さんが手のつけられない不良だったから、困り果てたお父さんとお母さんが殺しちゃったということでしょう。事実はそれだけなんだから、素直に納得したら？」

そう笑われたり、呆れられたりするかもしれません。わたし自身、これが自分のことでなかったなら、きっと同じように感じると思います。

でも、今のわたしには、それはやはり難しいことです。

世の中に、親の手を焼かせる困った子供は大勢います。大きな事件になってしまって、ニュースに取り上げられる例だけだって数え切れないほどですよね。

実はわたしの会社の先輩や同僚も、兄弟姉妹のことで悩んでいる人は何人かいました。

「兄が就職しないで家に引きこもっていて」

「うちの妹は買い物依存症っていうのかしら、すごい浪費癖があるのよ」

ちょっとしたグチみたいな口調で語られて、深刻な打ち明け話という種類のものではありませんでしたが、でもよく考えれば、程度の差はあっても、家族は大変です。

それでも、そういう「困ったさん」みたいな子供や兄弟姉妹と、多くの人たちは、何とか折り合いをつけて人生をおくってゆくものですよね。どこかでとうとう全面的に衝突して、縁切りみたいになることもあるかもしれないけれど、みんながみんなそうなるわけじゃないです。

わたしが知りたいのは、うちの両親だって、そうしようと思えばできたはずなのに、どうして一線を越えてしまったのかということです。

姉は当時十五歳でした。まだまだ成長して変わってゆく年頃です。今は不良娘でも、あと何年かしたら落ち着いたかもしれません。

父も母も、なぜそれを待つことができなかったのか。わたしにはどうしても納得がゆかないのです。釈然としなくて、いくら想像しても、見えるのは暗闇だけです。

娘のわたしがこんなことを言っても、身びいきに聞こえるだけかもしれませんが、父も母も、かなり我慢強い人です。二人とも骨惜しみしない働き者で、だらしないことやちゃんとしてないことには我慢できない気質(たち)の人たちでした。

父は決められた休暇以外で会社を休んだことはありません。母は、風邪で熱があるときでも家のなかの掃除をしてから寝込むというぐらいの人で、わたしが小中学生のころ、うちに遊びにくる友達は、外見が古くて汚い家なのに、なかに入るとすっごくきれいになっていると、みんな驚いたものです。

生活の様々な部分で、ストイックな両親でした。

もちろん、姉の死という大きな隠し事があったから、そうならざるを得なかったということは、当然あると思います。でも、そんな秘密を抱え込む以前から、わたしの両親は、少し過ぎるくらいに地味で真面目な人たちでした。他人にあれこれ要求したり、悪口を言って責めたりするよりも、自分が我慢することの方を選ぶ人たちだったと思います。

そんな両親が、なぜ姉には我慢ができなかったのか。そこには、二人が警察で打ち明けた以上の理由が隠されているように、わたしには思えてなりません。

所詮は、わたしの手前勝手な妄想なのかもしれないけど、どうしてもそう思ってしまうのです。だから、事件のことをもっともっとよく調べてほしかったのです。

でも、もうひとつの希望――姉のことをよく知りたいという願いは、あれからいろいろ考えてみて、わたしにとって、あんまり真実じゃなかったかなと思います。今さら、ごめんなさい。

わたしは、姉のことならすでによく知っている。そう気づいたからです。

前畑さん。わたしは姉の茜が好きではありませんでした。もっと言うなら、姉が怖かったのです。

六歳の年齢差というのは、難しいです。たいした差じゃなくて、同じように「少女」とひとくくりにできる時期もあれば。「赤ん坊」と「子供」ぐらいに離れてしまう時期もありますよね。ですからわたしの姉についての記憶にはすごく濃淡が多くて、連続性がありません。

ただ、真っ先にあげることのできる事柄が、ひとつだけあります。

姉は、よく大きな声を出していました。

たいてい怒ったり、文句を言ったりする場合ですが、それだけではありません。笑ったり喜んだりするときもありました。そういうときも、いつでも大声なのです。女の子ですから、甲高い声と言う方が適切でしょうか。

学校の先生風に言うならば、「感情の起伏が激しくて、情緒不安定」という表現になるのでしょうか。実際に、姉の（たぶん）中学一年生のときの通信簿のなかに、担任の先生からそのようなコメントが書かれていて、母が悩んでしまったことがあったそうです。

わたしが中学生になり、最初の通信簿をもらって帰ってきたとき、母に、「お姉ちゃんの中学のときの成績はどうだったの？」と訊いたことがあります。興味があったのです。当時すでに姉は「家出」していて、わたしの日々の生活のなかには彼女の影さえありませんでしたが、それでも姉の存在がある以上、姉と比べて自分はどうなのか、どっちの方が良い子なのか、知りたいと思ってしまう年頃に、わたしもさしかかっていたのですね。

母は、「茜は勉強が全然駄目だった」と言いました。そしてそのときに、「いつも騒がしくて、先生からジョウチョフアンテイと言われたんだよ」と教えてくれたのです。あんたにはまだ難しい言葉だよねと、困ったように笑っていたのを覚えています。

両親は、自分たちから進んで姉を話題にすることはありませんでしたが、わたしが姉のことを知りたがり、彼女を話題にするとき、けっして話を逸らすことはありませんでした。必要最小限の言葉ではありますが、答えてくれました。

たとえばこんな具合です。

「お姉ちゃん、今、どこにいるのかなぁ」

「茜はにぎやかなところが好きだから、都心だろうね」

「もう働いてるよね？　何してるのかな」

「美容師になってるんじゃないかと、お母さんは思うよ。なりたがってたから」

「どうして、手紙とか、電話ぐらいかけてくれないのかなぁ。うちのこと、忘れちゃってるのかな」

「まだお父さんとお母さんを怒ってるんじゃないの」

そういう話のとき、わたしはよく、「お姉ちゃん怒りっぽかったもんね」と言ったものです。

こうして書いてみると思い出しますが、父と母が、わたしと話すとき、姉のことを「あんたのお姉ちゃん」とか「お姉ちゃん」という呼び方をしたことは、一度もありませんでした。いつも

「茜」と名前で呼んでいました。

わたしの記憶のなかにある姉は、確かに騒々しく、そしてたいていの場合、意地悪でした。だからわたしは姉が怖かった。理由もなしにいきなりぶたれたり、お気に入りの玩具を取り上げられたり、読んでいた本の上に飲み物（コーラだったかジュースだったか）をばあっとこぼされて、わたしが泣き出すと、うるさいとひっぱたかれた覚えもあります。

小さいながらに、わたしは、お姉ちゃんはあたしが嫌いなんだなと思っていました。実際、「あんたなんか大嫌いだ。死ねばいい」と言われたこともあるんです。わたしはまだ小学校の一年生——あるいは、幼稚園児だったかもしれないです。

そのときは、珍しく父が真っ赤になって怒り、姉を叩きました。姉は大声で泣き出して、父を叩き返そうとしました。わたしはまだ姉に言われたことの意味がよくわからず、ただただ父と姉の激しいやりとりが怖くて、縮み上がっていたと思います。

これはわたしの記憶ではなく、最近になって叔父に聞いた話ですが、書きます。ついでながら、叔父も、姉が「家出」している当時はうちで姉の話題を持ち出すことを控えていたので、話せなかったと言っていました。

姉は赤ん坊のころ、とても夜泣きがひどかったのだそうです。当時、両親と姉は会社の社宅（草加市内にあったそうです）に住んでいて、狭い部屋だし隣近所はみんな会社の人たちで、そのなかでの人間関係がややこしく、母はすごく嫌で嫌で、辛い時期だったそうです。そのうえに、毎晩のように姉が夜になると泣いて泣いて泣き止まなくて、父は怒るし、母はご近所をはばかり、真夜中でも姉をおぶって外に出て、行くところなんかないからそこらをぐるぐる回って、泣き止むまで歩き回って、へとへとに疲れる毎日だったそうです。

「茜より、こっちが手放しで泣きたいくらいだって、姉さんは言ってたよ」と、叔父は話していました。

夜泣きはかなり長いこと続いたらしいです。そして幼稚園に通うぐらいになっても、「茜は癇(かん)が強くて、すぐ癇癪(かんしゃく)を起こして、大泣きするのは変わらない」ということを、母は叔父に話していたそうです。

叔父自身は、幼いころの姉を「人見知りの強い子」だと思っていたと言ってます。当時、叔父は姉に会う機会が少なかったですから仕方がないけど、それにしても全然懐(なつ)いてくれないので、寂しい感じがしたそうです。

妹のわたしは、夜泣きもせず、わりと人見知りもしないで、もちろん自分ではわからないですが、叔父夫婦の話では、おとなしくて手がかからない赤ん坊だったそうです。

「茜ではさんざん苦労したけどこの子は楽だって、姉さんはほっとしてた。俺も、自分も結婚したし、大人になったというか、赤ん坊の可愛さがわかるようになって、盆や正月とかに会うと、誠子のことはけっこう抱っこしたり、遊んでやった覚えがある」

妹のわたしがそういうふうであることを、六歳年上の姉は、当然そばで見ていたのでしょう。そして自分が赤ん坊だったころはこうじゃなかった、大変だったという話を、何度となく聞かされたことでしょう。

姉は面白くなかったでしょうね。六歳といえば、自我がしっかり固まり始めるころですから、みんなが妹ばっかり可愛がるって、悔しかったに違いないです。自分が知るよしもない昔の出来事を持ち出されて、比べられ、一方的に言われるのも腹立たしかったでしょうし、妹がちやほやされるのを見ているのは辛かったはずです。

だから姉は、わたしが嫌いだったんだと思います。むらむらと意地悪したくなって、どうしようもなかったんでしょう。

そんなのは、どの家でも、誰に聞いてもよくあることですよね。だからどうだ、ということじゃありません。

それと叔父は、義理の叔母もですが、姉が、はっとするくらい可愛い女の子だったということも話してくれました。

「赤ん坊のころからそうだったけど、二、三歳にもなると、通りすがりの人が振り返ったり、なんて可愛い子なんだろうって、わざわざ近づいてきて声をかけるぐらいだったんだよ。姉さんも義兄さんも、それは自慢に思ってたんじゃないかな」

両親は、姉の写真を収めたアルバムをしまいこんでいましたが、別に隠していたわけではないので、わたしも何度となく開いて見たことがあります。そういうときは、両親に悟られないよう、こっそりと見ました。今でもあのアルバムが手元にあれば、前畑さんにも現物を見せてあげられるのに、残念でたまりません。

本当に、本当に美少女だったんですよ。わたし、コンプレックスを持っていた時期があります。先ほども書きましたが、両親は進んで姉を話題にすることがなかったですから、当然、どんな事柄でも、姉とわたしを比べることはありませんでした。でもわたしはコンプレックスがあるので、自分もお姉ちゃんみたいな美人だったらいいのにとか、お姉ちゃんは美人だよね、誰に似たんだろう、あたしはお母さんに似ちゃって損をしたとか、憎まれ口をきいたこともあるんです。

そういうとき、母は笑っていました。そして、きまって、「茜はお父さんのお母さんに似たんだろう」と言いました。父の生みの母親です。誰も顔を知りませんし、父の記憶さえ定かではないですから、無難な答えです。父も、「お父さんのおふくろさんは、村いちばんの美人だったそうだから」なんて言いました。容貌のことは気になるけれど、中身はまだまだ子供——という年頃のわたしは、父の「村いちばん」という言い方が可笑しくて、一緒になって笑ったものでした。

　そうそう、それで大事なことがひとつあります！　叔父夫婦のところに、姉の写真が何枚かあるはずだというのです。はずだというのは、叔父も謝っていましたが、叔父さんて母と違ってすごくズボラで、しかも引っ越しの多い暮らしをしていましたから、アルバムの整理なんてしたことがないのだそうです。押し入れのどこかに、写真をどさっと放り込んだ箱があるらしいのですが、今のところどこにあるかわからなくて……。義理の叔母も整理整頓が苦手で、実は自分たちの結婚記念写真も行方不明になっているそうです。

　今、捜してくれています。見つかったらすぐ報せてくれるそうなので、お見せすることができます。

　それで、わたしの覚えていることの話に戻りますが（脈絡がなくてごめんなさい）、そういうふうにすぐ怒って意地悪で、だからわたしはいつも姉にビクビクしていたのですが（と書くと確信的ですが、感じとしてはもっとぼんやりしているのです）、でもときどき、姉がとても優しくしてくれたことも、覚えているのです。

　姉は手先が器用で、特に髪を整えたり、結ったりするのがとても上手でした。気が向くと、わたしの髪もいじってくれました。

　小学生のころのわたしは、前髪をおでこのところで切り揃えて、長めのおかっぱ頭のスタイルをしていました。姉はその髪をくるくるとよじって結んで、ブタさんのしっぽみたいに跳ねさせたり、ピンでとめてお団子にしたりして、そこにありあわせのリボンや髪留めをとめて、お洒落なスタイルにしてくれるのです。美容院では小学生にそんなサービスをしてくれませんから、そうやってもらうと、わたしはとても嬉しくて、そのまま学校に行くと友達がうらやましがるし、鼻高々でした。

そういうとき、姉は丸い小さな鏡の前にわたしを座らせて、「ほら、こういうのどう？」とか、「誠子の髪は柔らかいから結び易いね」とか、言っていました。そもそも機嫌がいいからわたしの髪をいじってくれるわけですが、わたしが大喜びすると、姉も嬉しそうでした。

その夜お風呂に入ったり、ひと晩寝ればくずれてしまいます。わたしが「また髪をやって」とねだると、今度は「うるさい！」「ヤダよ」と叱られる。三回に二回はそういう感じでしたが、姉の上機嫌が続いていると、また違う形に結んでくれて、二人で鏡をのぞきこんで「可愛いね」なんて言ったりしたんです。

そういう思い出があるので、母が「茜は美容師になってるだろう」という言葉を、わたしは本気で信じ込んでいました。

実際に義理の叔母は、うちの母から、「茜は勉強が駄目だから、思い切って高校進学はやめて、何か手に職をつけてやりたいと思う」と相談され、「美容師がいい」と勧めたことがあったそうです。「茜ちゃんはいつもお洒落にしているし、そういうことに興味がありそうに見えたから」と言っていました。

ただ、美容師になるには試験を受けなくちゃならないし、実は修業が大変だから、茜ちゃんはもうちょっと辛抱することを覚えないといけないと言ったら、母はそれが難しいんだとこぼしていたそうです。

「家出」したとき姉は十五歳、わたしは九歳でした。生活時間帯がそもそも違います。一日のうち、わたしが起きている時間内に、姉が家にいたことはごく少なかったと思います。学校に行っていたときもあれば、サボッて遊んでいて（で、帰ってきて両親に叱られる）ということもあったでしょう。

姉がどこへ行き、外でどんな人たちと友達付き合いをしていたのか、わたしはよく知りません。何度か、玄関先に男の子が訪ねてきて、家にいた母がそのことで姉を叱り、姉が怒って喧嘩になるというパターンがあったような記憶があるのですが、いつごろのことだったか覚えていません。叔父夫婦も、姉の友人関係のことは、両親から具体的に聞いたことも、相談されたこともないそうですが、グチっぽい感じでぽろりと、

「まだ中学生だっていうのに、茜には悪い虫がついてしまって困る」というふうに、母が話していたことはあるそうです。

さて、姉があんなことになった当日のことなのですが、一九八九年十二月八日という日付に間違いはないようですよね。両親は揃って、その夜わたしは家にいなかったと、警察で証言しているようです。ただ、どこに行っていたのかということは、父と母とで記憶が食い違っているみたいです。

残念ながら、わたしの記憶もはっきりしません。九歳の子供のことですから、一人で外泊するはずはありません、当時のカレンダーを調べると八日は金曜日で、あのころはまだ土曜日は学校が休みじゃなかった。ですから、叔父さんのところへ泊まりがけで出かけたというのはちょっと考えにくいです。

このあいだ直ちゃんたちに会ったとき、いろいろ話してみたんですが、わたしたちにはもう一人、正田（しょうだ）さくらちゃんという仲良しの同級生の女の子がいたことが話題になりました。それで直

ちゃんが思い出してくれました。ちょうどあのころ、わたしたちが小学校三年生のときですが、さくらちゃんのお父さんが交通事故に遭い、入院したことがあったんです。さくらちゃんは一人っ子でお父さん子で、お父さんが家にいないことを、それはそれは寂しがって、心細がっていました。それで当時、ときどきですが、さくらちゃんに呼ばれて、直ちゃんとわたしで泊まりに行ったんです。あの夜も、わたしは直ちゃんと、さくらちゃんの家にいたんじゃないかと思います。すぐご近所でしたから、翌朝は一緒に登校することもできました。

さくらちゃんは五年生のとき地方へ転校してしまって、付き合いが切れました。だから確認することはできないのですが、たぶん間違いないだろうと思います。

ですから、わたしがあの夜家にいなかったのは、本当にたまたま——偶然でした。もしもわたしがいたら、違う結果が出ていたのかもしれないです。でも、考えても空しいだけですね。

さくらちゃんの家から帰ってきて、姉がいなくても、わたしはあんまり気にしなかったんだろうと思います。記憶にもはっきり残っていないのですから、きっとそうだったんでしょう。両親の様子にも、子供心には変わった感じはなかったんだろうと思います。

何より、姉が家にいないというのは、わたしにとって、とりたてて異常なことではありませんでした。

どうやらお姉ちゃんは家出してしまったらしいということは、母から聞いたように思います。警察に捜索願を出した後だったんじゃないでしょうか。母は、帰ってきたらうんと叱ってやると言っていました。それはよく覚えています。わたしは、ずうっと姉がいなくて、髪をいじってもらえなくなったことは少し寂しかったけれど、何となくそれにも馴染んでしまって、だんだん平気になりました。

姉は、最初からいなかったみたいにいなくなりました。


土井崎誠子の手記は、そこで終わっていた。末尾には、また何か思い出すことがあったら書きますと添えてあったが、滋子は、彼女が綴った終盤の一行に、ことのほか強く目を惹かれた。

茜は、最初からいなかったみたいにいなくなった。

頻繁にトラブルを起こし、学校でも地域社会でも悪い評判ばかりで、つまりは鼻つまみ者であった美少女。両親にも手を焼かせていた不良少女。しかし、六歳下の妹の記憶のなかの茜は、その気まぐれな優しさと共に、「家にいなかった」ということが、強く印象に残っている。

不在の存在感だ。

翌朝、昭二と二人で朝食をとったとき、滋子はつい、誠子の手記の内容を話題にしてしまった。昨夜は誠子たちとの会合の様子を報告しようとしても、

「オレ、そういうの聞くと切ないから」と、逃げられてしまったのだ。野球少年たちとの西瓜割りのとき、敏子の涙を垣間見たことが、彼にはよほどこたえたらしい。

「お姉ちゃんは、しょっちゅう外を遊び歩いてた、か」

昭二はトーストを噛みながら言う。

「近頃のティーンエイジャーってのはさ、平日に、家で普通に晩飯を食わなくても平気なんだってな。親も何も言わねぇんだって」

「どういうこと？」

「だから、夕飯の時間に家族の顔が揃ってなくても気にしないんだよ。中学生や高校生の子供が、

晩飯を外で食って――ハンバーガーとかだろ――遅く帰ってきても、誰も叱らない。携帯電話があれば居所はわかるから、別にいいんだって」

「週刊誌とかに、そういう記事が載ってた？」

それだけではないと、昭二は強く言った。「うちの社員たちからもよく聞くよ。うちの子はそうじゃないけど、子供の友達がそうだとかって話も。タケさんとこの子は高校二年かな。毎晩、ちゃんと家族で夕飯食うんだけど、そんなのヘンだ、親と飯食うなんてウザくないのって言われるって」

土井崎茜が十五歳だったころは、夕食時の子供の不在はまだ素行不良の明確な証(あか)しだった。が、現在(いま)は違うということか。

「まあなぁ」昭二は朝から不機嫌そうな顔をした。「でも、俺に言わせればやっぱ、そういうのはおかしいよ。生活が乱れてるって意味じゃ、今も昔も変わらない」

茜の死が事件としての時効を迎えるまでの十五年間で、世の中は進んだのか退化したのか、どちらだろう。

「でも、それより俺、ちょっと気になるな」

コーヒーを注ぎ足してやりながら、滋子は彼の顔を見た。まだ不機嫌そうだ。

「誠子ちゃんて、さぁ」

と言って、昭二も滋子の顔を見る。

「何よ。言いなさいよ」

「滋子、怒らねぇ？」

「あたしが？　何を？」

昭二はもぞもぞと朝刊を脇に退け、時間を稼ぐ。

「昭ちゃんの率直な感想なら、あたし怒らないよ」

口先だけではない。ぜひ聞きたい。誠子が何だ？

「どっか……冷たくないか？」

言いにくそうに口元をひん曲げて、昭二は呟いた。

「冷たい？」

「うん。姉ちゃんに対して」

「詳しいこと覚えてないから？」

「いやいや、そうじゃない」昭二は首を振る。振ってしまってから、自分でも考え込む。

「違うか。冷たいんじゃなくて、強いのかな」

うん、そうだなと勝手に納得する。

「強くならざるを得ないってこともあるんだろうし、もともと強い子なんだろうな。すごくいい子じゃん？」

「そうね」

「きっとさ、子供のころから、お姉ちゃんが反面教師だったんだよ。お姉ちゃんみたいになっちゃいけないって、思ってきたんだろうな。それ、すごく健気なことだけど、俺にはちびっと、冷たいとも思えるんだ、うん」

自問自答しているみたいだ。

「誠子ちゃんて、姉さんの夢、見たことあるのかな」

滋子は驚いた。「何でそんなこと聞くの？」

「何でって、何でかな」頭をかいている。「ただ、見たことねぇんじゃないかって気がして。こういうことになる前、ただ姉ちゃんは家出したんだよって聞かされてたころからさぁ」

事件発覚以前には、見たことがないと言っていた。発覚後はあった。だが誠子は、家の跡地に茜の幽霊が出るという噂には取り合っていなかったと、滋子は話した。

「そうか。そうだろうなぁ、うん」

またまた昭二は一人で納得する。

「よくわかんない。昭ちゃんは何を感じてるわけ?」

昭二は黙ってしまい、目玉焼きをがつがつと食べた。滋子は待っていた。

後ろめたそうに皿から目を上げて、彼は言った。「勘弁してくれよ。上手く説明できないよ」

「努力したまえ。いえ。して頂戴ませよ」

やっと、昭二は笑った。「あのな、もしも俺が誠子ちゃんと同じ立場だったらさ、やっぱ姉ちゃんの幽霊が怖いと思うよ。姉ちゃんを手にかけた親のことも、どっかで怖がっちまうと思うけど、そっちはまだ気持ちの落としどころがあるんだ。仕方なかったんだ、お姉ちゃんがどんどん悪くなって、あたしにも迷惑がかかるようになるのが心配だったんだろうとか、さ」

滋子は深くうなずいた。

「けど、姉ちゃんのことはただ怖いだけだよ。あたしのこと恨んでるだろうなぁって。自分は元気で生きて、親と幸せに暮らしてきたわけだから。ていうか、そんな理屈や説明抜きで怖いよ」

幽霊が出るという噂を、そんなのは偽モノだと笑うことなどできないと言う。

「ああ、やっぱり出るんだな、出て当然だ、あたしのこと怒ってるんだろうなとかさ、俺なら考えちまう。もちろん、そんなの科学的じゃないんだけどさ」

少し間を置いてから、滋子はやんわりと言った。「敏子さんは、死んだらみんな仏様だって言ってた。だから、茜さんが誠子さんを恨んでるわけないって」

昭二はちょっと詰まった。手にしたフォークの先が揺れる。

「いい言葉だな。いい人だよ、萩谷さんは」

でも、それは第三者だから言える慰めだと続けた。

「等君のお母さんだから言えることだ。現に等君は敏子さんのそばに、仏さんになって寄り添ってるからさ」

でも、茜と誠子の場合は違うという。そのことを、誰よりも誠子がよくわかっているはずだ、と。

自分の目玉焼きの皿の前に肘(ひじ)をついて、滋子は思い起こした。そこに死体があったってことがわかってから出てくる幽霊なんて――と、口を尖らせて否定した誠子の顔。

「はっきり言うけど、嫌いだったんだろう、姉ちゃんのこと」と、昭二は言った。「茜さんが生きてるころから、通じ合うものがない姉妹だったんじゃないかぁ？　誠子ちゃんが姉さんのことを覚えてないのも、そもそもいい思い出が見つからないからじゃねぇかな。歳が離れてるってことも大きいだろうけど、それ以前に何かこう……ひんやりしたものがあるような気が、俺はする。しちゃう。ごめん、余計なことを言ったな」

コーヒーを飲み干し、昭二はそそくさと立ち上がった。

一人になって後片付けをし、出勤する支度を整えながら、滋子はまだ考えていた。誠子の表情。遠くを見る眼差し。茜について語る声と、手記の言葉。

その奥に秘められている想い。

生きている——生き残った人間は、今を生きていかねばならない。過去を清算するために必要な理屈や説明を、自分で工夫して作り出して。

土井崎誠子は現在までのところ、実に立派にその作業をこなしている。確かに、彼女は強い。それを冷たいと解釈することも——できなくはない。

昭二の指摘に腹を立てたわけではないし、誠子が冷たいなら何かが変わるということもないのだが、ノアエディショシに着くまで少し気分が沈んでしまった。

昼過ぎ、井上達夫から電話がかかってきた。せかせかと昨日の礼を言い、それから一転して声の調子を落とす。

「あの……実はひとつ、誠子の前では言えなかったことがありまして」

何でしょうと、滋子は気軽に聞こえるように気をつけて問い返した。

「俺、お義父さんに頼まれて、金を貸したことがあるんです。二度ありました。いっぺんは結婚前で、いっぺんは結婚してすぐです。二月の頭だったかな」

第九章　暗部

滋子は手元のメモを引き寄せた。「土井崎さんに借金を頼まれたということですね？」

「そうなんです……」

「一度目は正確にいつごろでしたか」

達夫はスミマセンと謝った。「それがよく覚えてないんです。去年の十月だったか十一月だったか……」

三万円で、すぐ返してもらったという。

「二度目のときは？」

「二十万円でした」

こちらは貸したままになっているそうだ。

「土井崎元さんは、借金の理由をおっしゃいました？」

「三万円のときは、歯の治療費だって言ってました。ブリッジを作るとかって」

二十万円の時は、説明がなかった。手元不如意で、どうしても要る金なのだが都合がつかなくてと、とても恐縮している様子だったという。

滋子は、メモに「二月頭　二十万円　用途？」と書いて丸をつけた。

「誠子の耳に入れたくなかったのは、こんなことがわかると、あいつ絶対に、自分が代わりに返すって言うに決まってるからです。俺、誠子から金なんてもらえません」

達夫は気張って言い切った。

「あのころ、結婚式だの誠子の嫁入り支度だので金がかかった後だから、いろいろ大変だったんだと思うんです。あれはだから、生活費の足しだったんじゃないかな」

達夫は何も聞かずにすぐ承知した。家計費ではなく、自分のポケットマネーから出し、返済はいつでもいいと差し出すと、元は頭を下げて受け取ったそうだ。

「それに――」達夫は言いよどんだ。「土井崎のお義父さんとお義母さん、ひょっとするとけっこう懐具合がキツいんじゃないかって感じは、以前からずっとしていました。そういう打ち明け話があったわけじゃないですから、俺の勘違いかもしれないけど」

「でも、そんなふうに察することができた、と」

「はい」達夫の返事に迷いは感じられない。「俺、金持ちで金に汚い親や親戚を見て育ってるでしょ？　だから、自分で言うのもヘンだけど、経済的なことには敏感な気質なんです、やりくりの上手い下手はすぐわかるし、たとえ見かけは派手にしてても懐が苦しい人のことはピンときちゃう。その逆もね。なんか匂うというか」

「なるほど。それはひとつの人物鑑識眼ですよ」

どうかなぁと、達夫は苦笑いの声を出す。

「じゃ、その理由に見当はつきますか？　土井崎元さんはきちんとしたサラリーマンで、そりゃ裕福じゃなかったかもしれないけど、毎月固定収入があったわけですよね。誠子さんは成人しているし、誰かが病気で入院しているとかいう事情もない。それほどお金に窮する理由といったら

――」

「それって、ギャンブルとかって意味ですか？」

「まあ、向子さんや誠子さんには内緒で、ね」

達夫はぴしゃりと否定した。

「いや、それはないです。土井崎さんはギャンブル大嫌いですからね。ホント堅い人でしたもの。俺と将棋やってて、遊び半分に賭けましょうかって持ちかけても、嫌な顔をするくらいでした。競馬とか競輪とか、およそ興味なかったし、何も知りませんでした」

もちろん、女カンケイもなしですよと、声を強めて言い切る。ボールペンの尻を頬にあて、滋子はむむむと笑ってみせた。達夫は乗ってこない。

「前畑さん。これ、マジで誠子には言わないでください」

真剣な口調だ。言わないと、滋子は約束した。

「俺ね、土井崎のお義父さんお義母さんは、茜さんに頼まれて、金を工面してやってるんじゃないかって思ってたんです」

ボールペンの尻を頬にめり込ませて、滋子は止まった。

「家出娘が借金こしらえて泣きついてきてるんじゃないかってね。親としちゃ放っておけませんよね。だから誠子には内緒で援助してやってるんだろう、それで金が要るんだろうって」

ギャンブルなし。愛人なし。他に金の使い道はない。ならば、当時の土井崎家の状況からしたら、これは実に妥当な仮説である。が――

「そういう、定期的にどこかにお金を送るなり払うなりしていて、そのために支出がかさんでいるという感じがあったんですか？」

「や、そこまで具体的には言えないです、でも、いつでも、金にゆとりがあるって感じがしなかったもんだから」

交流の切れていた土井崎元の父親が百万円の遺産をくれたとき、向子は喜んで誠子に通帳を見せ、「あんたの結婚資金にする」と言った。よく考えてみれば、これも腑に落ちない話だ。年頃の娘がいて、父親は堅い職業に就き、家のローンもない。ならば娘の結婚資金ぐらい貯めてあっても良さそうなものだ。むしろ、その方が自然だろう。

「そういうのって、特にはっきりと話題に出なくても、わかったりしませんか？」達夫は熱っぽく言った。「たとえばテレビで通販とか見てて、これいいねとか、試しに買ってみようとか。旅の番組で紹介されてる旅館が良さそうだから出かけてみようかとか、そういうふうなリアクションって、土井崎さんには全然なかった。日常のちょっとした贅沢や無駄遣いみたいなものは、自分たち夫婦のことに関する限り、あり得ないっていう感じでした。誠子は自分の給料で小遣いとかやりくりしてますから、気づかなかったと思うんだけど」

「もともと、自分の両親は出不精だし、物欲の薄い人たちだと思っている土台がありますしね」

「そうそう」

これが、内部の者にはわからず、外から来た者の目には見える「家族の習性」というものなのかもしれない。

誠子がそれと感じなかったのは、土井崎夫妻が、誠子にだけは気づかれないようにふるまっていたからではないのか。あまり上手ではない手品師のクローズアップ・マジックみたいなものだ。正面から見ている観客にはわからない。が、脇から見る者にはタネがわかる。

「でもね……」達夫の声が低くなった。「茜さんは亡くなってました。俺の想像、まるっきり外れてたわけです」

でしたねと、滋子は穏やかに言った。「ま、そういうこともありますよ。家計のやりくりは、その家ごとに違いますもの」

「そうですねぇ」

くれぐれも誠子には内緒にと念を押し、達夫は電話を切った。滋子も約束を繰り返し、笑顔で受話器を置いた。

一転して、自分の顔が強張るのを感じた。

娘の恋人。新婚の婿。そもそも金にだらしない人物ならいざ知らず、物堅く慎ましい人柄だという土井崎元にとって、井上達夫はもっとも借金を頼みにくい相手だったはずだ。その達夫に頭を下げ、理由を言えずに金を融通してもらったことがあるのならば、頼み易い対象にはもっと頼んでいた可能性がある。

まずはそれを確かめよう。今、頭に浮かんできたこの暗い仮説をいじり回すのは、その後でいい。滋子は鞄（かばん）を手に席を立った。こればかりは電話では用が足りない。

土井崎元が勤めていた製紙会社の倉庫は、駅前の交番で尋ねるとすぐわかった。それもそのはずで、漠然と想像していたよりもはるかに大きな規模の建物で、構内には何台ものフォークリフトが行き来していた。

通された事務室の一角で、応対に出てきた総務課員だという男性社員に、滋子はノアエディションの名刺を出し、土井崎元の代理人を名乗った。彼の債権債務の整理を手伝っていると、手際よく説明すると、相手はさほど疑惑を抱いた様子もなしに納得してくれた。

「一応、人事の方に問い合わせてみますけど、土井崎さんの給料の未払い分は、精算が済んでるはずですよ」

「はい、承知しています。わたしが整理を担当しているのはそちら方面ではないんです。土井崎元さんは、あのような形で急に退職されましたので、個人的な借財やお店のツケなどが残ったままになっていまして、それをひとつひとつ洗い出すことが仕事なのです」

それでですね——と、あくまでも丁重に、

「土井崎さんと親しくしていらした職場の同僚の皆様のなかに、土井崎さんにお金を貸してくださった方がいらっしゃるはずなのです。そちらを確認させていただけませんでしょうか」

男性社員の顔に当惑の色が浮かんだ。

「そういう細かいことになると、私ではちょっとわかりかねます。しばらくお待ちくださいますか」

三十分ほど待ったろうか。先ほどの男性社員と一緒に、五十年配の恰幅(かっぷく)のいい男性がやって来た。カーキ色の作業着姿で、よく日焼けしている。

「土井崎さんの直属の上役でした、私、二宮(にのみや)と申します」と、名刺を出した。挨拶もそこそこに、滋子の向かいの椅子に腰をおろしながら、

「元さん、元気でやっとるんですか」と尋ねた。眉間(みけん)に一本だけ皺(しわ)を刻んで。

「はい、お気遣いありがとうございます」

「奥さんも」

「大丈夫です」

「どこにいるんです、今」

それはちょっと――と、滋子は曖昧に微笑した。

「まあ、そうなんでしょうなぁ。仕方ないやね、聞いたって、こっちじゃもう何もしてやれんですから」

ため息をつく。その言葉と表情に、土井崎元の職場環境は悪いものではなかったのだと滋子は思った。

「娘さんはどうですか。あのその、妹さんの方。身体が弱くて病気がちだって、元さんよく心配してたんですよ。こんなことになって、寝込んだりしてませんか」

誠子が病弱だと、元は会社で言っていたのか。

「妹さんも、今度のことをしっかり受け止めて、何とか乗り越えようと努力しておられます」

二宮はゆっくりと二度うなずいた。総務課の男性社員は、彼に目配せをして席をはずした。

「私らにも、信じられないような事件でした」

呟いて、二宮は急にきょろきょろした。協の小テーブルにガラスの灰皿があるのを見つけると、手に取ってそばに置く。そして作業着の内ポケットから煙草を出した。

「ほかはみんな禁煙なもんで、失礼します」

どうぞと、滋子は会釈した。二宮は深々と一服すると、すぐ煙草をもみ消してしまった。気の重い本題に取りかかる前の鎮静剤、という感じがした。

「元さんがあんなことをしたのに、どういう事情があったのか、私らには今でもよくわかりません。だもんで、取材とかも来たけど、全部お断りしてきました。いい加減なことは言えないからね」

「ありがとうございます」滋子はもう一礼した。

「それがいちばんの親切で、でもそれ以上のことはできないっていう、まあ線を引いたわけです。

ですからね、前畑さん、でしたか」

テーブルの上の滋子の名刺を確認する。

「はい」

「あなたのお名刺は、一応、私の方で預からせてもらいます。けども、元さんに言ってやってください。私らの方で用立てた金は、大した額じゃないし、もう気にしないでいいって。今の今、生活に困ってるからまた貸してくれっていうんじゃ私らもうんとは言えないけど、昔のことはもういいですよ。みんなそう言ってます。元さんが辞めたときに、私らそういう申し合わせをしとったですしね」

一瞬、滋子はぞわりとした。不謹慎だが昂揚した。自分の推察が、あまりにも的のど真ん中を射ていたからだ。

「娘さんのね、それも医者代がかかるっていうんじゃ、是も非もないですよ。元さんは遊ぶわけじゃなし、えらい堅い人だったからね。私ら、借金について悪い感情なんか持ってません。忘れていいって、言ってやってください」

密（ひそ）かに呼吸を整えてから、滋子は言った。「たいへん有り難いお言葉です。でも、土井崎さんはかなり気にしておられますから——」

「ああ、いいですいいです」と、二宮は分厚い掌を振ってみせた。

「二宮さんからもお借りしているはずですが」

「いいんですよ。元さん、いつもその都度几帳面に返してくれてましたから、残ってる額はホントにたいしたもんじゃないんだから」

借金は一度や二度ではなく、ある程度の年月にわたって繰り返されていたらしい。きちんと返していたから、借り続けられたのだ。

「しかし元さん、変わってないんだな」

初めて、二宮がちらりと笑みを見せた。

「わざわざ、おたくみたいな人を立てて寄越すなんてね」

長い吸い殻に視線を落とし、

「私は元さんとは三十年以上の付き合いですからね。あの人が最初に金のことで相談に来たとき、言ったんですよ。娘さんのためだっていうなら、私で用立てられる額なら何とかしてやる。だから絶対にサラ金とかには手ぇ出すなよって」

滋子はうなずいて、訊いた。「最初はいつごろのことでしたのでしょうか。土井崎さんからはお聞きしていないのです」

ちょっと考えてから、二宮は答えた。「十年ぐらい前でしたかねぇ」

「そうすると娘さんが高校生ぐらいですね」

「だったんじゃないかな、うん」

「多感な年頃です」

「ねぇ？　だからうっかり業者から金借りたりするとさ、ひとつ間違うと、かえって娘さんを泣かせることになりかねんでしょう。私、そういう例を見て知ってましたから、しつこいぐらいに言って、約束させました。そのへんの話、聞いてますか？」

「いえ……詳しいことは」

「そうですか」二宮は真っ直ぐに滋子を見た。「元さん、それを守り通したんですよ。よくわかってる、督促状なんか来た日にゃ、いっぺんで娘にバレる。それじゃ元も子もないからって言ってね」

少額ながら、周囲の人びとから借金を続けていることを誠子に知られてはならない。他の何よりも、土井崎元はそれを恐れていた——。

再び、滋子の背筋を冷たいものが走り抜けた。

「二宮さんを始め、会社の皆様のご厚意については、土井崎さんにしかとお伝えいたします」

立ち上がって頭を下げ、滋子は続けた。「もうひとつ、甘えるようですが、土井崎さん自身もいろいろあってまだ混乱しておられますし、火事で家のなかのものが焼けてしまったということもあって、皆様のほかにどなたに借財があるか、はっきりしなくなっているのです。何かご記憶でしたら教えていただけませんか」

職場の人間以外のことは知らないと、二宮は答えた。躊躇や遠慮のない返答だった。滋子は礼を述べてその場を辞した。

駅に向かって歩きながら、一人で震えた。怖いのか、それともこれが武者震いというものなのか、自分でもよくわからない。

土井崎元は、およそ十年ほど前から少額の借金を繰り返していた。借りては返し、また借りては返してやりくりをする。

そして、その金の使い道を誠子に知られることを恐れていた。金を貸してくれる人びとには、理由を伏せたり、誠子が病弱で医療費がかかるなどの嘘をついていた。

その状況は、今年四月二十日の火事の夜まで続いていた。昨年あたりからは、会社の上司や同僚たちだけでは足りず、井上達夫に借りるようにもなっていた。

滋子の左手に、今、載ったのがこの事実だ。それ以前から右手には、ある仮説が載っていた。

土井崎茜が両親に殺害され、土井崎家の床下に埋められていると、どこかの誰かが知っていたということ。

右の仮説と左の事実を合わせると、導き出される新たな仮説がひとつある。

土井崎元――いや土井崎夫妻は、その誰かに金を払っていたのではないのか。

口止め料か。それとも強請(ゆす)られていたか。

茜の殺害が十六年前で、元の借金の申し入れが十年ほど前から始まったというのも、不自然なことではない。口止め料が必要になったのが事件の六年後だったのかもしれないし、最初の六年間は自分たちの収入や蓄えを崩して、必要な金を工面できていたのかもしれない。

いずれにしろ、これはただの空論ではない。

滋子は携帯電話を取り出して、高橋弁護士事務所にかけた。小鳥のような多田君の声が出た。高橋弁護士は出張中だという。滋子は、一両日中に先生宛に報告書をお送りするので、ぜひともお目通しいただくようにと強く頼んだ。

「超能力の話の続きですか?」と、多田君が言う。

「そうですよ。でも、それだけじゃありません。とても大切なことなんです。よろしくお取り次ぎください」

逸(はや)る心のままに、秋津の職場にも電話をかけてみた。彼も出かけていた、弁護士も刑事も忙しい。

そういえば、秋津に「あおぞら会」に入会してもらうというアイデアもあったのだ。きちんと相談しなくては。とにかく今日は、まず報告書を書こう。後回しにしてゴメンと思いつつ、恵に電話して直帰を伝えた。

その、まさに翌朝のことである。

家を出ようとしたところに、携帯電話が鳴った。「あおぞら会」の荒井馨事務局長からだった。名乗る声を聞いて、すぐピンと来た。何かあった。様子が変わっている。あの絹のように滑らかなしゃべりではない。

「来週の……読み聞かせ会に取材においでいただく件なんでございますが」

滋子のスケジュール手帳にも、リビングのカレンダーにも予定を入れてある。金川会長と会えるはずだった。

「大変申し訳ないんでございますが、会長の予定が変わりまして、イベントに出ないことになりました。それで、取材の方もキャンセルさせていただきたいのです」

かまいませんと、滋子はおおらかに承知した。「また後日、ご予定をいただければわたしの方は結構です」

すると、案の定さらに硬い口調になり、荒井事務局長は続けた。

「いえ、次はいつということを申し上げられないのです」

「だいぶ先になりますか？　もちろん、金川会長がご多忙であることは存じ上げておりますから――」

「それが、わからないんです。ですから取材の件は白紙にしていただけませんでしょうか」

事務局長は基本的に好人物であると、滋子は思っている。「あおぞら会」の活動にも、善意と誇りを持って打ち込んでいる人だ。そして、素人だ。

こっちからカマをかけてみた。「何か、わたくしの方に落ち度や失礼なことがありましたでしょうか。もしそうでしたら、どうぞお聞かせください」

荒井事務局長は少し黙った。困っているようだ。
「わたくしの取材が、迷惑になる可能性が生じたとか、そういうご事情でしょうか」
ため息の気配が伝わってきた。「前畑さん。あの、あなたは教育雑誌に記事をお書きになると
おっしゃいましたけれど」
「はい」
「本当にそれだけでございますか?」
「と、おっしゃいますと?」
「わたくし、そういう方面には疎くて……。今は肩書きだけでもこんな立場にありますが、もと
もと普通の会社員ですから、取材を受けることにも不慣れです。それに、推理小説ですとか犯罪
小説は読まないんです。週刊誌も読まないくらいです。事件の話とか、人殺しのこととか、好ん
で読む方の気が知れないと思ってしまう気質なんです」
だからわたしは知らなかったのだけれどと、ぼそぼそと言い訳のように続けて、
「前畑さんは、十年ほど前、大勢の若いお嬢さん方が誘拐されて殺された事件についてお書きに
なって、その方面では有名な方なのだそうですね」
ああ、来たか。
「わたくしも、先日ご紹介した田無も、もちろんあの事件のことは存じていますが、それに前畑
さんが深く関わっていたということには気づきませんでしたの。お名前に聞き覚えもなくて――
失礼をいたしました」
「そんなことはまったくかまいません」
「そういう次第で、わたくしは何の問題もないと判断しましたので取材をお受けすることにした

のですが、一応、会長インタビューですから社の広報室の方に書類を出しましたら、前畑さんのお名前やお仕事を知っている者がおりまして、犯罪ものを書く方が、どうしてうちの会の取材に来て、しかも会長にインタビューをしたがるのか解せない、よく取材内容を確認するようにと指示を受けました」

滋子は穏やかな口調で言った。「わたしはライターです。確かに九年前には事件ものを扱いましたが、現在は違います。ライターの仕事は、多方面に関わるもので、わたしの場合は犯罪が専門ということはまったくございません。今回は、純粋に〝あおぞら会〟の活動を取材させていただきたくてお願いしたのです」

「それでも、こちらとしてはやはり――」

「わたしが広報室にご説明にあがりましょうか」

「いえ、それは結構です」事務局長はあわてた。「あおぞら会事務局のことは、わたくしの責任ですから」

この口ぶりから察するに、広報室からは相当厳しく叱られたのだろう。この上、滋子に食い下がられ、頭越しに交渉されては、ますます彼女の立場がない。

「それでは、もっと詳しい企画書や、金川会長にお伺いしたい質問事項のリストをお送りいたします。それを元に、もう一度ご検討を願えないでしょうか」

「いえ、あの、それは」

孫に近い年代の子供たちの世話を焼く事務局長が、お母さんに、

「どうして宿題を忘れたの？」と問い詰められて、言い訳を探している女の子のようになってしまっている。滋子は気の毒になってきた。

「広報室からは、前畑の取材はきっぱり断るようにというご指示が出たのですね」

「そういうことなのです。申し訳ございません」

「たとえ九年前のことであっても、あの残酷な連続誘拐殺人事件の報道に関わったライターが、同じ名前で〝あおぞら会〟について記事を書くと、会のイメージを損なう危険性があるというお考えなのでしょうね」

「はい、左様でございます」

そこまで先回りしてもらってやっと安堵したのか、荒井事務局長の硬い口調が緩んだ。

「わたしとしては大変残念ですが、そのお考えも一理はあると思います」

「ご理解いただけますか」さらに声が明るくなった。「わたくし個人としては、そこまで神経質になる必要はないという気持ちもするのです。だって、記事が載るのは教育雑誌なのですものね？」

「はい、そうです」

言い切った。あたしは死んだらまばたきする間に地獄落ち決定だと思いながら。

「でも、広報室はかなり強硬なことを申しておりまして」

「それが広報室のお仕事ですもの。むしろ、わたしのせいで、荒井さんを板挟みの立場に追い込んでしまったようで、すみませんでした」

「まあ、そんなことはいいんです。わたくしもこうしてひとつひとつ勉強して参りませんとね」

やっぱり真面目ないい人である。

「金川会長は、この件をご存知なのでしょうか」

「はい、わたくしが報告を上げましたから」

「そうしますと、会長も広報室と同じ見解をお持ちだと考えてよろしいのでしょうか」

すぐには返事がない。迷っているらしい。

「あるいは、僭越ですが、わたしの名前にお心あたりがあったということなのかもしれませんね」

再びの先回りに、事務局長はまた安堵する。「ええ、率直に申し上げますと、そのとおりでございます」

ほかにいくらでも取材申し込みはあるのだから、何もこんな剣呑な方面で有名な人物を入れることはないと、叱られてしまったと彼女は言った。ああ、本当にいい人だ。滋子の知りたいことを全部教えてくれた。

「そうですか。事情はよく理解いたしました。わたしも軽率だったと思います。取材は断念いたします。お骨折りいただきまして、ありがとうございました」

通話を切ると、滋子は声に出して「ふーん」と言った。

前畑滋子の名前には、それほどに暗い烙印が押されているものなのか。それとも金川会長は過剰反応を起こしているのか。残念ながら、当事者である滋子には判断がつかない。

大急ぎでノアエディションに行った。恵は昨夜徹夜だったとかで、連絡板には「午後出」と書いてある。野崎が一人で朝刊を読んでいた。ちょっといい？　と、滋子は彼の近くに座った。

事情を聞いた野崎は、さっきの滋子と同じ口調で「ふーん」と言った。「面白いね」

「あたしの名前、そんなに忌まわしいかしら」

「当時の事件関係者にとっては、今でもそうだろうな」

野崎は手加減抜きであっさり言った。滋子は苦笑してしまった。

「キツいなぁ」

「けど、一般の人にとっちゃ、そこまでの存在じゃない。その金川会長本人か、広報室の誰だかもさ、前畑滋子？　ライター？　一応調べてみるかって、ネットで検索かけて、それでシゲちゃんと九年前の事件との関連を見つけたって線が妥当じゃないか？　ばっちり覚えてたわけじゃないだろうよ」

「じゃ、そういうライターだから断るっていうのは、どう？　神経質すぎない？　十年近くも前の事件だよ」

野崎は目をぐりりと回して、滋子に笑いかけた。

「それを俺に言わせるのか？　ズルいぞ」

「どうしてよ」

「だって、答えはシゲちゃんの顔に書いてある。そこまで敏感になるということは、〝あおぞら会〟には何か隠された暗部があるんだ、だから、事件に鼻がきくライターなんかに接近されたら困るんだって、そう解釈したいんだろ？」

図星だ。

「――飛躍してるかしら。考えすぎ？」

「わからん。あたりかもしれん。けど、外れかもしれん。子供にかかわる団体は、慎重すぎるくらい慎重であって当然だからな。イメージは大切だし」

つまり、この一事だけを根拠に軽々に憶測を進めてはいけないというのが野崎の意見なのだ。

「別の場所でネタを探してみたらどうだ？」

「どこで？」

「いわゆる巨大掲示板。スキャンダルとか、内部告発スレとかさ」

「そんなのがあるの？」

野崎は笑った。「そうか、シゲちゃんはあんましその方面にアンテナがないんだな。俺なら、真っ先に調べてみるよ。あおぞら会のこと。何かあるなら、出てきてる可能性があるからさ」

確かに、まるで考えてなかった。ネットの情報は確度が低いという思い込みが、滋子にはある。それは自分でも認めるにやぶさかでない。

また、こうした調査ものの仕事を手がけること自体が久しぶりなので、思いつかなかったということもある。滋子があてにしていた「あおぞら会」の内部情報は、もしもそんなものがあるとしたらの場合だが、あくまでも誰か個人からの連絡や接触によってもたらされるものだった。我ながら感覚が古いと言わざるを得ない。

「もちろん、〝あおぞら会〟という固有名詞が出てる可能性は低いし、具体的な情報かどうかわからないし、それが真実かどうかは、もっとあてにならない。けど、とっかかりがつかめるかもしれないぞ」

ただなぁ——と、野崎はパソコン画面の前で腕組みをした。

「経験値がせいぜい一〇ポイントぐらいのシゲちゃんが、いきなり入り込んで収穫を持ち帰れるほど甘い場所じゃねぇからな。俺だって自信ねぇもの。ガセネタに振り回されたら、時間を食うばっかりだしさ。いちばんいいのは、誰か掲示板ウオッチャーみたいな人に頼むことだよ。いないか、ライター仲間に」

「いる……かなぁ」

心当たりが二人ほど。そこから誰か紹介してもらう手もある。

「試してごらんよ。事情通ってのは、ただ事情を知ってるだけじゃなくて人に教えたがってるものだから、嫌な顔はしないと思うよ」

結果として野崎の助言はまことに適切なもので、数時間のちには、滋子は伝手から伝手をたどるようにして、ネット社会で情報を探してくれる人物にたどりついていた。「金川有機材」「あおぞら会」のキーワード二つだけで用が足りるという。

「〝あおぞら会〟って団体は、存在自体がユニークだから、探し易いですよ」と言われた。「ただ、手に入れた情報を鵜呑みにしないでください。これ、鉄則」

「しっかり覚えておきます」

数日から一週間の時間をくれということだった。

ノアエディションの業務をこなすあいだに、何度か秋津に連絡した。つかまらない。高橋弁護士事務所には速達で手紙を出したが、まだ着いていないだろう。

帰宅するころ、昭二から連絡が入った。お得意さんと飲みに行く約束ができたという。これ幸いと、滋子は駅前の立ち食い蕎麦で一人の夕食を済ませ、家に帰ると着替えもそこそこに、誠子が持ってきたあのクッキー缶を持ち出した。

中身のリストは既に作った。「方南町　四時」の書き込みのあったアドレス帳に載っていた電話番号も抜き出してある。あとはいくつかのマッチと、一枚の名刺だ。

謎の人物――「有限会社加藤紙工業社長　加藤宣夫」

土井崎夫妻が、茜の殺害を知る第三者に金を払っていた（もしくは要求されていた）可能性が浮上したことで、マッチはともかく、アドレス帳の電話番号やこの加藤宣夫という人物には、いきなり連絡していいものなのか、判断が難しくなってきた。もしかしたらこのなかに、当の本人がいるのかもしれないのだから。

萩谷敏子は、このクッキー缶のような「入れ物」は、どんな家にもあるものだと言った。必要なさそうだけれど、すぐには捨てにくいものを一時的に放り込んでおく容器。入れっぱなしで忘れてしまうことが圧倒的に多い。

滋子は考える。もしもわたしに後ろ暗いことがあり、それを隠しておくために、定期的に誰かにお金を払わなくてはならなくなったら、その誰かの連絡先を、どこに控えておくだろう。嫌でも控えておかねばならないのだから、どこか場所を選ばなくてはならない。

みんなで使う電話帳？　論外だ。名刺綴(つづ)りや住所録に混ぜておく？　その方が実際問題としては目立たないのだろうけれど、心理的抵抗は強い。そういう暗部――いわば「穢(けが)れ」を、自分が安らかに身を置いている日常生活の構成要素と同じ場所には置きたくないと思うのが人情ではないのか。ましてや、その暗い秘密が家族全員に共有されるものではないなら、なおのこと。

だから、「一時預かり場所――でも最終的にはゴミになるものの入れ物」が選ばれた。そう考えることはできないか。

ただその場合、誠子も気にしていたけれど、なぜ茜の真新しい校章がここに入っているのかが解せない。

茜の存在も――土井崎夫妻には「穢れ」だったのか。

滋子は壁の時計を見た。午後七時四十分過ぎだ。初めての電話でも、途方もなく非礼な時刻ではない。

よし、二宮氏のときと、同じ手を使わせてもらおう。土井崎元の借財を確認しているという口実で連絡するのだ。もしもこの加藤宣夫が「恐喝者」であるとしても、滋子が何も知らない善意の第三者を装うならば、影響は出ないだろう。向こうも知らんふりを決め込めばいいのだから。

家の電話の受話器を上げてダイヤルすると、長いこと呼び出し音が鳴っていた。いったん切ってかけ直そうとしたとき、「もしもし?」と男の声が応答した。

「恐れ入ります、加藤様のお宅でしょうか」

「はあ、そうでございますが」

「夜分に申し訳ございません。加藤宣夫様はご在宅ですか」

男の声が、「私ですが」と答えた。少しこもったような声音である。

滋子は名乗り、口上を述べた。加藤宣夫の名前と連絡先は、土井崎元から依頼と同時に渡されたアドレス帳で見つけたと説明した。そこに記載された名前順に電話をかけているのだと。

「はあ……そうですか」

最初の「はあ」は、たいそう長かった。それから、加藤宣夫は質問した。

「すみませんが、おたくさんは何かそういう、取り立てのようなことをする業者さんなんですかね」

「いいえ、違います」滋子は努めてやわらかく答えた。「土井崎さんが、茜さんの一件でいろいろと依頼された弁護士事務所からの紹介でこの仕事を引き受けました」

嘘の上に嘘だが、この際もう仕方がない。

「土井崎さん、自分でわからなくなるくらい、ほうぼうから金を借りたりしとるんですか」

滑舌（かつぜつ）が悪くて、やや聞き取りにくい。亡くなった義父がそうだったから、滋子はピンときた。入れ歯なのだろう。声の感じでは、二宮氏よりもさらに年配のように思えるし。

しかし、元を案じる気持ちは伝わってくる。

「それほど困った状態に陥っているわけではないのです。ただ、火事で家財が焼けたりしましたので、わからなくなっている部分がございまして」

　加藤氏は、もう一度「はあぁ」と言った。今度のは短かった。

「私はもう、土井崎さんとは十五年以上も会っておらんです。お付き合いがあったのは昔のことですから、そのアドレス帳ちゅうのが古いんでしょう。土井崎さんに聞いてもらえれば、同じこと言うと思いますよ」

「まあ、そうですか。失礼いたしました」

「いや、かまわんです。丁寧にありがとうございました」聞き取りにくいしゃべり方だが、加藤氏の言葉も丁寧で、声には温かみがあった。

「お伺いしにくいですが、土井崎さんは元気なんですか」

「はい、お元気です」

「借金しとるというのは、何でまた。私の知っとる土井崎さんは、そういう人じゃなかったですがね」

　加藤氏は元とは十五年以上も会っていないという。その人物が借金のことを知らず、驚いている。これは、裏返せば、元の借金やりくり生活が、少なくとも十五年より前に遡（さかのぼ）れるものではないという傍証になる。やはり、借金は茜の死後に生じた事情に起因しているのだ。

「そのあたりのことは、わたくしの方からはちょっと」

「ああ、そうでしょうねぇ」

　簡単に引き下がってくれた。

「失礼を重ねますが、加藤様は土井崎元さんとは長いお付き合いでいらしたのですか？」

気を悪くしたふうもなく、加藤氏は軽く笑う。

「私ら、会社で先輩後輩だったんですよ。もっとも私は途中で会社辞めて家業を継ぎましたけど、独身寮では一緒でしたもんで」

滋子は急いでメモを取った。「そうしますと、土井崎さんのアドレス帳に加藤様のお名前が、加藤紙工業社長というふうに書いてあるのは――」

「社長ったって零細企業ですわ。もう細々と先細るばっかで、何か仕事ないかっていうんで、昔の職場に営業に行ったんです。そのとき久しぶりに土井崎さんに会ってね。それが、どのくらい前でしたかなぁ」

互いに懐かしく、もともと気の合う同士だったので、それをきっかけに、たまにではあるが外で落ち合って酒を飲んだりしたという。そういう付き合いが二年ばかり続いたそうだから、再会したのは十七年ほど前になるか。

昔の先輩で、二年間ほどの付き合いの、たまの飲み友達。もらった名刺はクッキー缶のなかに放り込んだまま。土井崎元にとって、加藤氏はどういう存在だったのか。

その二年間には、茜の死んだ時が、ちょうど挟まっている。付き合いが絶えたのは何故なのか。そこに茜の件が絡んでいるのか。もうちょっと押して聞き出したいが、どう水を向けようかと滋子が考えているうちに、加藤氏の方から言い出した。

「娘さん、茜さんでしたか、家出しちまって帰ってこないんだよって話、私はあの当時、元ちゃんから直に聞いたですからなぁ」

呼び方が変わった。親しげだ。

「酒飲んで、珍しく愚痴るからどうしたのかと思ったら、そういう事情で。女房がすっかり参っちまって、心配なんだって言ってました。それでもう、これからはあんまし会社帰りにフラフラするわけにもいかないからって」

「ああ、それで一緒に飲むこともなくなってしまったんですね」

「何とか励ましてあげたかったですけども、何とも言いようがなかったですわ。他人事じゃないですしなぁ」

妙にしみじみした口調に、滋子は引っかかる。

「子供さんの家出が——という意味でしょうか」

問いかけに、加藤氏はつと詰まった。

「いやまあ、うちの次男と、元ちゃんとこの茜さんは同い年でしたからなぁ」

滋子の気のせいでなければ、一瞬あわてたようだった。

「とにかく、私は元ちゃんに金を貸してなんかおらんですから、安心するように言ってください。むしろ、私の方が居酒屋でおごってもらったことがありますよ。元ちゃんにボーナスが出るとね。社長さんにはボーナスはないもんなぁって」

加藤氏は笑う。滋子はさりげなく質問を重ねる。

「家出の以前から、茜さんが難しい年頃で、少々素行が荒れているのだということを聞いておられましたか？」

「うーん、まあ、ちょこっとですけどもね。元ちゃんも大変だねって、私も」

その声の後ろで、誰かが「お父さん」だか「おじいちゃん」だか、彼を呼んだような声がした。それを良い潮に、加藤氏は電話を切り上げにかかった。

「ああ、とんだ長話をして、すみません。元ちゃんによろしく伝えてください。消息がわかって、ちょっとほっとしました」

滋子は礼を述べて受話器を置いた。傍らのメモに、「茜と同い年の次男あり」と書き込む。難しい年代にさしかかる子供を持つ父親同士が、居酒屋で気分よく酔っ払うついでに、近頃言うことをきかなくなった子供のことで愚痴を言い合う。そんな光景が目に浮かんできた。ひょっとすると、加藤氏の子供も当時グレていたとか、父親にひどく反発していたとか、何かそのへんのことがあって、土井崎元も彼に親しみを感じ、時計を合わせられるくらい几帳面な習慣を変えてでも、彼とはたまに外で飲むような時期があった。しかしそれも、元が茜を手にかけてしまったことで、終わった——。

そのくらいで満足しておこう。このことは、今度こそ高橋弁護士を動かし、土井崎元に会えたら、直に尋ねればいい。

次に滋子は、クッキー缶のなかのアドレス帳から抜き出した電話番号にかけることにした。すべて名前や名称がなく、ただ電話番号だけが書かれていたものだ。まだ局番が三ケタの時代のものだ。とりあえず、機械的に頭に3をつけて、かけてみた。

電話番号は六つあったが、うち三つは「現在使われておりません」の応答があっただけ。残りの三つは美容院だった。うち二軒は一九八〇年代から営業している店で、もうひとつは店舗の住所こそ変わらないが、何度も経営者が交代している店だった。どれも北千住だ。

滋子は誠子に電話をかけ、前置き抜きで尋ねた。

「あてずっぽうなんだけど、あなたのお母さんは、美容院をよく変える癖があるんじゃない？」

誠子は笑い出した。「わぁ、なんでわかるんですか」

料金の安いところ、新装開店のところ、道端で配っているサービスチケットをもらったところ。

次から次へと渡り歩いていたそうだ。

「チラシとかもよく見てたし、そうそう、バスとか電車のなかから看板を見つけると、電話番号をメモっておいて、行ってみるんです」

言ってから、誠子も思い当たったのか、

「あの缶のなかのアドレス帳の電話番号ですか？」

「そうなの。つながらない番号もあるけど、みんなお母さんの字で書いてあるようだし、美容院だと考えていいみたいね」

誠子も賛成してくれた。「ああいう無料(ただ)でくれるメモ帳とかアドレス帳みたいなもの、母はよくバッグに放り込んでいて、あっちを使ったりこっちを使ったり、そこらへんに置きっ放しにして失くしちゃったりとかしてました。だもの、大事なことを書き留めておいたとは思えませんね……」

となると、残るはマッチだけだ。大小取り混ぜ、色とりどりの十個のマッチ。

「前畑さん。学校とか耳鼻科の先生とか、うちの近所の人たちのところとか、いつ行きましょうか」

誠子は意気込んでいるようだ。まずい。今はもうそれどころではないし、不用意に誠子を動かすことも得策ではない。嘘をつくのは気が引けるけれど、とりあえず時間を稼がなくては。

「ごめんなさいね。もうちょっと待ってもらえるかしら。今、わたしの方でこれまでの調査内容を整理してるので、それが済んだら連絡しますから」

「わたしはいつでもかまいません。達ちゃんも来ると思いますけど、いいですか？　運転手役をやるって張り切ってましたから」

「いえ、それは遠慮しておきましょう。達夫さんが一緒だと、遠慮して口を開かない人もいるかもしれないですものね」

ああ、そうですね——と、誠子は少ししょげた。

「ごめんなさい。わたし、結局は達ちゃんをあてにしちゃってる」

「二人のあいだのことなら、いいじゃないですか」

電話を切ってから、まことに無責任な反問ながら、本当にいいんだろうかと思った。誠子と達夫は、今後どうするつもりなのだろう。今はまだ互いに未練があり、達夫は誠子を放っておけず、誠子は達夫に頼りたい。だから戻ってしまった関係だが、このまま続けて先があるのか。二人が再婚するとなると、今度こそ達夫は実家と縁を切らねばならなくなる。

——そこまで心配するのは、余計なお世話か。

気持ちを切り替えて、十個のマッチをテーブルの上に並べてみた。使用された形跡のあるものは一個もない。

箱のマッチが七個、ブックマッチが三個で、そのうちの二個は同じレンタルビデオ店のものだった。土井崎家の近所の店だ。これは除いていいだろう。なぜなら、残り八個のマッチには、明白な共通点があるからだ。

すべて、喫茶店やコーヒーショップのものだった。当然のことながら、八個とも店名と所在地と電話番号が刷り込まれている。小さな地図がついているものもある。

滋子は席を立ち、大判の首都圏の地図を持ってきた。赤ペンで、マッチが示すそれぞれの所在地に印をつけてゆく。

北千住の駅の近くには、一軒もない。多いのは上野駅周辺で、そこだけで五軒と、半数を超えている。新宿駅東口に一軒、西口に一軒、東京駅八重洲地下街に一軒。

大きなターミナル駅のそばばかりだ。

滋子はまた誠子に電話した。何度もごめんなさいと謝ってから、

「あなたのお父さんは、会社の仕事で出張することがありました？」

誠子はきょとんとした表情が目に浮かぶような声を出した。「出張？　全然ありません」

誠子が覚えている限りでは、一度もないという。そういう職種ではない。日帰りの研修があった程度だ。

「そうですか。あと、お母さんは、パートに出るとき、だいたいどんな仕事を選んでました？　喫茶店やコーヒーショップで働いたことはあるかしら」

ほとんど考えることもなしに、誠子は答えた。「ありません。スーパーのレジ打ちや、クリーニング店の受付なんかはやりましたけど」

「今井クリーニング？」

「いいえ」と、誠子は笑う。「カッちゃんのところの商売仇（がたき）のチェーン店でした。そのせいか、すぐ辞めちゃいました」

「たいてい、ご自宅の近くで仕事を見つけていたのよね？　電車に乗って通うようなことは？」

「ないですよ」と、誠子はきっぱり答える。「あるわけないです。家を空けたくなかったんですから、いつも近場で見つけていました。せいぜいバスに乗る程度だったと思います」

滋子は一人でうなずいた。「じゃ、もうひとつだけ。あなたは、誰かと喫茶店に入ると、よくマッチを持ち帰ったりする？　あるいは、マッチ集めに凝った時期があるとか」

わずかだが、訝るような間があって、誠子は問い返した。「今度は、あの缶のなかのマッチに

ついてのご質問なんですよね？」

「そうなの」

「わたしが持ち帰ったものじゃありません。わたしも達ちゃんも煙草を吸わないから、必要ないし。マッチ集めが趣味だったこともありません」

誠子の声に、焦れたような響きが混じった。

「身に覚えがあるなら、最初からあの缶の中身を見たときにそう言ってますよ。だいいち、あれって古いものでしょう？　わたしなんかが喫茶店に出入りする年頃よりも以前のものじゃないんですか」

「そうよね。でも一応、確認しておきたかったの。ありがとう。もう今夜はこれきり電話しません。おやすみなさい」

腕組みをして、滋子は並べたマッチを見つめた。

誠子の言うとおり、クッキー缶の中身の大半は古いもの、茜が死んだ当時や、それ以前のものだろう。だが、これらのマッチだけは違う可能性が大きい。

八個すべての電話番号の局番が四ケタになっている。

最初に皆で推察したとおり、おおまかに言って一九八〇年代には、このクッキー缶は土井崎家の「半端で雑多な物入れ」だったのだろう。が、ある時期からその用途が変わった。別の用途が加わったと言ってもいい。マッチ箱入れだ。

では、このマッチの意味するところは何なのか。

いつ、どんな機会に持ち帰られたものなのか。

元の出張ではない。向子のパート先でもない。しかも夫妻はめったに外出しなかった。旅行もしない。

都内のターミナル駅周辺にある喫茶店やコーヒーショップに、土井崎夫妻は何の用があって出かけたか。

誰かとそこで落ち合うために。

マッチを持ち帰るのは、次の面会でまたそこを使う可能性があったから。

マッチを取っておいたのは、アドレス帳に書き写すような手間をかけなくても、マッチそのものが住所と電話番号の記録になるし、その方が目立たないから。

必要なときがくるまでは、この古い缶のなかに放り込んで忘れてしまうことができるから。

これらの店で夫妻と落ち合った――おそらくは夫妻を呼び出したであろう人物は何者か。

恐喝者だろう。夫妻から口止め料をもらっていた人物だろう。

いつも同じ場所で会うことはなかった。あるいは、これらのマッチの店をぐるぐる回っていたのかもしれないし。同じ目的で使われた店のマッチは、これ以外にも存在したかもしれないし、マッチがなくても夫妻が場所を覚えていた店もあるかもしれない。

彼らはそこで現金の受け渡しをしていた。

一定の月日ごとに？　または、恐喝者が夫妻に金を無心したくなったときに？

滋子は眉間に皺を寄せ、その皺を指先で撫でながら考えた。わたしの推論は飛躍しているだろうか。突飛に過ぎるだろうか。たった八個のマッチをもとに、想像をたくましくし過ぎているだろうか。

土井崎元の借金やりくり時代は長期にわたるものだった。それはそのまま、恐喝が長い期間にわたるものだったことを示してはいないか。

恐喝や強請というと、すぐ大金が動くという印象がある。が、このケースでは、強請られているのは倹(つま)しいサラリーマンだ。強請っている側も、最初のうちこそ土井崎夫妻に貯金を吐き出させてまとまった金額をせしめることができたかもしれないが、そんなものは長続きしない。すぐ尽きてしまう。

だからといって、恐喝者がそう簡単に夫妻を自由にしてやる気になるだろうか。

土井崎夫妻を強請っているこの人物——仮にAとしよう。Aにとって、もちろん夫妻からねだり取ることのできる金品は大きな魅力だ。だが、彼（もしくは彼女）の目的は、果たして純粋に金だけだろうか。

第三者に対して絶対的な優位に立ち、その生殺与奪(せいさつよだつ)を握って支配するという行為が、人間の心の暗い場所にことのほか強く働きかけ、他の行為では得ることの難しい絶大な満足感を与えてくれるということを、滋子は、ほかでもない九年前の連続誘拐殺人事件の犯人から学び取った。彼はその種の満足感、全能感に耽溺(たんでき)している中毒患者だったから、人をさらっては殺し続けたのだ。

逮捕された後にもまだ、彼はそれを欲してやまなかったし、被害者の遺族の心を掻き乱すような発言を繰り返すことで、過去の殺人を蒸し返しては、かつての全能感の熾火(おきび)を掻きたて、それを貪(むさぼ)って飢えを満たしていた。

この世を生きる人間には、そういう部分がある。一度人の道を踏み外し、この全能感に味をしめてしまうと、やめられなくなるのだ。

恐喝者のAは、今は獄中にあるあの事件の犯人に比べたら、やっていることははるかに小粒だ。だが、心の動きは似たようなものなのではないか。だとすれば、茜の死が世間に秘匿されているあいだは、この強請に終わりというものはなかったろう。

ある時期、これ以上はもう口止め料を払うことはできない、無い袖は振れないと、土井崎夫妻は言ったかもしれない。それでもAは承知しなかったろう。Aが夫妻から吸い上げている旨味は、金ではないからだ。受け渡される現金は、Aの支配力・全能感の象徴に過ぎない。

つい、滋子は想像してしまう。もう、あんたに要求される額の金は払えないと夫妻が言う。何とかしろと、Aは言う。百万要求して駄目なら、五十万。五十万が駄目なら十万。十万が駄目なら五万円でもいい。大切なのは、土井崎夫妻がAの言いなりになるということなのだ。

要求されるたびに、夫妻は生活費を切り詰め、周囲から少額の借金をしては、その時々でできるだけの金を都合する。Aの方も頭を使い、学習を重ね、夫妻を生かさず殺さず、夫妻が自暴自棄になったり、反撃を試みたり、こんな状態を続けるくらいなら警察に自首しようなどと思い詰めたりしない程度に、夫妻の首にかけた縄の縛りを調節するようになってくる。

あるときは、たとえば夫妻が一万円しか都合できなかったとしよう。それでもAにはかまわない。呼び出せば夫妻はどこにでも金を持ってやって来るし、金額が要求額より少ないことに、ひどく怯えて謝るだろう。Aには充分に美味(おい)しいことだ。こうして奇妙なバランスが成立し、十数年ものあいだ、Aと夫妻の加害者・被害者の共棲関係が続いてしまった、とは考えられないか。

いっそAが、世間を知らず頭も悪く、「サラ金から借りまくってでも一千万円払え」などと法外な要求を突きつけるような恐喝者である方が、始末がよかった——。

貸金業者などから借り入れをして、やりくりに詰まり、督促状なんか来た日にゃ、いっぺんで娘にバレる。それじゃ元も子もない。職場の上司の二宮氏に、土井崎元はそう言ったという。

——お父さん、いったい何のためにこんなお金を借りているの？　何に必要なお金なの？

問われたならば、もう時間の問題で、堤防は切れてしまう。誠子は賢い娘だ。嘘を重ねて言いくるめるのは難しい。

誠子に茜の死の真相を知られないこと。まさにそれこそが、土井崎夫妻にとっては、自分たちが刑事罰に問われることよりも重大な問題だったはずだ。だから夫妻は持ちこたえてきた。堪えてきた。

四月二十日深夜の火事で、もらい火を受けた我が家が焼けてゆくのを呆然と見守りながら、土井崎夫妻の心をかすめた感慨の一端を、滋子は思う。

もしかしたら、これで茜の遺体（遺骨）が出てしまうかもしれない。見つからないかもしれないけれど、見つかってしまうかもしれない。少しでも露見の可能性があるのなら、もう、いいじゃないか。先に白状してしまおう。長い秘匿の日々を終わりにできる。幸い、刑事事件の時効は成立している。このまま口をつぐんでいても誠子に知られる危険性があるのならば、進んで白状しよう。今がその、最初で最後の機会だ――。

恐喝者に毟られ続ける人生で積み重なった疲労が、土井崎夫妻を圧倒する瞬間が訪れたのだ。なぜ夫妻があの夜あっさりと陥落して出頭したのかという疑問への、これが答えなのではないか。

滋子はボールペンを握り締め、ひとしきり、自分のメモ帳を睨み据えていた。それから、強い筆圧でそこにこう書き留めた。

では今現在、Aは何を考えているか？

恐喝のネタはもう失くなった。夫妻は姿を消した。

ああ、長いこと美味しい思いをしたけど、終わっちゃったなぁ――その程度で済むだろうか。なしくずしに終わりで、満足するだろうか。最後に何か、Aとしても決着をつけたくはならないか。

滋子は顔を上げた。わたしがAなら、どうするか。一度他人を支配し、いいように揺さぶる面白味を知ってしまった人間ならどうするか。しかもそれが習い性にまでなってしまった人間ならどう考えるか。

誠子に接触しようと思う。

あんたの両親は、姉さんを殺したことを黙っていてくれと、永年口止め料を払っていたんだよと告げるために。それがどれほど惨めな姿だったか教えるために。

誠子から金など取りようがない。何らの物質的見返りもないだろう。だが、彼女が知らないことを知らせて、動揺させること、傷つけることはできる。それを見て楽しむことはできる。最後の最後の愉悦。Aが自分で打つピリオドだ。

朝いちばんで押しかけると、有り難いことに高橋弁護士は事務所にいた。今日も多田君とセットである。

「何事ですか」と、弁護士は険しい目つきをした。滋子は突然訪ねた非礼を謝り、丁寧に言った。

「手紙を読んでいただけましたでしょうか」

上着を脱ぎ、机で新聞を読んでいた弁護士は、ため息をついた。

「読みましたよ。あなた、想像力過多ですな。小説家におなりなさい」

「土井崎夫妻が何者かに強請られていたという仮説は、それほど突飛なものではないと思います」

「いやいや、充分突飛ですよ」

だって根拠は何です？　と、弁護士の声が初めて怒気をはらんだ。

「土井崎元さんが周囲から少額の借金をしていたということだけじゃないですか。そんなの、理由はいくらだってあるでしょうよ」

「たとえば何でしょう？」

答えずに、弁護士は口をへの字に曲げた。

「茜さんのことを、外部の誰かが知っていたんです」と、滋子は言った。

「そっちの根拠は？　超能力少年なんでしょう？　バカバカしいにもほどがある」

「先生、わたしたちでこんなやりとりをしていることの方がバカバカしいんですよ。時間の無駄です」

「おっしゃるとおりだ」

「ですから、手紙でもお願いしたんです。土井崎さんにお尋ねになってください。そういう事実があったかどうか、確認していただきたいんです。本当ならわたしが直にそうしたいんですけど、できません。先生にお願いするしかないんです」

ナンセンスだと、弁護士は言った。

「確認してみて、土井崎夫妻に笑い飛ばされたり、怒られたりするなら、それはわたしが甘んじて受けます。でも、もし夫妻が認めたなら――」

「仮に事実でも、今さら認めるもんですか」

「いいえ、認めない理由がありませんよ。だって誠子さんのことが心配ですもの」

広い額の上で、高橋弁護士の眉毛が吊り上がった。

「どういう意味です？」

滋子は自分の考えを説明した。弁護士の眉毛は吊り上がったままだった。多田君は滋子の傍らで突っ立って、口を半開きにしている。彼が淹れていたのだろう、場違いにのどかなコーヒーのいい香りが漂う。

「先生のおっしゃるとおり、わたしは想像力過多なのかもしれません。すべてわたしの考えすぎで、わたし一人が恥をかいて終わるなら、万々歳です。でも、万にひとつ、そうでない可能性もあるとは思われませんか」

滋子は手に汗を握っていた。

「――先生」と、多田君が呼んだ。

「おまえは黙っていなさい」

滋子は弁護士の机に歩み寄り、身を乗り出した。

「先生が弁護士としてのご経験から下す判断を、素人のわたしがあれこれ言う資格はございません。それは重々承知です。でもわたしには、とても不本意で不甲斐ない形ではありますし、たったひとつの事件でもありますが、途方も無い凶悪事件の犯人と付き合った体験があります。その体験から学んだことがあります」

ひと呼吸おいてから、弁護士は思いのほか穏やかに問い返してきた。「何を学びました？」

「他人を毟る味を知ってしまった人間は、そう簡単には手を引かないということです。彼らは潮時というものを知りません。仮にそうわかっても、それが外部から与えられたものである場合には、承服しないんです。あくまでも自分に主導権があると思いたがりますし、それを示したがります。だから誠子さんのことが心配なんです」

真実、土井崎夫妻を毟っていた恐喝者が存在するならば、このまま黙って消えることはないだろう。滋子は必死に訴えた。

「この人物は、誠子さんからそう遠いところにいるわけではありません。そもそも、土井崎夫妻の秘密を知り得る場所にいたんです。そして今も、何を考えているかわかったもんじゃないんです」

「――叔父さん」

多田君がまた呼んだ。今度は弁護士も何も言わない。

「確認するだけでも、してみたらどうでしょう」

有り難い掩護射撃だ。滋子は振り返って多田君を見た。小鳥のような青年は、小鳥のような顔のまま、かすかだが狼狽していた。

「ねえ、叔父さん」

弁護士は黙っている。

「わたしは誠子さんと、一緒にあちこち聞き歩こうと計画しているところでした」

滋子は弁護士と多田君の顔を等分に見ながら続けた。

「誠子さんが動き出せば、早晩、それが恐喝者に察知される危険があります。さっきも申しましたが、恐喝者は土井崎家の生活圏内にいた人物なんですから。誠子さんの居所がわかれば、接触しようとしてくるんじゃないでしょうか」

「そんなの、危ないですよ」と、多田君が言った。「やめた方がいいですよ」

「そうですね。もし、わたしの想像どおりに、恐喝者が実在する場合にはね。だから確かめないと」

気を揃えたわけではないが、滋子と多田君は同時に息を詰め、高橋弁護士の返答を待った。

「まったく」と、弁護士は嘆息した。「ドラマと現実を混同している」

「すみません」滋子より先に、多田君が謝った。

高橋弁護士は指を一本立て、滋子の顔に突きつけた。

「こんな騒ぎは一日で片付けてしまいましょう。私は土井崎さんに連絡をとり、お望みどおりに確認してみます。あなたはおとなしく私の回答を待ち、やたらに騒いで動き回らないと約束してください。よろしいか」

「ありがとうございます！」

気がつくと、滋子の隣で多田君も頭を下げていた。

それから多田君は、滋子を送るというよりは事務所から追い出すために背中をつっついた。ドアを開けてもらって、滋子は思わず言い訳をしたくなった。

「わたしも、一足飛びにこんな想像をしたわけじゃないんですよ。だけどあのバラバラのマッチが――」

「わかりましたわかりました」

小鳥がさえずるように、多田君はせかせか応じた。

「でも猪突猛進ですね、前畑さんって」

ドアを閉めるとき、多田君はちょっと苦笑していた。

おとなしくしていると約束はしたものの、ではノアエディションに出勤して働きましょうという気分にはなれなかった。滋子は野崎に連絡し、急な休みを一日もらうと、そのまま駅に行って電車に乗った。誠子のアパートへと向かう。

誠子は在宅していた。滋子の顔を見て、目を瞠った。エプロン姿だ。

「昨日から騒々しくてごめんなさい。あなたの手元に、ご両親のスナップ写真はないかしら」

あるという。「達ちゃんと四人で写ってるんです。今年のお正月に撮ったんですけど……」

「お借りできますか」

誠子はもちろん、断らなかった。そしてもちろん、理由を知りたがった。滋子は答えなかった。

「あとで話します。今はちょっと、ね」

スナップ写真を手に、滋子は例のマッチの喫茶店やコーヒーショップを順番に訪ね歩いた。これらはさほど古いものではないという読みはあたっていた。いくつかの店では、現在もそのマッチを置いていた。経営者が替わっていたり、店名が違っている店も何軒かあったが、今の経営者や近所の店の人びとに尋ねると、確かに以前はこのマッチの店がそこにあったと、造作なく確認することができた。

ただ、どの店にも、土井崎夫妻の写真を見せて、「よく来るお客さんです」などと、思い当たる従業員はいなかった。もちろんそれでいいのだった。恐喝者と会うために訪れる店に、土井崎夫妻が常連として出入りするわけがない。むしろ、「ああ、週にいっぺんはおいでになってたお客さんですよ」などという返事があったら、計算が違ってきてしまう。

どの店も、人の出入りの多い繁盛している店だった。駅に通じるにぎやかな場所にあり、いつ誰が客として来ても不思議はなく、店員の記憶にも残りにくい。滋子の想像どおりだった。

店から店へとまわりながら、折々に携帯電話から秋津にかけた。なかなかつかまらないし、コールバックもない。が、午後になってようやく本人が出た。

「少し話せますか？」

秋津は場所を変えてかけ直すと言った。五分待たされて、滋子が飛びつくように電話に出ると、

「何かあったみたいですね」

察しがいい。滋子は一気に現状を話した。

「秋津さんはどう思われます？　わたしは小説家に転業するべきでしょうか」

「ミステリー作家にはなれませんな。昨今じゃ、もっと込み入った話が書けないと、あの仕事では飯は食えないようですから」

滋子は笑ったが、秋津は大真面目だった。

「恐喝者の存在については、おっつけ答えが出るんでしょうし、私は何とも言いようがありません。むしろ、気になるのは〝あおぞら会〟の方ですね」

「取材拒否の件ですか」

「急ですからねぇ」

どれ、私が会員になってみますかね、という。

「いいんですか？　わたし、思いつきでそう考えてはみましたけど、秋津さんのお子さんまで巻き込むのは良くないって――」

「そのへんは心得てます。任せてくださいよ。前畑さんは、しばらく〝あおぞら会〟からは離れていた方がいいな」

すべてが滋子の推測のとおりなら、土井崎夫妻を強請っていた人物こそ、萩谷等が（おそらくは）あおぞら会のイベントで遭遇し、その記憶を「見た」人物だということになる。土井崎夫妻の暗い秘密を、二人も三人もの人物が同時に知り得たとは思えないからだ。

「仮にその人物が今も〝あおぞら会〟にいるのなら、あなたのことを知る可能性があります。〝犯罪ルポの専門家の前畑滋子〟という認識の仕方でね。こりゃヤバいと逃げられたら面倒だし、何か企(たくら)まれても厄介だ。誠子さんのためにも、距離をとっておいてください」

言われるまでもないが、滋子はしっかり約束した。

マッチの店をすべて回り終え、滋子は北千住に行くことにした。誠子抜きでも、彼女の意向が伝わっている今では、近所の人びとの口のほぐれ方も違っているることだろう。酒井直美か今井勝男に手伝ってもらう手もある。

通りがかりに今井クリーニング店の店先を覗くと、カウンターに勝男の母親の顔が見えた。挨(あい)拶(さつ)して入って行くと、彼女はとても嬉しそうに頬(ほお)を緩めて、

「こないだセイちゃんが来たんですよ。元気そうで」

「わたしも誠子さんから伺ってます」

「茜さんのことを知りたいんですって？」と、先回りして切り出してくれた。

「やめといた方がいいとあたしは思うけど……でもセイちゃん、あれで言い出したらきかない子だからねぇ」

「それは、聞き出して気分のいい話は出てこないからということでしょうか」

滋子の問いかけに、今井夫人は口元をへの字に曲げてうなずいた。

「あれから、うちの勝男と直美ちゃんが張り切っちゃいましてね。あっちこっち働きかけちゃ、聞いたり調べたりして」

それは有り難い。

「何か覚えてないのかって、あたしもいろいろ聞かれましたよ」

への字の山が、さらに尖る。

「他所(よそ)のうちのことだから、言いにくくてね」

すみませんと、滋子は謝った。今井夫人は、カウンターに太い肘をついて遠い眼差しになった。

「茜ちゃんねぇ、もともと学校と合わなかったっていうか、小学校のころから先生の手を焼かせてたみたいなんだけど、ホントに目に余るようになったのは、中学へあがってからだったと思うんですよ。不良だ不良だって言っても、学校の友達や近所のガキどもとつるんでるうちは可愛くてね。そんなの、程度の差はあっても、どこの子にもあることだし」

「茜さんはそうではなかったんですか」

「年上の連中と付き合い始めてさ」

どこで知り合ったんだか知らないけどと、鼻から太い息を吐く。

「おおかた高校生だろうと思いますけど、年上の男の子たちとね、つるんで出歩くようになってから、ガタガタッと悪くなりました。それはあたし、この目で見たこともありますからね」

滋子もカウンターに手を乗せ、わずかに乗り出した。

「どんな場面でした?」

「髪はまっ茶に染めてるわ、制服はへんてこに着崩してるわ、ともかくもう絵に描いたような不良モンとね、原付の二人乗りしてさ」

この店の前の通りを走り抜けてゆくのを、よく見かけたそうである。

「あれはたぶん、あの男が茜ちゃんを家まで迎えに行って、連れ出すところだったんじゃないかねぇ」

土井崎家に茜の友達らしい少年が来て、土井崎向子が怒っていたことがあると、誠子は書いていた。

「茜さんのボーイフレンドだったんでしょうか」

「そんな上等なもんじゃないでしょ。ムシですよ、ムシ」

まさにその同じ言い回しを、やはり誠子は書いていた。

「土井崎向子さんが、茜はまだ中学生なのに、悪い虫がついてしまって困ると言っていたことがあるそうです」

「それよ、それ」と、今井夫人は指を一本突き出した。

「いつも同じ男の子でした？」

「仲間はほかにもいたみたいだけどね。茜ちゃんがベタベタくっついてるのは同じ顔でした」

その少年と一緒のとき、茜は制服姿のままであっても、よく化粧していたそうだ。

「遠目でも、はっきりわかるくらいでしたよ」

今井夫人はちょっと周囲を気にして、声を潜めた。

「あのころね、うちの亭主が、見ちゃったことがあるって話してて」

滋子も声を落とす。「何を見ちゃったんです？」

「駅の近くに、今はもうきれいなビルとかになっちゃいましたけど、昔は何軒かラブホテルがあったんですよ。配達でそこを通りかかったときに、茜ちゃんが、まだガキみたいな髪の赤い男の子とそこへ入って行くのを見ちゃったって」

そりゃ茜ちゃんについてる虫だよと、夫人はそのときも夫に言ったそうだ。

「うちの亭主は昔かたぎの人でしたからね。茜ちゃんが、悪い奴に無理やり連れ込まれそうになってんじゃないか、助けなきゃって、思ったらしいんです。だもんで、配達用のライトバンに乗ってたから、ぱっぱっぱってクラクション鳴らしたんですって。そしたら二人が気がついてこっち見て、茜ちゃんは、あ、近所のクリーニング屋の親父だってわかったんでしょうね。男の背中に隠れたんですってさ」

それでも今井氏は、こんなところで何やってんだと、茜に声をかけた。と、連れの男の子がすごい勢いでからんできて、危うく殴られそうになったのだそうだ。

「うちの亭主に向かってさんざん毒づいてから、二人でこそこそ逃げて行っちゃったって。帰ってきてそんな話をするもんだから、バカだね放っときゃいいのにって、あたし笑っちゃいましたよ」

と言いつつ、夫人の顔はどんどん渋面になってゆく。

「中学生の女の子がねぇって、亭主は呆れてましたけどね。土井崎さんとこも大変だって」

今井夫人は、大きな掌で、カウンターをぱんと叩いた。

「ま、そういうことですよ。いつの時代にもいるでしょ。早く大人になりたくてしょうがない女の子って。大人のなり方が間違ってるんだけどねぇ」

「勝男さんや直美さんが掘り出した話も、だいたいこのような内容のものでしょうか」

「おおかた、ね。それ以外に出てくるものなんかないですよ、茜ちゃんには」

最初は「茜さん」で、今は「茜ちゃん」と呼んでいる。近所の女の子の、さして珍しくはない思春期の暴走。ただし結末は、あの子も昔は不良娘だったけど、今じゃすっかり落ち着いていいお母さんだね――という心温まるものではなかった。茜ちゃんは、大人の茜さんになることはなかった。

ああ、だけどと、今井夫人の表情が変わった。

「あの子たち、中学の先生に連絡をとって、茜ちゃんの担任の先生をつかまえたとか言ってたわよ」

学校を替わったり、退職したりしていても、教師には教師同士のつながりがある。勝男と直美は、自分たちがお世話になった先生に頼み、そちらの伝手で茜の担任教師の現在の連絡先を探してもらったのだそうだ。

「直美ちゃん、前畑さんとセイちゃんと一緒に会いに行くんだって張り切ってたから」

「助かります」

「でもホント、いくらほじくり返したってさ、今みたいな話しか出てこないよ」

念を押すように、今井夫人は言った。そして急にしんみりした。

「――って、その方がいいのか。セイちゃん、ご両親のしたことは仕方なかったんだって思えるからさ」

滋子が代理で答えられる質問ではない。

「その不良少年ですけど、地元の男の子ではなかったんですか」

「ああ、違う違う。それなら、あたしらすぐ誰々だってわかるもの」

「だけど、そんなに遠くから来ますかしらね？」

「その子の高校が、ここらへんにあったんじゃないの。そういうことはあるでしょ、高校生なら」

今井夫人は指を折って、最寄りの駅を使いそうな公立・私立の高校の名前をいくつか挙げてくれた。特にそのうちの一校については、大げさなくらい顔をしかめて、

「あのころも今も、バカ学校で有名よ」

滋子は手早くメモを取った。

「そういう学生たちの溜まり場になりそうなお店に、お心当たりはないですか」

「駅のまわりにならいくらだってありますよ。そのころあった店が、今も残ってるかどうかはわからないけど」

しばらく待ったが勝男が戻らないので、滋子はひと足先に酒井直美を訪ねることにした。直美は、台所の並びの和室に乾いた洗濯物を山盛りにして、一人でアイロンかけをしていた。両親は出かけていて、双子は昼寝中だという。

「今井さんのお母さんから伺ってきました」

「あ、そンなら話が早いわ！」

挨拶もそこそこに本題にとりかかった。

「セイちゃんは?」と、直美は気にした。

「ちょっと事情があって、今日はわたし一人です」

「そう。でもその方がいいのかな」

やっぱ、いい話は出てこないもの——と、気遣わしそうな顔をすると、今井夫人とそっくりだ。口調まで似ている。

「茜さんの担任の先生、女の人なんですけど、もう学校は定年でやめてました。お孫さんもいるお歳で、電話の感じだと優しい人みたいでしたけど、昔のことを調べたってしょうがないですよって感じで、あんまり協力的じゃなかったなぁ」

「会ってくださらないかしら」

「まず電話、かけてみます？」

気が早い。もう立ち上がっている。

「セイちゃんは、このことでプロの調査員を頼んでるんだって、あたし言っちゃったの。その人の質問には、ちゃんと答えてくださいねってシメといたから」

では先方はなおさら腰が引けていることだろう。

直美は几帳面にノートを作っており、茜の担任教師の名前と連絡先は、ボールペンで丁寧に書きとめてあった。生方芳江（うぶかたよしえ）という先生だった。住所は世田谷区である。

「うちの電話、使って。いいからいいから。ここで聞いてますから」

背中を押されるようにして、滋子はダイヤルした。やや年齢を感じさせる、穏やかな女性の声が応答した。

滋子は手早く名乗った。話はすぐ通じ、生方先生が困っていることも、同じくらい即座にわかった。

「土井崎茜さんが亡くなっていた事情については、わたくしもニュースで見て存じております。お気の毒なことですし、当時の担任教師として忸怩（じくじ）たる思いもございますけど、今さら何をお話ししても、どうなるものでもないと思います」

時間を割（さ）いて会っていただくことはできないかと、滋子もできるだけ丁寧に頼んでみたが、固辞された。

「わかりました。ではご無理は申しません。ただ、今あと少しだけお時間をいただいて、ほんの二、三ですので、先生がご存知でしたら教えていただきたいことがあるのですが、よろしいでしょうか」

仕方がない——というため息交じりで、「どんなことなんでしょうかしら」

「十六年前、正確には一九八九年の十二月八日以降のことですが、土井崎夫妻から連絡を受けたことはおありでしたか」

「それはもちろん、ございました。お母様が学校を訪ねておいででした」

茜が家出してしまい、居所がわからない。警察に家出捜索願を出した。学校にもご迷惑をおかけして申し訳ありませんと謝りに来たという。

「それ以降は？」

「卒業式の日にお会いしたきりです」

「そうですか。これまで、わたしたち以外に、茜さんの消息のことで、誰かが先生に連絡してきたことはございますか？」

「一度もございません」

「まったく？」

「はい」また、ため息。

「わかりました。先生は、三年生のときだけ茜さんを担任なすったんですか」

「そうです。当時は、一、二年は同じクラスで三年生に上がるときだけクラス替えがあったものですから」

茜の行状については申し送りを受けていたそうだ。

「正直申しまして、指導のしようがない生徒さんでした。最初から、自分は高校には行かないと言い張ってましてね。遅刻も早退も無断欠席も多くて。またご両親も無関心なようで、茜さんのことで、相談があるからとこちらからお願いしても、なかなか学校に来てくださいませんでしたし」

「いわゆる進路相談――三者面談というのでしょうか、そういう機会でもですか？」

「お母様がいらして、すみませんが娘は進学しませんのでということで、終わりです」

ちょっと矛先を変えて、滋子は言った。「先生、よくご記憶でいらっしゃいますね」

今度のため息には、苛立ちが混じっていた。

「茜さんの遺体が発見されたというニュースで、どうしたっていろいろ思い出すことになりました。もともと、わたくしたち教職にあるものは、自分の生徒のことなら覚えているものですよ」

「ありがとうございます。おかげで助かります」

混ぜ返すつもりではなく言ったのに、生方先生は無反応だった。

「茜さんには、年上の、たぶん高校生のボーイフレンドがいたようなんです。しばしばその男の子と出歩いていたという証言があるんです。先生にお心当たりは」

「学校の外のことはわかりません。生徒たちが噂しているのを聞いたことがある程度です」

「どんな噂でしたでしょうか」

「ですから……土井崎さんは年上のボーイフレンドと大人の付き合いをしている、と」

滋子自身の中学や高校時代を振り返ってみても、同級生のなかにそういう「進んだ」女の子がいれば、みんなが話題にするものだ。好奇心に目を輝かせて。

あるいは、今井クリーニングの親父さん同様に、地元の同級生たちのなかにも、茜がボーイフレンドと怪しげな場所に出入りするところを目撃した子供たちがいたのかもしれない。二人は大っぴらに付き合っていたのだ。いても不思議はないだろう。

生方先生は、当時の学年主任と、そのことで何度か話し合ったという。

「ただ、何度も申しますけど学校の外のことですから、親御さんからご相談がない限り、出しゃばるわけにもいきませんでした」

「そのボーイフレンドのことで、茜さんから何かお聞きになったことはございませんでしたか」

ちょっと間を置いてから、生方先生は投げやりに答えた。「土井崎茜さんは、わたくしが担任教師であることさえ知らなかったんじゃないでしょうか。少なくとも、わたくしはそういうふうに感じておりました」

失礼だとは思ったが、滋子は声を出さずに苦笑した。

「茜さんは、わたくしのことも学校そのもののことも、相手にしていませんでした」

自嘲の追い討ちのように、生方先生はそう言った。滋子はまた声を出さずに何度かうなずいた。ふと見ると、後ろで固唾を呑んでいる直美に、今井勝男の大きな身体が並んでいる。滋子と目が合うと、ひょいと頭を下げた。

「なるほど。先生、茜さんには、学校内に親しい友達はいなかったんでしょうか。彼女の素行が良くなかったことは重々承知しています。でもそういう生徒にも、いえそういう生徒だからこそ、いわゆる不良仲間がいたんじゃないかと思うのです」

「いましたね」と、先生はすぐ応じた。「でもこれは、わたくしの口から、どこの誰々と申し上げていい筋のことではないと思います。もう昔の話で、その生徒にも今の人生があるでしょう。どうしても必要だというのなら、お調べになったらよろしいんじゃないですか」

いわゆる木で鼻をくくったような言いようだ。

直美が滋子の服の袖を引っ張った。振り返ると、直美は大きく目を瞠って、「わかってるから、わかってるから」と早口に囁いた。茜の仲間のことなら調べてある、という意味か。

「では生方先生、これが最後です。申し訳ないですがもうひとつだけ教えてください」

滋子は、土井崎家にあった真新しい校章のことを説明した。

「着けた様子がないものなんです。茜さんのものなのかどうかも判然としないのですが」

生方先生は考え込んでいる様子だった。

「校章は、制服の襟に着けることが校則で定められておりましたが……」

「茜さんは、入学以来、着けたことがなかったということでしょうか」

わかりません、という。聞き取りにくいほどの弱い声だ。

「茜さんが、いわゆる不良娘然として制服を着崩していたのは、近所の方が覚えているんです」

「はい、それはおっしゃるとおりです」

「そうすると、校章なんて真面目に着けていなかった可能性もありますよね？」

「わかりません。申し訳ありませんが、そこまで覚えておりません」

ただ、と少し声音を持ち直して、

「校章は、落として紛失してしまった場合などは、事務室に申し出れば、すぐ新しいのを購入することができました」

滋子は考えた。制服姿でふらふら遊び歩くことの多かった茜だ。校則に従って校章を襟に留め着けていても、どこかで失くしてしまったのかもしれない。本人はそんなことになど頓着しないが、母親の向子は気がついた。保護者として気に病んだ。で、何かの用事で学校まで出向いた折に、新しいものをひとつ購入したが、茜に渡す機会がないままになってしまった――

その程度のことだろうか。大した謎ではないか。

しかし、新しい校章は、あの数々のマッチと共に、ほかでもないあの缶のなかにしまいこまれていたのだ。そこに、滋子はどうしても引っかかる。

「もう、よろしいでしょうか」

遠慮がちというより、いっそ怯えているような生方先生の声が聞こえてきた。

「はい、ありがとうございました」

が、生方先生は、すぐには電話を切らなかった。逡巡するような間があって、それから思い切ったように続けた。

「茜さんのことは、本当に残念に思います」

苦いものを嚙みしめる——うんと苦くなるように、わざと強く嚙みしめているような口調である。

「教え子が保護者の手で殺害されていたことに気づかなかった。それ以前に、そういう危険な兆候を見逃していた。わたくしは三十年以上教職にありましたが、これほどの手痛い失策はございません」

滋子は黙って耳を傾けていた。

「先ほど、茜さんのお母様が学校のことに積極的ではなかったと申し上げましたが、それはわたくしにとって都合のいい、責任逃れの申し状になります。もしかしたら当時、お母様はお母様なりのやり方で、学校に、わたくしに、助けを求めておられたのかもしれません。でも、わたくしはそれに応えませんでした。ほかの生徒たちのことで頭がいっぱいでした。教育者としてあるまじきふるまいですが、正直、茜さんのことは見放したような気分でおりました。だから、土井崎さんがSOSを出しておられたのを、すげなく見落としてしまったのかもしれません」

言葉に乱れはなかった。

「あのころ、わたくしが違う対応をしていたら、茜さんは殺されなかったかもしれないとも思います」

「それは、先生——」

そこまで思い詰めなくてもという滋子の台詞は、遮られてしまった。

「少なくともその可能性はありました。前畑さんでしたか。あなたは、茜さんの妹さんに頼まれて調査をなすっているということですが」

「はい、左様でございます」

「お姉さんのことは大変不幸な出来事だった、深くお悔やみ申し上げているとお伝えください。その上で、妹さんが過去のことは過去のこととして、幸せな人生を築いてくださるよう、お祈りしております」

電話を切ると、滋子もため息をついてしまった。直美と勝男が顔を見合わせている。

「先生も辛いね」と、滋子は二人に言った。

「やっぱ会ってくれないって？」

「うん。でも、知りたいことはわかったわ」

教育者として真面目に勤めあげ、あとは残りの人生を平和に過ごそうとしているところに、過去の手痛い「失策」を目の前に突きつけられた――その思いに苛(さいな)まれている人を、これ以上追いかけ回しても意味はない。

「それより、茜さんの友達のこと。お二人で見つけてくれてたんですね？」

「うん」と、直美は目を輝かせた。勝男もうなずく。

「こういうの、灯台もと暗しっていうの？　地元にいるのよ、その人」

断章⑤

少女は法山新聞店の前に立っていた。店の入り口のサッシは、ぴっちり閉じている。

この家の、そろばん塾に通うメガネの男の子と、男の子のお母さんでお節介な太ったおばさんのこと、好きじゃない。でも今日という今日は、入り口が閉まっていて誰もいないのが恨めしかった。

道には、ほかに人通りはない。

少女はとても怖くて、心臓がどきどきしていた。自分の身体の内側に、こんなにも臆病(おくびょう)でビクつきやすい小さな動物が住んでいるなんて、知らなかった。

だったら、もうこの道を通らなけりゃよかったんだ。少女のなかの少女が、口を尖らせてそう言う。お母さんにも、通っちゃダメだって叱られる道なんだ。ナイショで通るのをやめにすればいいんだ。それだけなんだ。

するとと少女のなかの別の少女が言う。だってそんなのツマンナイじゃない。お母さんに叱られるからって、何だっていうんだよ。お母さんはいつも叱ってばっかりじゃないか。あんたが（あたしが）テストでいい点をもらったときだって、ちゃんとやればこのくらい点を取れるのに、どうしていつもちゃんとできないんだって叱ったじゃないか。褒めてなんかくれなかった。

だったら、叱られるとか叱られないとかより、つまんないことの方がイヤじゃないか。そうだ。少女はひどく怯えているけれど、怯えることはつまらなくはない。だから面白がってもいるのだった。

胸がどきどきするのは、怖いときだけじゃない。楽しいときだって同じようになるじゃないか。少女は口を真一文字に結んで、道の向かい側の四角い家を仰いでいた。身体はきちんと四角い家に正対していたけれど、右足が少しばかり逃げていた。

少女はよく、まわりの大人たちに「我が強い」と言われる。面と向かって言われるときもあるし、大人たちが少女には聞こえないと思ってこっそり囁き交わしているのを漏れ聞いてしまうこともある。どっちかというと、後の方が腹が立つ。少女がうちで友達や先生のことを悪く言うと——ホントにバカだからそう言ってるだけなのに——人の悪口を言う子は口が曲がるとか叱るくせに、自分たちはあたしのいないところであたしの悪口を言ってるじゃないか。

このごろは、ミキちゃんもあたしの悪口を言ってる。ちゃんと知ってるんだ。さとうさんは自己チュウだよね、とか言っちゃってさ。叩いてやればよかった。

四角い家を見据えたまま、少女は右手から左手へカバンを持ち替えた。今日はまた補習があったのだ。九九を習った。もう何度も習い直している。つまらない。

このあいだの日曜日、家族で買い物に出かけた。お父さんが運転して、お母さんが助手席に座って、後ろの席には少女と妹が並んで座った。

いつもと同じで、妹はおしゃべりでうるさくてしょうがなかった。やたらはしゃいじゃって、お父さんがラジオをつけたり、音楽をかけたりすると、きゃあきゃあ騒いで一緒に歌ったり、別の音楽がいいとねだったり。それでまたお父さんもお母さんも喜んじゃって。

何のために出かけたんだか、話をよく聞いていなかったから覚えていない。車を買い替えるんだとか言ってたかもしれない。そういえば中古車センターっていうのか、いろんな車がたくさん停めてあるところへ行ったっけ。

あっちこっち走り回った。知らない道筋をいっぱい通った。少女は退屈だったから、不機嫌だった。だからずうっとそういう顔をしていたら、お母さんがまた怒った。なんであんたはまたそうやってふてくされてるの。

ふてくされてなんかいないない、だってふてくされるってどういうことなのかわかんないもんて言ったら、へ理屈だけは一人前だと言われた。あのときのお母さんの口元も真一文字だった。「我が強い」って叱られるときの、あたしの顔と同じだった。あんたはどうしてそういう顔をするの、自分で見てごらんって鏡の前に連れていかれたことがあるから、知ってるもん。

お昼ごろにうちを出て、帰るころにはもう日が傾いていた。走り回ってばっかりで、すごく疲れた。どこか外でお夕飯を食べるとかっていうから、すっごくイヤだった。ファミリーレストランとか行くと、お父さんとお母さんと妹が楽しそうにしていて、仲良さそうにしていて、少女だけが仲間はずれみたいで、まわりにたくさん知らない人がいるところで大きな声で叱られたりするから。

行きたくないと言ったのに、無視された。

初めて入る、知らないお店の駐車場にお父さんが車を停めた。早く降りなさい、何グズグズしてるの。お母さんが腕を引っ張る。妹はお父さんに、チョコレートパフェを食べていいかとねだっている。ねだりながら、横目でちらちら少女の方を覗(うかが)っているのがわかったから、お姉ちゃん、また叱られてるぅザマミロという顔をしているのが見えたから、髪を引っ張ってやった。そしたら泣き出した。そしたらお父さんに頭をおっぺされた。

お店に入って、窓際の席に座らされたとき、気がついた。道の反対側に目立つ建物があることを。

三階建てぐらいの、古びたビルだ。窓枠がごっつくて重たそうだ。このレストランと同じように、建物の前の部分が駐車場になっている。

そこにパトカーが停まっていた。

ぴかぴかするライトはついてない。誰も乗っていないのだ。一台じゃなく、二台並んでいた。ビルの出入り口の上に出っ張ったひさしのところに、大きな漢字の看板が並んでいた。出入り口が開いて、なかから制服を着たお巡りさんが出てきた。

少女は、看板の漢字を数えた。読めない漢字ばっかりだったけど、数えるだけならできる。七個だった。

真ん中より後ろに並んでいる漢字に、見覚えがあった。

お巡りさんがいるところ。

並んでいるあの漢字——見たことのあるあの漢字は？

お父さんに、少女は聞いた。あの建物は何？
○○警察署だよと、お父さんは教えてくれた。
ケイサツと読む漢字はどれ？　と、少女は聞いた。お父さんは指さして教えてくれた。

一一○番するとつながるところ？　そうだよ。するとお母さんが、なんでそんなことを気にするのとヘンな顔をした。警察署の建物が珍しいんだろう。

少女はおとなしく食事をした。家に帰り着くまでずっと静かにしていた。心は、ケイサツのことでいっぱいだった。

帰るとすぐに、お母さんや妹に気づかれないように気をつけて自分の机のところに行き、ランドセルを開けた。

四角い家の二階の窓から落ちてきたお手紙を、内ポケットのなかにしまってある。取り出してみた。なぜか息が早くなって、少し苦しい感じがした。

お手紙――煙草のパッケージを切り取って、そこに字を書き殴ってあるだけのものだ。「○けて　○○よんでください」○と○○のところが読めなかった。

だけど、今ならわかる。○○は「警察」だ。

警察よんでください。

一一○番してくださいと、同じ意味だ。

今もそのお手紙は、少女の家の、少女の部屋の、少女のランドセルの中にしまいこんである。

こっそり取り出してみたこともある。

窓からあの手紙を落とした人は、警察を呼んでもらいたがっているのだ。あのときちらりと見えた手は、爪を長くして色を塗っていた。女の人の手だったと思う。

自分でも知らないうちに、少女はさらに後ずさり、法山新聞店の出入り口のサッシに、もう少しで背中がくっついてしまうところだった。

四角い家には、「警察にお世話になった」ことのある人が住んでいるという。だから近寄っちゃいけないのだという。その人は、小さい女の子に良くないことをするのだという。

手紙のこと、話さなくちゃいけない。お母さんに？

どうして今まで黙っていたんだって叱られる。きっとそうなる。どうして四角い家の前を通ったりしたんだって、うんと怒られる。これ何？　なんでこんなものをあんたが持ってるの？　拾った？　ホントなの？　お母さんはあたしのこと嫌いだから、あたしの言うことなんかホントだと思ってくれない。それは、あの、あたしがときどき、ホントにウソついたこともあるからだけど。

だからあたしがいけないんだけど。

少女は、判断に迷った子供がすること――大人でも愚かな選択をする際にはしてしまうことをした。現状維持。結論の繰り延べ。何もせず、フタをして忘れてしまう。

法山新聞店の店先から走って立ち去る少女の姿を、こっそりと見つめている目のあることには気づかずに。

第十章　遠くからの声

店の名は「鳩の巣」といった。築二十年以上は経っていそうなモルタル塗りの二階家の一階だ。北千住駅近くの商店街の中ほどを右に折れ、うねうねと入り込んだ路地の途中である。周囲にはほかにもいくつか小さなスナックや飲食店の看板が出ていた。

「準備中」の札の下りたドアの内側には、琥珀色の暗がりが淀んでいた。直美が「こんにちは」と声をかける。

はぁいと応じた声は、先ほど電話で聞いたよりもずっと明るく、しゃっきりとしていた。さっきは寝起きだったらしい。

「あ、前畑さん——でしたっけ？」

飴色のカウンターの内側で、雨よけ幌に負けないほど鮮やかな赤いワンピースを着た女が首をかしげた。

「どうぞ、座って座って」

滋子を先頭に、後ろに直美と勝男が続く。店内はうなぎの寝床のように細長い造りで、カウンター席だけだ。さまざまな形の酒瓶が、間接照明のなかで光っている。

「あたしが浦田鳩子です」

中学生時代、土井崎茜と「不良少女仲間だった」と自ら語った女性が、手際よく三人に名刺を差し出しながら笑いかけてきた。

「だからお店の名前が〝鳩の巣〟なんですね」

「そういうこと」

化粧は濃い。特に眉をくっきりと描き、マスカラを太くいれている。髪はショートカットで、ツンツンと逆立ててあった。どこから見ても水商売風であることに間違いはないが、スタイルのいい美人である。

ひっきりなしに煙草をふかしながら、浦田鳩子は気さくにしゃべってくれた。茜ねぇ。懐かしい名前だわよ。

「茜とは、一年のときに同じクラスになってね。わりとすぐに仲良くなったんだ。似たような匂いがしたからね、わかるもんなのよ、お互い」

「匂いですか」と滋子が問うと、鳩子は笑った。

「落ちこぼれの匂い。学校の勉強についていかれないのよ。あたしなんか、小学校で割り算が出てきたあたりでもうダメだったわね」

勉強がワケわからなければ、学校など苦痛を与えられる場所でしかない。いつもサボることばかり考えていたという。じきに、学校の外にはもっと面白いことがたくさんあるということもわかったし。

ほかにもう一人、周囲からは彼女たちの仲間のように見られている少女がいて、事実親しい時期もあったのだが、その子は二年生の半ばになると離れていった。

「ワルぶってたけど、あの子はお嬢さんだったから。あとはあたしと茜だけ。いろいろやったわよう」

あまりにサバサバ話してくれるので、滋子は念のために尋ねた。

「茜さんの事件のことはご存知ですよね」

「ご存知ですよ」と、鳩子は茶化すように答えた。ぐいぐいと煙草を灰皿に押しつける。

「やっぱ、親が殺してたんだよね」

黙ってウーロン茶を飲んでいた直美がびくりとした。

「やっぱりって――以前からそう思ってたんですか」

勝男が尋ねる。鳩子は中身の重さを量るかのような眼差(まなざ)しで、しげしげと彼を見た。

「ほかに考えらンないでしょ」

「誰かにそのこと、言わなかったんですか」

鳩子は新たに煙草に火をつけると、煙と一緒に笑いを吹き出した。「言うわけないじゃない。あたしはグレてたんだもの。誰も信じてくれやしないわよ。茜の親は真面目な人たちだったしさ、みんなそっちの言い分を信じるって」

真面目な親の方が始末が悪いんだよね、とついでのように言い足した。

「うちは親も真面目じゃなかったから、まあ、あたしは何とかやってこれたってわけ」

頭を動かし、店のなかをくるりと示してみせた。何とかやってきて、作り上げた居場所がこの店よ。

「いいお店ですね」と、滋子は言った。お世辞ではない。安っぽい造りだが、座ると不思議に居心地がいいのだ。

「ありがとう。でも、家賃払うだけでも大変なんだから。良かったらちょいちょい来てよ」

「あ、オレも寄せてもらいます」

勝男も本気で言っているようだ。直美はちょっと心外そうで、口をつぐんでいる。

「いくらでもおしゃべりしてたいけど、あたしも商売があるし、あんたたちものんびりしてるわけにはいかないんでしょう。何だっけ？　茜の付き合ってた連中のこと？」

知ってるよ、という。

「アオ校とかナカ校とかのワルがさ、あのころ、駅の反対側にあったゲームセンターとか喫茶店とかで、しょっちゅうたむろしてたの。そういう連中。アカネもあたしも、そこでナンパされたんだ」

アオ校、ナカ校というのは、聞いてみれば今井夫人が数え上げた高校の校名と同じだった。

「一年の夏休みだったかなぁ。あの年頃だと、二、三歳上の高校生だっていうだけで、すっごく大人に見えるじゃない？　だからそいつらと遊ぶようになると、もう学校の同級生なんか赤ん坊みたいに見えちゃってさ、刺激的で楽しくってしょうがないわけ。やってることは、今考えたら不良の子供のやることなんだけど、そのときはわかんないのよ」

一緒になって何でもやったよ、という。

「遊ぶ金が足りなくなると、万引きとかカツあげとかも平気だったし。店一軒、つぶしちゃうくらい盗んだこともあったよ。洋品屋だったけど」

直美が呟いた。「あたしも、中学のとき親に反抗して、ちょっと悪くなったことあるんですけど……」

彼女の顔を斜に見て、鳩子は煙をふうっと吐いた。

「今、そんなおとなしい顔してるとこ見ると、たいして羽目はずしてなかったんでしょ」

「自分ではわからないけど……」

「いいけどさ。昔はワルでした自慢なんか、バカみたいだもん。ね？」

鳩子は滋子に笑いかけた。滋子は微笑を返した。直美の表情が硬くなる。

「そういうふうにして楽しくやってたんだけどさ。あたし、三年にあがったばっかのころかな。そういうワル仲間のあいだでちょっと嫌な目に遭ってね。怖くなったんだよね。こいつら限度を知らないなっていうような、そんな感じ」

「事件ですか」と、滋子は訊いた。鳩子は天井を仰ぐ。

「訴え出りゃ、立派な事件になったでしょうね。いいじゃない、あたしのことは」

滋子はうなずいた。「でも茜さんは――」

「連中から離れなかった。もう、どっぷりだったから。ンで、あたしとのあいだも距離があいたって感じ。もちろん、あからさまじゃないよ。あたしもその点は慎重にしたから。急に抜けると危ないからね」

想像はつく。

「だから、茜が家出したってことも、すぐには知らなかったくらいなのよ。茜と違ってあたしは高校に行きたかったから――親がうるさくてね。一応、悪あがきの受験勉強みたいなのもしてて、補習なんか出てさ。おかげで何とか入れたけどね。クズみたいな高校に」

「そうすると、当時は茜さんと親しく連絡を取り合ったり、毎日顔を合わせるような状況にはなかったんですね」

「あたしはね」と、鳩子は片手を胸にあてた。「でも、連中は違うと思うよ。茜は、家にいるよりあいつらとたむろしてる時間の方が長かっただろうから」

そう、茜はしょっちゅう家を空けていたのだ。

「たまり場は、さっき言ってたお店ですか」

「仲間の家ってこともあった。そういう甘ぁい家があってさ。昔も今も変わらないみたいね、その点は」

茜はね――と言って、鳩子は言葉を探す目になった。

「あいつらのアイドルだった。スターだったのよ。すっごい美少女だったからね。知ってるでしょ？」

「ええ、聞いています」

「連中のなかにも、リーダー格のワルいのがいるわけよ。暴走族とかとは違うから、上下関係がキツいわけじゃないけど、やっぱ頭はいるわけ。わかる？」

よくわかりますと、勝男が生真面目に応じる。鳩子は彼に艶然と微笑みかけた。

「茜はそいつの女になっちゃってさ。そいつン家は金持ちで、あ、さっき言ったたまり場の家って、そいつン家」

「彼の名前を覚えてますか」

それがさぁと、鳩子はカウンターごしに親しげに滋子の腕をぶった。

「思い出せないんだよね。名前って、ちゃんとした名前のことでしょ？　ダメなの。出てこない。呼び名は覚えてるんだけど。みんな、シゲ、シゲって呼んでた」

「あら」と、滋子は笑ってしまった。「わたしもよくそう呼ばれます。滋子だから」

「そういうもんよね。だからあいつも、シゲオとかそんな名前だったんじゃないかなぁ」

「髪を赤く染めてましたか？」

鳩子は重いものを持ち上げるみたいに顔をしかめた。「うん……でもそれはシゲだけじゃなかった」

「原付を乗り回してた?」

「うん。でもそれもシゲだけじゃなかったから。原付に限らなかったけどね。車を盗んでさ。もちろん無免許運転よ」

火のついた煙草を指にはさんだまま器用に腕組みすると、

「よく考えたら、あたしあいつらの名字や名前をちゃんと聞いたことなかったような気がするなぁ。呼び名があれば用は足りるもの。向こうもそうだったかも」

「でも、シゲという少年の家は仲間のたまり場になっていて、あなたも出入りしていたんでしょう? 表札を見るとか、しませんでしたか」

うーんと考える。「わっかんない。ごめんね」

「こちらこそすみません。十六年前のことですから、無理もないです」

「写真は」と、直美が唐突に口を開いた。「そのころ撮った写真はないですか」

マスカラの濃い目を瞠(みは)って、鳩子は直美を見た。「探せっていうなら探してみるけど……ただねぇ」

ふんと短く息を吐いた。「さっき言ったけど、あたしは嫌なことがあって連中から離れたのよ。茜が姿を消しちゃったっていうのも、実はあのころのあたしにはいい口実になってくれてね。高校に入って、すっかり縁が切れた。だからってあたしが品行方正な女子高生になったわけじゃないけど、でもあいつらとは切れた。うちの親もほっとしたでしょうよ」

だからあのころのものは残してない、という。

「あたし、結局は高校を二年でやめて水商売の世界に入ったんだよね。そこは、大人ぶってるガキじゃなくて、ホントに大人の世界なわけ。いい意味でも悪い意味でもね。だからあたし、けっこう早く大人になって——まあ、ちゃんと大人になれって叱ってくれるいいママに会えたってことが大きいんだけど、そうなると、自分が子供だったころのこと、すっごく恥ずかしくなったわけよ。そういうの、わかってもらいにくいだろうけど」

「わかります」と勝男が言い、直美に睨(にら)まれて首を縮めた。「わかる気がします」と言い直した。

嬉しそうに頰を緩めると、「ありがと」と鳩子は言う。

「茜さんは、早く大人になりたがっていた女の子だと、彼女を知ってる人から聞きました」と、滋子は言った。

「あ、それうちの母ちゃんでしょう」

鳩子は勝男を愛(いと)おしそうに眺め、が、つと顔を引き締めて滋子に向き直った。

「けど、それだけでもなかったと思うよ。最初はそうだった。でも茜は変わったもの」

そこだけ、ぴしゃりと鞭(むち)打つような声だった。

「シゲと知り合って？」

「うん。あいつの女になっちゃってから」

どっぷりだったからねと、鳩子は言った。今井夫人は、二人がベタベタくっついていたと言っていた。

「茜も、限度を知らなくなっちゃった」と、鳩子は呟いた。指のあいだで煙草が燃え尽きそうだ。

「そうとしか言いようがないのよ。ごめん、あたし頭悪いからさ。言葉を知らないの」

いいんですと宥(なだ)める勝男を、直美がまた睨む。

「限度を知らなくなったというのは」滋子も言葉を探してみた。「やっていいことと、悪いことの区別がつかなくなったということでしょうか」

鳩子の煙草から、長い灰が落ちた。カウンターの上のそれを拭き取りながら、彼女は少し考え込んだ。そしてカウンターに目を落としたまま言った。

「シゲの言うことなら何でも呑み込んだし、シゲの言いなりだった」

——シゲはあたしを愛してくれてる。

よく、鳩子にそう言ったそうだ。

「愛も何も、まだ子供じゃない。けど、自分じゃそれがわかんないからさ。大真面目だった」

「本当に愛があったと思います?」

鳩子はまともに噴き出した。「あんた、やめてよ。あの年頃の男に愛なんかあるわけないじゃない。ただ女の子とやりたいだけよ。そンだけ」

「でも茜さんは愛情だと思っていた」

「あの子、飢えてたから」あっさりと鳩子は言った。「親が冷たいんだって言ってた。妹ばっかり可愛がってさ」

直美が口を尖らせて何か言いかけ、それを勝男がやんわりと制した。

「確か、妹と歳が離れてたでしょ。だからかな」

そう呟いた途端に、鳩子の目が晴れた。はっと瞳を見開いた。

「ねぇ、あんたたち、茜のお祖父ちゃんとお祖母ちゃんには会った? あのころの茜のことなら、よく知ってると思うよ。茜、親にはナイショでお小遣いねだりに行ったりしてたから」

初めての情報だ。「木村さんですか? お母さんの方の祖父母ですよね?」

「名字とか知らないけど、お店やってるとか」

「ええ、九七年まで大崎で雑貨屋をしていたんです」

「じゃ、その人たちだ」

誠子から聞いた話では、祖母は既に亡く、祖父は老齢でコミュニケーションに難があるということだった。

出入り口のドアが開いた。お客らしい。あれぇ、ママまだ開けないのと惚(とぼ)けた声をあげる。

「あら、ごめんねぇ。もうちょっと待ってぇ」

滋子は勝男と直美を促し、腰をあげることにした。

「あとでまた、わたし一人で伺います。今度はお客で」

素早く囁くと、鳩子は共犯者のようにうなずいた。


滋子は結局、延々と「鳩の巣」で飲むことになった。客の入りは寂しいものだったが、「平日はいつもこうだから」と、鳩子は気にする風もない。滋子一人を相手によく飲み、よくしゃべった。ぽつり、ぽつりと顔を見せる常連らしい客たちは、鳩子ががんがん飲んでいるのがわかるとすぐに、またねとドアを閉めてしまう。

時計の針が午後十時を指す頃合いに、滋子は昭二に電話をかけ、こっちに来て一緒に飲むようにと一方的に命令した。ちょうど帰宅したところだった昭二は、滋子の急な不在に驚かされた上に空腹を抱えているから、最初は怒り狂った。が、そのときすでに滋子はいい加減酔っており、しかも話の様子ではどうやら初めて訪ねた素姓のよくわからない店に一人でいるらしいというので、渋々ながら車を転がしてきてくれた。

「あ、来た来た。これ、うちの旦那」

いきなりの「これ」呼ばわりで、またまた切れそうになった昭二はしかし、

「けっこう男前じゃーん！」

という鳩子の嬌声（きょうせい）に毒気を抜かれ、そうなると持ち前の人の良さと、外面の良いところが前面に出てきたようだ。店内には酔っ払いの女店主と酔っ払いの滋子二人しかおらず、昭二はビールを一杯引っかけただけで、自然と女たちの世話役に回った。

夫婦で「鳩の巣」を後にしたのは、午前零時過ぎのことである。鳩子は名残惜しそうだった。

「おまえなぁ！」

息をひとつ吸い込むと、車のエンジンをかけながら、昭二が一喝した。滋子は機先を制した。

「はい、まことに申し訳ない」

ぐにゃりと身を折って謝る。ダッシュボードに頭がくっついてしまった。

「この酔っ払いが！」

「はい、酔っ払いでぇす」

「しゃんとして、シートベルトを締めろ！」

「了解しましたぁ」

道中の半分ぐらいは、昭二の小言独演会状態だった。滋子は合いの手に「すみません」と謝り続けた。

やがて、昭二は訊いた。「聞き込みだったんだろ？　あの店のママ、茜さんの同級生だとかって」

「あ、わかったぁ？」

「それぐらい、おまえらの話を聞いてりゃわかるよ！　何か役に立ちそうなこと、聞き出せたのか？」

シートにでろりともたれ、車窓を流れてゆく夜の町の景色に目をあてながら、滋子は「うん」と答えた。

その声が妙にくぐもっているのはアルコールのせいばかりではない——さすがに昭二は気がついた。ちらりと、横目で滋子の顔色を覗う。

「大丈夫かよ」

「大丈夫だよう」

「嫌なことでも、聞いちまったのか？」

だからそんなに飲んじまったんだなと、叱りつけつつ昭二は分析した。

車が赤信号で停まった。交差点は無人だ。車もほかには一台も通りかからない。町は寝静まっているように見えるが、見回せばそこここに窓明かりが灯っている。

「よくあるパターンだったよ」

エンジン音にまぎれそうな小さな声で、滋子は言った。「茜さんのグレ方。女の子が悪くなっちゃうときの、典型だった」

ボーイフレンドのことを話した。彼が「シゲ」と呼ばれていたことを言うと、昭二は苦々しく吐き捨てた。

「気に喰わねぇ偶然だな」

シゲがシゲを追いかけるのかよ。

信号が変わり、走り出そうとした瞬間、後ろから追い越すように走ってきた一台の自転車が、すうっと目の前を横切って行った。昭二は「危ねぇな」と驚いたが、自転車の乗り手は振り返りもしない。反対側の歩道に乗って、たちまち走り去った。

二人乗りの若いカップルだった。男が自転車を漕ぎ、女が荷台に乗って彼の胴に腕を回している。二人とも街灯の光にもよく目立つ茶髪で、女——いや女の子はキャミソールにミニスカート姿だった。剝き出しになった両腕と肩、腰のあたりと太股が肉感的に白い。

昭二の目にも見えたのだから、あれは幻ではあるまい。

「いつだっているんだよね。夜遊びする若者は」

「ありゃ高校生だな。学校に行ってりゃの話だが」

ガキが、こんな時間に何やってんだかと、昭二の口調はますます小言に似てくる。

「ホントのところ、直美さんたちと一緒に話したときで、用は足りてたの。だけどあたし、もうひとつ、どうしても聞きたいことがあってさ」

直美と勝男の耳のないところで。

「あのママさん、シゲたちのグループを抜けたのは、ある事件があって怖くなったからだったんだって。だけど詳しく言いたがらなかった。それ、知りたかったんだ」

「そこまで穿鑿する必要があったのか?」

「それを聞けば、シゲと茜さんたちが、最悪、どんなことをやりそうだったかわかるもの」

万引きや飲酒喫煙、深夜の徘徊、無免許運転、不純異性交遊以上のもの。訴え出れば事件になる事柄。

二人で飲んでいるとき、鳩子は話してくれた。滋子がそれを聞きたくていることを、彼女は察していたようだった。

話は具体的ではなかったが、滋子には充分だった。

視線を前に据えたまま、昭二は顔を歪めた。「俺も察しがつくような気がするから、言わないでくれよ」

「わかった」

二人で黙った。ややあって、滋子は言った。「茜さんはグループのアイドルでね、しかもシゲの彼女で、だからグループのなかじゃ発言力が強かった」

鼻声で、昭二は「うん」と言う。

「みんなが茜さんの言いなりで、彼女の機嫌をとってた。その茜さんとあのママは仲が良かったわけだけど、その年頃の女の子同士のことだから、口喧嘩ぐらいすることだってあるじゃない？」

そこで彼女は、ほかの友達に、何の気なく愚痴をこぼした。聞きようによっては茜の悪口と受け取れなくもない内容のものだったが、本人にその気はなかった。

それが巡り巡って茜の耳に入った。

もともと、そのころから少しずつ、鳩子は茜と反りが合わなくなっていたのだそうだ。グループ内の女王であることを鼻にかけ、シゲとの関係を笠に着る茜とは、いろいろな局面で付き合いにくくなっていたのだ。

「で、仕返しされたんだって」

ややあって、昭二が低く言った。「茜が自分でやったんじゃねぇんだろ？　グループの男どもにやらせたんだろ？」

滋子も声を落として「そう」と答えた。「嗾けたわけだよね」

最低だなと、昭二は低音のまま罵（ののし）った。ガキが、とまた吐き捨てた。彼が茜を呼び捨てにするのは初めてだ。

鳩子は言っていた。その「事件」が起こっているあいだじゅう、茜はそばで見ていて笑っていたと。だからこそ、辛いより、悲しいより、心底恐ろしくなってしまったのだ、と。

「こんなの、何の解毒剤にもならねぇ解釈だけど」と、昭二は言う。「十五年も十六年も前だから、まだそれだけで済んだんじゃねぇの。今時の悪ガキどもだったら、もっとやるぜ。あのママさん、リンチで殺されてても不思議じゃなかった。ニュースでも珍しくねぇじゃんか、若い奴らのそういう事件」

「今の世の中、そこまで酷（ひど）いかな？」

「酷くなってる部分は、な」

全部じゃねぇけどよと、世の中そのものを弁護するように、昭二は言った。

「あのママさん、よく抜けられたよな」

「自分でもそう言ってた」

「ま、今だって楽な人生じゃないと思うけどよ。シケた店だったもんな」

苦労するよなと、しみじみ呟いた。

「ところでさぁ、滋子」

「なぁに」

「うちの留守電に、高橋弁護士事務所ってところからメッセージが入ってたぞ」

明日の午前十時に事務所に来てくれという。滋子はがばりと起き直った。

「そういうこと、早く言ってよ！　ね、コンビニに寄って。ドリンク剤買わなくちゃ」

「ついでに俺の弁当も買ってくれ」と、昭二は仏頂面で言った。「まともな夕飯、食ってねぇんだからな」

翌朝は、二日酔いで頭がガンガンした。どうしたってしかめっ面になってしまう。が、高橋弁護士に会った途端、痛みを忘れた。弁護士も偏頭痛に悩まされているかのような顔をしていたからだ。

「あなたという人は」と、いきなり言われた。「悪運が強いというか何というか」解釈のための補助線を求めて、滋子は小鳥のような多田君の顔を見た。彼は少なからず興奮しているように見えた。

「あたっていたんですね」と、滋子は言った。頭の奥で暴れていた二日酔いの精が、心臓に移動したようだ。胸苦しいほど動悸(どうき)が早くなった。

朝っぱらから、高橋弁護士は怒っていた。「まさか喜んでるんじゃないでしょうね?」

「とんでもない。喜ぶような事柄ではありません」

怪しいものだという目つきで、弁護士は滋子を睨みつける。広い額にくっきりと事務所の天井の蛍光灯が映っている。

「土井崎元さんが——」と、多田君が言い出し、叔父貴に怖い顔をされて口を閉じた。

「あなたにお会いするそうです」と、弁護士が後を引き取って言った。

滋子は、思わず口を開いて息をしてしまった。

「間もなくここにみえます。少しでも早くあなたに会いたいと、無理をして来られるんですよ」

「ありがとうございます!」

頭を下げる滋子に、弁護士は邪険に手を振った。「およしなさい。あなたを喜ばせるために段取りをしたんじゃないですから」

脇で、多田君がとりなすような目をしている。

「土井崎さんも、あなたの独占インタビューに応じるつもりで出てくるんじゃありません。あなたにこの調査をやめてほしいからくるんです。私は止めたんですよ。でも土井崎さんは、これまでの経緯と、調査を依頼したのが誠子さんだということを考えると、自分が出て行ってちゃんと話さない限り、この前畑さんという人は諦めないだろうとおっしゃいましてね」

申し訳ないけれど、そのとおりですと滋子は心のなかで認めた。

「今日は私も立ち会います。最初に釘をさしておきますが、ここでの話は、誠子さんにはけっして漏らさないようにしてください。約束しますね？」

「はい」

「土井崎さんから事情を聞いたら、この調査からは手を引きますね？」

「その場合は誠子さんに——」

「言い訳なら、いくらでも考えられるでしょう。昔のことで、やはり手がかりがないとでも言えばいいじゃありませんか。何なら、私も手伝いましょうか？」

滋子が逡巡するうちに、ドアフォンが鳴った。

どういう人物を想像していたのか、自分でもわからない。思い出してみれば、ここで初めて誠子と会ったときもそうだった。予想はなかった。あったとしても、そんなものは実物を前にすると消し飛んでしまったのだ。

小作りで、目鼻だちの整った人だった。美人姉妹の父親なのだ。顔立ちがいいのは当然か。女の子は父親に似るというのだし。

地味な背広を着て地味なネクタイを締めていた。サラリーマン時代には、背広で通勤してはいなかったという。今日は彼にとって、切実に「きちんとしている」と見られる必要のある会見だから、そうしてきたのだろう。そして、きちんとした服装といったら背広とネクタイという、この国の成人男性の九割が抱いている常識を、そのまま体現している人なのだ。

私が土井崎元ですと名乗った声は、この年代の男性にしては、いくぶん甲高く耳に届いた。一九五〇年生まれだから、五十五歳になるはずだ。

短く刈り込んだ髪の先が、全体に白髪になっている。

「前畑滋子と申します」

誰かの声がかしこまって挨拶（あいさつ）している。自分の声ではないように聞こえた。こんなに緊張し、同時に胸がふさがれるような思いをするのは、いつ以来だろうか。あの九年前の忌まわしい事件の大詰めに、対決の場に臨んだときも、自分はこんなふうだったろうか。

高橋弁護士に勧められるまで、土井崎元は腰をおろさなかった。自分の意思でここに来たのではなく、何の説明もないまま連れてこられて、この先に何があるのかわからず、戸惑っているようにも見えた。

多田君がてきぱきとお茶を配る。土井崎氏はずっと目を伏せている。

「電話を取り次がないように」

短く多田君に指示して、弁護士が土井崎氏の隣に座った。多田君は「はい」と応じて引っ込んだ。

エアコンの音だけが静かに響く。

「ありがとうございます」

あれこれ考えるまでもなく、自然に滋子の口をついて出てきた言葉だった。

「ご無理を申し上げまして、お詫びいたします」

滋子の礼につられるように、土井崎元はいっそう深く俯いた。両手を膝の上で軽く組んでいる。

「わたくしは――」

高橋弁護士が制した。「あなたの立場と、これまでの経過はすべてご説明してあります」

「そうですか。それでは」

さすがに、滋子も詰まってしまった。

「何からお伺いしましょう。すみません、ちょっと考えます」

今さらのように取材メモを取り出した。手が震えている。まるっきり素人じゃないか。

「先生、何か私の身元を証明するものを」

お見せした方がいいですかと、土井崎氏が訊いた。高橋弁護士に問いかけているのだ。

「そんな必要はありません。ご心配なく」

「それでも」と、土井崎氏は滋子の顔を見た。「先生は私が本人だとご存知ですが、この方はそうじゃないですから」

不用意に、滋子は胸を突かれた。真面目な人だ。ほとんど小心なほどだ。この人を、わたしは追い詰めているのだ。

土井崎元は、上着の懐から札入れを出し、そこから運転免許証を取り出して、滋子の前に置いた。

「失礼いたします」

滋子は手にとって、弁護士の怒りの視線を感じながら、それを見た。運転免許証の顔写真は、確かに目の前にいる人物のものだった。有効期限は来年春だが、住所はあの北千住の家になっている。

「家内も同席すると言ってたんですが」

滋子が免許証を返すと、それを受け取り元通りにしまいながら、土井崎氏は言った。

「寝込んで、しまいまして」

「お加減がよくないのですか」

「あなたが調べ回っていることを知って、ショックを受けてしまったんですよ」高橋弁護士が厳しい声音で割り込んだ。「とりわけ、誠子さんがあなたを雇ったということがお辛かったようです」

滋子は土井崎氏の顔に目を移した。誠子の父親は、また深く俯いていた。

「誠子さんはお元気です」と、滋子は言った。

そんなことは夫妻も承知だ。私が報告しているのだから——今にも弁護士が声を荒らげて言い出しそうなのを横目に、続けた。

「とてもきれいなお嬢さんですね。お父様似でいらっしゃいます」

こうして見ると、鼻筋のあたりがそっくりなのだ。

土井崎氏の口元がわずかに動いた。誠子とよく似た鼻筋に、彼女の顔には見たことのない引き攣りのようなものをかすかに浮かべて、ようやく彼は面を上げた。

「娘のために、いろいろ調べるのは、もうやめていただきたいんです」

そのお願いにあがりましたと、今度はうなだれるのではなく、低頭した。

「娘の気持ちは、私も家内もわかっております。誠子が私らを怒るのは当たり前ですし、もっと詳しいことを知りたいと思うのも無理はないです。でも、そこを何とか、お願いできませんでしょうか」

「土井崎さん、そんなに小さくなることはないんですよ」励ますように、高橋弁護士が説きつけた。「そもそも家族の問題なんです。誠子さんに依頼されたと言っても、正式な契約があるわけじゃない。前畑さんには何の権利もないんです」

誰もが義務や権利という概念では感情を整理できない時にこそ義務や権利から目を離さずにいるのが弁護士の仕事だと承知していても、瞬間、滋子はこの弁護士を面憎く思った。

しかし高橋弁護士の言葉は、土井崎元の耳を素通りしてしまったようである。彼の視線はテーブルの上の一点で凝り固まったまま動かず、力なく動く口元からは一本調子な声が流れ出てきた。

「ただ調べるのをやめてください、誠子には黙っておってくださいとお願いしても、通用せんのはわかっております。ですから事情はお話しします。今まで隠していて申し訳ありませんでした」

ソファから腰を上げると、土井崎氏は深く身を折った。最初は弁護士に向けて。続いて滋子に向けて。

高橋弁護士は、彼の身体を両手で押し留めた。

「おやめください。私にも前畑さんにも、あなたが謝らなくちゃならない理由はないんですよ」

穏やかに、言い聞かせるような声だった。それでも土井崎氏の目は虚ろなままだった。何も見ていないのではなく、何か彼にしか見えないものに目を奪われているからだ。土井崎氏の心のなかにあるものに。

滋子は悟った。確かにあたしがこの人を追い詰めた。でも今、この人は話したがっている。吐き出したがっている。その衝動でいっぱいなのだ。

端的に、言葉を選ばず静かに問いかけた。「あなたと奥様は、茜さんのことで強請(ゆす)られていたんですね」

肩を落としてうなだれたまま、土井崎氏はゆっくりと二度まばたきをした。下顎(したあご)が下がった。それから、「はい」と答えた。

腹立たしげに、高橋弁護士が短く太い息を吐いた。

「すみません」

土井崎氏はまた謝る。弁護士は黙ってかぶりを振り、ひと呼吸遅れて、彼の肩を優しく叩いた。

「こちらこそ申し訳ない。お辛いでしょう」

土井崎氏の口の端が、軽く持ち上がった。苦笑しようとしたのかもしれない。

「いえ先生、自業自得です」

一段と腑抜(ふぬ)けたように、土井崎元の肩が下がる。膝の上に乗せた手が、もう指を組み合わせることもできないほどに激しく震え始めた。

「仕方のないことでした。私も家内も、自分らのしたことはよく承知しておりました。仕方がありませんでした」

それだけ言うと、両手で顔を押さえてしまった。

この部屋そのものが呼吸をとめてしまったかのような、息苦しい沈黙がきた。

「いつごろからのことでしょう」滋子は尋ね、間を置かずに続けた。「よろしければ、わたくしが推察したことを申し上げていきます。違っていたら、違うとお教えください。その方がお話しになり易いのではないかと思います」

指の隙間から、土井崎元は小さく答えた。「はい、わかりました」

「その人物は、茜さんが亡くなってからさほど間を置かずに話を持ちかけてきたのではありませんか」

「――おっしゃるとおりです」

「以来、あなたと奥様が警察に出頭するまで、強請は続いてきたのですね？」

垂れた頭が大きく二度上下した。

「あなたが、大金ではないにしろ、まわりの方々から借金を繰り返してきたのも、そのせいですね？」

「そんな金を払い続けてますと、やりくりが、どうしてもきつくなりましたので」

「それでも要求には応じてこられた」

仕方がありませんでしたと、土井崎元は言った。これで三度目だ。

滋子は思い切って核心に切り込んだ。「その人物は、茜さんの当時の交際相手ではありませんか」

土井崎元の肩が強張るのを、滋子は見た。高橋弁護士が目を剝く。

「前畑さん、そんなことを言う根拠があるんですか？」

滋子は土井崎元から目を離さずに続けた。「つい昨日のことですが、中学生のときに茜さんと親しかったという女性から、昔の話を聞くことができました。浦田鳩子さんという人です。茜さんとは、三年生になって疎遠になるまでは、遊び仲間だったということでした」

ご記憶でしょうかと尋ねてみた。茜の父親はようやく身を起こした。まだ片手は顔にあてたまま、目を閉じている。滋子から、自分の眼差しを守るかのように。

「娘から――友達の名前を聞いたことはあるとは思うのですけども――」

「そうですか。浦田さんは今は北千住駅の近くでスナックを営業しています。茜さんと、彼女の仲間のことをよく覚えておいででした」

昨日までに判明し、高橋弁護士に託した手紙には書けなかった事柄を、滋子はできるだけてきぱきと説明した。

「誤解のないように申し添えますが、こうした事柄は、誠子さんがお姉さんのことを知りたいという意向を明らかにされて初めて出てきたことです。他人のわたしでは、何をどうやっても調べることはできませんでした。口を開いてくれた方々は皆さん、誠子さんの気持ちを酌んでくださったのです。でも、そう言いつつも、昔のことを蒸し返しても、誠子さんにとって良いことはない、やめた方がいいとおっしゃる方ばかりでした」

まだ目を開けることができないまま、土井崎元は「有り難いことです」と呟いた。

「近所の皆さんは、今でも驚いていらっしゃいます。皆さん、茜さんは家出したのだと信じて、まったく疑っておられませんでした。それまでの茜さんの行状と、ご両親がそのことで心を痛め、悩んでいたことを知っていたからこそだと思います」

土井崎元が、さらにきつくまぶたを閉じる。口元は、くちびるが見えなくなるほど強く噛みしめられている。

「それで、わたくしは考えました」

早口になるのを抑えるため、ひとつ深く呼吸して、滋子は続けた。

「そういう状況のなかで、茜さんの家出に疑いを持つ人物は誰だろう、と。茜さんが、自分を置いてどこか他所の場所へ行ってしまう。自分にひと言の断りもなく姿を消してしまう。そんなことはあり得ない、家出というのは嘘だと確信することのできる人物――その〝資格〟のある人物は誰か」

茜が「どっぷり」恋愛していたというボーイフレンド以外の誰がいる？

「彼も、具体的な証拠をつかんでいたはずはないと思います。そんな機会はなかったでしょうから。彼が持ち合わせていたのはあくまでも心情――心証と申し上げた方が適切でしょうか」

滋子は高橋弁護士に問いかけた。が、弁護士が渋面のまま口を開こうとしたそのとき、土井崎元が呻くようにこう言った。

「騒ぎを起こしてやると、言いました」

瞬間、滋子と弁護士は互いに息を呑み、目と目を見合わせてから、土井崎氏を見た。茜の父親は、そうしていないと、今この場にいる自分から目を背けていないと勇気が逃げてしまうとでもいうかのように、まだ頑なに目をつぶったままだった。

しかし、言葉は溢れ出てきた。

「あいつがうちにやって来たのは、まだ捜索願も出していないうちでした。私が茜を手にかけた、翌日でした。茜と出かける約束があるから迎えに来たと言いました。そういうことは、前々からよくあったんです。時間なんかおかまいなしでした。呼ばれると、茜はいつでもいそいそと出て行きました。夜中でも平気な顔で出かけてしまうんですよ。私も家内も叱りましたが、茜は聞きませんでした。あいつもそれで当たり前だというふうでした」

吐き出して、溺れかけたように息継ぎをした。

「私らは、最初からあいつに舐められておったんです」

土井崎元は目を開いた。白目が真っ赤に充血していた。視線はテーブルに据えられている。しかし、彼の目が見ているのは別のもののはずだった。

「茜さんに、〝シゲ〟と呼ばれていた少年ですね？」

そうです――と、土井崎氏はうなずいた。確かに彼の目は、今、その〝シゲ〟の顔を見ている。

ほらあいつですと、指さしているかのような口調だった。

「彼の名前をご存知でしょう？」と、尋ねたのは高橋弁護士だった。

「それが先生、ちゃんと知らないんですよ」

唐突に崩れるように、土井崎氏は笑い出した。

「おかしいでしょう。知らんのですよ。こんなに長いこと付き合ってきたというのに」

名字は確か「しげの」とかいうはずだ、という。だがフルネームは知らない。

「その名字だって、何とか茜から聞き出したんです。おまえが付き合ってる子は高校生だろう、どこのどいつだ、どの学校の生徒だと問い詰めたことがありまして」

茜は怒った。誰だっていいだろ、あたしの勝手じゃん。何でそんなことを訊くんだよ？

「歯を剝(む)いて私に喰ってかかってきました。私は言ってやりましたよ。その子のうちに乗り込んで行って、おたくの倅(せがれ)がまだ中学生のうちの娘にちょっかいをかけて困ると談判してやるんだと。そしたら娘は大笑いしました。あんたなんかにそんなことができるわけがない、やれるものならやってみろと笑うんです。あんたみたいな腑抜けにやれるわけがないって」

――シゲの方が強いんだよ。

「私は、娘にも舐められておりました。それも仕方ないんです。本当にそうでしたから。私にはそんな勇気なんぞありませんでしたから」

茜の生活がどれほど乱れても、そのころはもう手の出しようがなかった。叱っても、泣いて説得しても、話し合おうとしても無駄だった。何ひとつ届かなかった。

「情けない親だとお思いでしょう。実際そうでした」

ふと手元に目を落として、滋子は自分が震えていることに気がついた。こっちも情けない。

「そのシゲという少年が、茜さんが亡くなった翌日も、いつものように彼女を連れ出しにやって来た、と」

話の舵を、高橋弁護士が切り戻してくれた。

「そのとき、彼はすぐに騒いだんですか？」

「いいえ、その場は何とか追い返しました。茜は用事があって親戚の家に行ったとか、ごまかした覚えがあります」

すると、翌日もシゲはやって来た。茜は帰っているか。帰っていない。どこへ行ったんだ。あんたら、茜をどこへやったんだ。茜を出せ。

「その時点で、あいつはもう喧嘩腰でした。私も家内も、まるっきり腰が引けてしまっていました」

土井崎元は、笑い顔を滋子に向けた。一度笑い始めたらとまらないようだった。自嘲の笑みに、彼の顔は無残に崩れていた。

「まったく情けないですよ。ああいう子供ってのは、私らなんかより度胸が据わってるんです。ああいう気質は気質なりに、勘の鋭いところもある。自分がさんざっぱら悪いことをやってるから、他人の後ろ暗いことにも敏感なんでしょう。私と家内がうろたえていることを、ちゃんと見抜いていました」

それでも当初、シゲは、土井崎夫妻が茜を彼から遠ざけるために、無理やりどこかへ移したのではないかと疑っていたようだという。さかんに茜の居場所を聞き出そうと、夫妻にからんだ。夫妻は防戦一方だった。近所の人びとの目はごまかせても、この少年にだけは、嘘は通用しないのじゃないか。それが恐ろしかった。

「今思えばバカな話ですが、家内と相談して捜索願を出すことにしたのも、そうやって警察に相談すれば、あいつも恐れ入って納得するんじゃないかと思ったんです。捜索願を後ろ盾にして、茜は家出しちまった、私らにも居所がわからないんだよと言い張れば、あいつを言いくるめられるんじゃないかと考えたんです」

週明けの月曜日、だからすぐ警察に行った。そして、その夜遅くなって、またぞろ押しかけてきたシゲにもそう告げた。

「逆効果でした」

思い出しても苦痛なのか、土井崎元は身をすくめた。

「茜が俺に何にも言わずにどこかへ行くわけはないって、あいつは言いました。それはもう、怖いくらいにはっきりわかってるようでした。そんなバカなことがあるわけねぇって」

やがて、彼の口から致命的な質問が飛び出した。

——あんたら、茜に何かしたんじゃねぇのか？

最初からシゲの横綱相撲だった。夫妻は我が子を手にかけたことで、すでにまともな精神状態ではなかった。針で刺されただけで、すべての神経が切れてしまうほどに張り詰めていた。

「家内が泣き出しました。どうにもとめようがありませんでした」

警察にしゃべってやる。騒ぎを起こしてやる。シゲは荒れ狂い、夫妻を責めた。

同じ屋根の下には小学生の誠子が眠っている。土井崎夫妻は生きた心地もしなかった。荒れ狂うシゲはしかし、一方で、すでに充分狡猾なところも見せた。あまり大きな騒動を起こせば、夜分のことだ、近所の住人が異変に気づくかもしれない。そんな事態を招かないように、彼なりに用心してふるまっているらしいことが、土井崎氏にはよくわかったという。

「そんな不良のガキの言うことなど、警察がまともに受け取るはずはないとは思われませんでしたか」

高橋弁護士の問いかけに、土井崎氏はただかぶりを振るだけだ。

「とてもそんな判断はできなかったのでしょう」と、滋子は言った。「それに、たとえシゲが不良少年でも、この場合は警官だって彼の言うことを聞き入れた可能性は高いと思います。わたしが考えたのと同じように考えれば、シゲの言葉には説得力がありますから」

たとえ話を聞いた警察が半信半疑であるにしろ、念のために夫妻の話を聞こうと土井崎家を訪れたらどうなっていたか。夫妻は五分と持ちこたえられなかっただろう。

「私は、頭を下げて頼んだんですよ」

その光景を再現するかのように、土井崎元はぺこぺこした。

「茜には妹がいる。妹が可哀相だ。警察へは行かんでくれ、黙っていてくれ、騒ぎを起こさんでくれと、頭を床に擦りつけて頼みました」

勝敗はきまった。茜をどうしたのか、遺体はどこに隠してあるのか、シゲに問い詰められるまま、夫妻は洗いざらいしゃべってしまった。たかだか十六、七歳の少年の前で、なすすべもなかった。

「あいつは、俺一人黙ってたって、どうせバレるよというようなことも言いましたよ。俺は茜の仇をとってやりたいから、やっぱり警察へ行こうかなとか、今にも出て行くようなふりをしたりもしました。私ら、いいようにあしらわれたもんでした」

「すぐ金を要求してきたんですか？」高橋弁護士が尋ねる。土井崎元はまたあえぐように息を吸い込み、片手で顔を拭(ぬぐ)った。冷や汗が浮いている。

「いいえ、その日は、仲間と相談するとか言いまして、引き揚げていきました。金の話を持ってきたのは、あくる日の夜です」

「いくらでした？」

ごくりと、土井崎元は喉仏(のどぼとけ)を上下させた。「百万円でした」

「仲間と相談云々(うんぬん)は？　本当に誰かに話した様子はありましたか？」

「わかりません」と首を振り、「そのときはわかりませんでした。でも、それから先が長かったですが、あいつ以外の人間が金の受け渡しに来たことはいっぺんもありませんでしたから、ほかには知ってる者はいなかったんじゃないかと思います」

独り占めですかと、高橋弁護士は険しい顔でうなずく。

どうしても気になったから、滋子は訊いた。「茜さんはシゲの彼女ではありましたが、グループのアイドルでもあったと聞いてます。彼女が突然姿を消したことを、ほかの仲間は納得したんでしょうか」

土井崎元が滋子を見た。彼の目は、ここに来たばかりのときと同じ、虚ろなものに戻っていた。つい今しがたまでそこに満ちていた悲憤と後悔、自嘲の念は、戻ってきた虚無に呑み込まれてしまっていた。

「あいつが、巧(うま)いこと言いくるめたんでしょう」

答える声も、抑揚を欠いていた。

「茜は、あいつの女だったんですから」

何か曰く言い難い違和感が、つかみどころのないまま滋子の心をかすめて消えた。

「どう言いくるめたのか、問い質して確かめてみなかったんですか」

「ほかには、誰も何も言って寄越しませんでしたから、気にしませんでした。そんな余裕もなかったです」

のろのろとそう答える。虚ろは、土井崎元の全身を満たし始めたようだった。そのなかからもがいて立ち上がるように、本当に身体を引き起こしながら、彼は言った。

「どのみち、あのころ私も家内も、最初の百万を渡した後だって、こんな取引が長続きするわけはないと思っとりました。すぐばれる、時間の問題だという気持ちが、いつもありました。だってそうでしょう？　私らを強請ってるのは、どんなワルだと言ったって、高校生ですよ」

今さらのように驚いた顔になった。

「そうなんですよ。未成年の子供でした。こんな大きなこと、隠し通せるわけがない。けどもそのたびに、誠子のことを考えるんです。誠子のために、隠せるなら隠したいと思うと、ほかのことが考えられんようになるんです。そうするともう、あとはずるずるずるずる、あいつの言うなりになっちまって、それがだんだん——当たり前みたいに——なっていきました」

その結果の十六年だ。十六年の秘匿と沈黙だ。

土井崎元は放心していた。自分たちのたどってきた十六年の歳月を顧みて、呆れ返っているようにも見えた。十六年。よくもまあ。

「シゲもう高校生じゃない。三十過ぎのいい大人になっているわけですな」

高橋弁護士の声に、滋子と土井崎元は同時に我に返った。滋子がぼんやりしていたのは、この人と奥さんは、十六年のあいだに、一度も——神かけて一度だって、娘の死をネタに自分たちを毟り続けるシゲを殺して、口をふさいでしまえばいいじゃないかと考えたことはないのだろうかと思っていたからだった。

「あなた方はずっと金を払い続けてきた」

「——はい」

「十六年の間には、強請に応じきれないことだってあったんじゃありませんか」

期せずして、滋子がかつて使ったのと同じ表現を、土井崎元は口にした。「あいつは、私らを生かさず殺さずにする加減を心得ていたんですよ」

面白がっていたんです、と、虚ろな目のまま薄笑いを浮かべて呟いた。

「親父さん、あんたもよく頑張るなぁと言ったことだってありますよ、先生」

高橋弁護士が滋子を見た。怖い目だった。

「前畑さん、あなたの想像があたっていたようです」

ほかにどういう反応もすることができなかったから、滋子は黙ってうなずいた。

「時効を意識してらっしゃいましたか」

「警察の、ことですか」

十五年で成立することは知っていた、と答えた。

「でも、誠子がおりますから」

「シゲもそれを？」

「もちろん、承知しておりました。時効が近づいてきたころに、警察の心配はなくなっても、妹に知られるのはやっぱり拙いだろうって、私に念押ししてきたことがありましたから」

シゲとの金の受け渡しの方法は、滋子が推測したとおりだった。いつも、彼の方で場所を指定してくる。時期は気まぐれで、半年ほどあいだが空くこともあった。

常に現金で揃えて渡していた。一度指定された場所をまた使うこともあるので、マッチを持ち帰るようにしていたという。

「あいつが飲んでるスナックやパブみたいなところに、今日はツケを払わなくちゃならないから、これから持って来いと呼ばれることもありました」

「そうすると、金額もまちまちだったんですか」

「そうです」

「記録していますか？」

土井崎元は首を振った。今や質問は高橋弁護士だ。滋子はこの打ちひしがれた父親を見つめるだけだった。

「強請りとられた金が総額でどれぐらいになるか、まったく見当はつきませんか」

少しのあいだ首をかしげてから、土井崎氏は高橋弁護士を見上げた。「わからないです。なるべく考えないようにしておりました」

すみませんと、小さくなる。

「いちばん多額なときで、どれぐらいでしたか」

背中を丸めたまま、土井崎元は記憶をたどるように目を細める。

「二百万だったですか」

「いつごろです？」

「二度目か、三度目だったか……」

それを払った時点で、当時土井崎夫婦が貯めていた貯蓄は底をついてしまった。シゲにそれを説明し、もう払えないと訴えると、

「小銭でも何でもいい、そのときそのときで、払えるだけでいいから誠意を見せろと、まあ、そういうことで」

恥じ入るように、土井崎元はさらに身を縮める。

「誠意とは、よくも言ったもんですな」

高橋弁護士が、不愉快さを露わに言い捨てた。

ここで滋子は口を挟んだ。「あなたのお父様が残してくれたお金があったはずですよね？　奥様も、ご両親が大崎の実家を処分した際に、いくらかの財産を分けてもらってるはずですが」

初めて、土井崎元の虚ろな顔に驚きの色がよぎった。

「よくご存知なんですね」

「そういうお金もなし崩しに吸い上げられてしまったんですか？　でも、あなたがもらったお金は、誠子さんの結婚資金に充てられた。そうですよね？」

「はい……あれだけは、何とか誠子のために使いたかったですから……私も家内も……その……何と申し上げればいいのか、そのへんは上手く……」

「それなりに、シゲと渡り合う術を身につけていらしたわけですね」

気が抜けるような笑い方をして、土井崎氏はうなずいた。「そうですな。そうだったのかもしれません」

「シゲは金に困っているようでしたか？」高橋弁護士が尋ねる。「永い年月ですから、彼の経済

状況にも起伏があって当たり前です。ですから大まかな感じでいいんですが、切実に金に窮して、たとえば、いついつまでにいくら都合しろと要求してきたようなことはありませんでしたか」

「それは、なかったと思います。さっき申しました飲み屋のツケが溜まっているとか、その程度で」

「彼の住まいや仕事をご存知ですか」

笑いが消えて、自嘲が浮かぶ。

「いや先生、私らあの男の名前さえちゃんと知らんかったんですよ」

「推測もできませんでしたか。そういう材料もなかった？　最初のころなら、彼が通っていた学校ぐらいはわかったんじゃありませんか」

弁護士の問いかけの途中から、土井崎元は首を振り始めた。いやいやをするように振り続け、高橋弁護士が口を閉じてもまだそうしていた。

「お調べになろうと思ったこともないんですか？」

滋子が問うと、やっと「いやいや」が止まった。視線は宙に浮いている。

しばらくして、ゆっくりと言い出した。

「私も家内も、これは天罰だと思っておりました。ですから逃げようとか避けようとか、どうにかしようなんぞ思ったことはないです」

高橋弁護士がため息をつく。滋子はじっと土井崎元の弛緩しきった表情を見つめていた。

まったく理解できない感情ではない。土井崎夫妻にとっては、シゲに金を払い続けることが、いつしかどこかの時点で、茜を殺害した罪を償うことにつながってしまったのだ。間違ったつながりだし、屈折しているけれど、夫妻にとっては確実に手ごたえのある償いに。しかも同時に、自分たちの罪を誠子の目から秘匿することもできるのだから、やめる理由はない。天秤は釣り合い、バランスがとれてしまった。

実際問題としては、いくらシゲの言いなりになろうと、夫妻の自責の念が薄れるわけはないし、罪が償却されてゆくわけもない。だが、そういう錯覚を買うことはできた。そう、土井崎夫妻はシゲの沈黙を買っていたのではない。彼らが金と引き換えに得ていたのは、この錯覚なのだ。

「あなた方が出頭されたとき、シゲはあわてたことでしょうね。何か言ってきたでしょう?」

弁護士の問いかけに、依然として視線を宙に浮かせたまま、土井崎元はゆるゆるとかぶりを振った。

「連絡はないです」

「まったく?」

「はい、あれ以来は一度もないです」

滋子には信じられない。高橋弁護士も疑っているのがわかった。

「あなた方が警察に身柄を拘束されているあいだはともかく、その後は、彼だって連絡をつけることができたはずだ」

テレビのニュースを見ていれば、夫妻の動向はつかめただろう。

「出頭されたのは火災がきっかけで、いわば偶発的なものでした。シゲは相当驚いたはずですよ。オレに黙って勝手なことをするなと、文句のひとつぐらい言ってきそうなものだ。私が彼ならそうしますがね」

高橋弁護士にしては踏み込んだ発言である。が、土井崎氏はかぶりを振るだけだった。

滋子は挑発してみた。「あなた方に連絡しなくても、誠子さんには接触しようとしたんじゃないでしょうか」

途端に、土井崎元の目に力が戻った。素早く、食いつくように滋子を振り仰ぐ。

「そんなことがあったんですか？　誠子がそう言ったんですか？　いつです？　誠子はあの男に……」

腰を浮かせて、今にも滋子につかみかかりそうだ。弁護士があわてて彼を押さえた。

「そんな事実はありません。誠子さんは何もご存知ないです。今のはわたしの推測です」

「本当ですか？　本当に誠子は何も？」

「はい」滋子はしっかりとうなずいた。「ただ、これから先もそうとは限らないから心配なんです。他人の弱味を握って支配するのを楽しむような人間は、実にいろいろなことを考えつくものですから」

土井崎元はまばたきもせずに滋子を見つめている。滋子も見つめ返した。

「誠子に、何を――するっていうんです」

視線は凍りつき、恐怖が凝って声になっていた。

「今さら何を、あの子に、何を言うっていうんです」

滋子はちょっと気圧されて、身を引いた。叩けば音が出るとわかっていて叩いたのだが、予想していたよりずっと重く大きな音がした。音色も違う。なぜだ？

高橋弁護士は、彼なりにその理由を推察したようだ。素早く質問した。「シゲが以前に、誠子さんに何かしようとしたことがあるんですね？」

土井崎元は滋子を見据えたまま硬直しており、弁護士は何度か呼びかけなければならなかった。腕を叩かれて、ようやく我に返ったようだ。

「誠子に、ですか？」

口元を震わせながら問い返し、二度三度とうなずく。ごくりごくりと喉仏が動いた。

「誠子が結婚するってことを、何かの拍子に私、あの男に言ってしまって。人並みの結婚式をあげてやりたいから、そっちに金がかかるからそんなに払えないとか、そんなことを言っちまって、その」

滋子は割り込んだ。「シゲに金を要求されて、届けに行った。そのときは、彼の要求額を払えなかった。その理由を説明しなくてはならなかった。そういうことですね。だとすると、去年のことでしょうか」

「え、ええ。年末、でしたか」

手で額と鼻筋の汗を拭い、その手をズボンの腿（もも）に忙（せわ）しく擦りつける。

「それまで、しばらくあの男からの連絡が途絶えておったんです。久々だったんで、私も何ていいますか、がっかりもしましたし、うまくあしらえませんで、誠子の結婚話なんて余計なことをしゃべっちまった」

「それは、要求がなかったという意味でしょうか」

土井崎元はうなずきながら、惰性のようにズボンで手を拭い続ける。

「しばらくというのは、どれくらいの期間でした？　三ヵ月とか一年とか？」

「そのときは、三年かそこら空いてましたか」

驚いた。高橋弁護士もちょっと表情を変えている。軽く身を乗り出して、

「がっかりなすったというのは、三年も音沙汰がなかったから、もう強請は終わったんじゃないかと期待していたから、ということですね？」と問い返した。

「そうです、先生。そういう気持ちもありました」

言ってから、しかし急いで打ち消すように首を振る。「けども、あんまりそんなふうに考えないようにしようと、家内とは話し合っていました。前にも、似たようなことがありましたんで。一年ぐらい、強請の間隔が空くことはあったんです」

そしてまた、思い出したように要求が始まるのだという。夫妻がほっとしかけた頃。強請から解放されたかもしれないと、希望を持ち始めた頃に。

「あの男の手でした。そういう遊びですわ。私らをいたぶって」

滋子は考えた。もちろん、土井崎元の言うとおり、シゲにはそういうサディスティックな性向があるはずだ。が、それだけではないという気もする。シゲという男にも「私生活」があり、その都合によって、土井崎夫妻にかまっていられない――あるいはかまっていなくてもいい時期があったのではないのか。

なにしろ十六年間だ。シゲの側にも、人生の浮沈や変動があって当然である。

「警察のご厄介にでもなっていたのかな」

高橋弁護士がさらりと言い、急いで「いや、失礼」と謝った。

「でも、可能性はありますね。他所で何かやらかしたのかもしれません」

「まあ、想像しても何の足しにもならないが」

土井崎元は、虚ろな眼差しで弁護士と滋子の顔を見比べている。

「するとシゲは？　どうしたんです？」と、滋子は尋ねた。

「誠子の結婚をやめさせろと言ってきました」

土井崎元に代わって、弁護士が険しい顔をした。「何ですって？」

「自分と結婚させろって言うんです」

今度は滋子が何度もうなずく番だ。「シゲのような男なら、もっと早くそういうことを言い出してたって不思議じゃない。それ以前にも、誠子さんに会わせろと要求されたことがあったんじゃないですか」

土井崎元はまだ口元を震わせている。額には汗がいっぱいだ。

「それは、あの、ありましたが」

誠子に会わせろ。誠子に金を持ってこさせろ。その種の要求は、誠子が高校生になるころから始まったという。つまり、彼女が年頃になると、だ。

「いつもふざけ半分で、どこまで本気で言ってるかわからないような感じではありました。でも私も家内も、それだけはできないって、こっちは本気で突っぱねました。あんたが誠子にちょっかい出す気なら、私らにも考えがある、腹をくくって警察に行って、全部ぶちまけてやるからって、たんびたんびに言いました」

土井崎元にはその覚悟があった。

「そうするといつも、あの男はニヤニヤ笑ってました。冗談だとか、何も急ぐことはないとか言うこともあって、私はあんなのあの男一流の嫌がらせだと思ってたんですが――現に、いつも私がそうやって言い返すと、すぐ引き下がっておりましたから。でも、家内はずいぶんと怖がっておりました」

美しく成長してゆく誠子の傍らで、彼女には何も知らせることはできず、ひそかに。懸念と不安を押し殺して。

「それで、結婚をやめさせろと要求されたときにはどうなすったんです?」

「もちろん突っぱねました。当たり前ですよ」

思い出しても腹立たしいのか、土井崎元は拳を握り締めている。

「だいたいあの男は、あのころもう結婚しとったんです。なのに、ロクでもないこと言ってきて」

滋子は高橋弁護士の顔を見た。弁護士は不審そうにちょっとまばたきをした。

「シゲは所帯持ちなんですか。年齢的には不思議じゃありませんがね」

「まともな結婚じゃないんですよ、先生。あの男は、女を騙(だま)して結婚するんです。そんでうまく丸め込んで、女の方の籍に入るんです。そうすると姓が変わって、別人になれるでしょう。昔の拙い事をみんな隠せて、ローンなんかも組み易くなるんだそうです。本人が言うのを、私、何度も聞きましたから間違いないです」

ほう——と、弁護士は感心した。

「なるほどね。まあ、ちゃんと調べられたら通用しない偽装ですが、手軽ではありますな」

「ローンを組むって、何に使うんでしょう」と滋子は訊いた。「まさか住宅ローンじゃないでしょうから」

「あの男は、何かしら商売をしていたんです。少なくともそう言ってました。自分は社長なんだとかってね。どうせ胡乱(うろん)な仕事ですよ。そういう事業をするのには、運転資金がいるでしょう」

「でも、そういう資金を、あなた方から引き出そうとはしなかったんですよね？」

土井崎元は焦(じ)れ始めた。「だからそれは、私らには無い袖は振れないってわかっとったからです。私はそれだけは何度も言いましたしね。私に無理な借金なんかさせて、それでバレたら元も子もないですから」

シゲはけっして頭のいい人間ではない。だが妙にズル賢く、計算高いところはあったと、土井崎元は憎々しげな口つきで説明した。

「それにあの男には、親戚だかパトロンだか知らんですが、ほかにも金づるがあったんです。商売するときの後ろ盾っていうんですかね、そういうようなあてが」

「本人からそうお聞きになったんですか」

「自慢しとりましたから」

「その後ろ盾が、具体的にどういうつながりの人物だか聞いておられませんか？」

「ですから親戚だか知り合いだか何だかですよ。詳しいことは知りません」

続けざまの滋子の質問を軽く手で制して、高橋弁護士が乗り出した。「話を戻させてください。そうすると、シゲという男は、身元をきれいにするために、結婚と離婚を繰り返していたんですかね？」

「そんなようでした」言ってから、初めて少しばかり愉快そうな目つきになって、土井崎氏は言い足した。「もっとも、女の方があいつに愛想をつかして出て行っちまって、しょうがなくて離婚することだってあったんじゃないですか」

弁護士はうなずく。「ありそうですね。で、誠子さんとも、彼はそういう意図で結婚したがった。もちろん誠子さんに対する下心もあったのでしょうが」

口に出して認めるのもおぞましいというように、土井崎氏は黙ってひとつうなずいた。

「そのやりとりがあったのは、昨年の年末のことだとおっしゃいましたね。十二月という意味ですか」

「そうですけども……」

「日にちまでは覚えていらっしゃらない？」

「それがどうかしたんですか」

土井崎元は敏感だ。目の奥に新しい不安が生じた。

「日付が何か問題になるんですか、先生」

弁護士は宥めるように微笑した。「いや、もしそれが十二月九日以降ですと、茜さんの件については公訴時効が成立します。あなたと奥さんも、それを意識しておられたはずだと思いましてね」

必要とあらば、訊きにくいことでもはっきりと訊けるところがプロである。滋子は、ズバリと問われてさすがに返事に詰まっている土井崎元の横顔を見つめていた。

ややあって、卑屈に口元を歪め、目をそらしたまま土井崎氏は呟いた。「先生は、私と家内が指折り数えて時効を待っていたとでもおっしゃりたいんですか」

弁護士は温和な表情のままだ。「そんな意図はありません」と、静かに答えた。「意識してしまうのが人情だと思うだけですよ、土井崎さん」

土井崎元はうつむいてしまった。高橋弁護士は滋子の顔を見た。

「シゲは当然、時効成立の日を意識していたはずです」

彼にしてみれば、それは楽しいゲームが終わる日だ。

「ですから彼が、誠子さんの結婚をとりやめにして自分と結婚させろなどという法外な要求を突きつけてきたのは、十二月八日以前だったんじゃないかと思うんですよ。時効が成立してしまえば、そんな要求を出したって一蹴されてしまうことは、彼にだってわかっている。だが、ぎりぎり直前ならどうでしょう？　ここまできて、あと数日、あと数十時間というところで、俺の要求を呑まなかったら警察にバラすぞと脅されたら、あなたも奥さんも、平静ではいられなかったんじゃないですか」

「私らは――」

土井崎元の声がかすれた。高橋弁護士は、諄々（じゅんじゅん）と説きつけるように続ける。

「誤解しないでください。動揺してしまって当然なんです。それもまた人情というものです」

土井崎元にわかるように、滋子もうなずいてみせた。

「あなた方は、シゲが誠子さんに触手を伸ばそうと試みるたびに、そんなことを許すくらいなら、警察へ出頭すると言って、彼を退けてきた。もちろんそれは、彼に対する牽制（けんせい）にはなったでしょう。だからこそ、あなた方は誠子さんを守り通すことができた。誠子さんはこの十五年間、何も知らずに生活してきた」

そうですね？　と問いかけられて、土井崎元はうつむいたまま目を閉じた。

「あなた方のその決意に、嘘があったとは私も思いません。誠子さんまで犠牲にするくらいなら、秘密を暴露する道を選ぶ。その思いは真実だ。しかし、いざそれを実行に移すには、大変な勇気が必要だったはずです。とくに、秘密が隠されている年月が長くなれば長くなるほど、その状態を壊すために必要なエネルギーも大きくなる。あなた方は、身をもって感じていたはずです」

シゲも、それを承知していた。

「だからこそ彼は、最後のぎりぎりになって、まあ言っちゃなんですが最後っ屁（ぺ）として、誠子さんへのストレートな要求を出してきた。時効が成立したら、今までのようにはあなた方を好き放題に振り回すことができなくなると、彼だってわかっていたはずですから」

だから、シゲが誠子と結婚させろと言ってきたのは、十二月八日以前であったはずなのだ。ここまできてバレていいのか？　何のために十五年も我慢してきたんだよ。いいじゃないか、誠子を差し出せよ。それならあと数日、数十時間、待ってやるからさ。

「よう覚えて、いないんです」

まだ抗弁するように、土井崎元は小声で呟いた。

「ですけども、先生がそうおっしゃるのを聞いてると、そんなような気がします」

覚えている。忘れられるはずがない。私と家内は時効成立の日を待ち望んでいたのだから——。そう認めることは、何としてもできない。頑なな意地のようなものが、土井崎元の身体からにじみ出ている。私は、罪に問われるのが怖くて沈黙を買っていたわけじゃないんだ、と。

すべてはもう一人の娘、誠子のためだったのだ、と。

「今度ばかりは、シゲも簡単には引き下がらなかったんじゃありませんか」

彼にとっても最後のチャンスなのだから。

「撃退するのは大変だったはずだ。よく踏ん張れましたね」

褒め称(たた)え、労(ねぎら)うような言い方だった。そしてそれがふさわしいように、滋子には感じた。

「あのときはね、誠子のね」と、土井崎元は言った。「ウエディングドレス、仮縫いが済んでおったんです」

弁護士と滋子はちらりと目を合わせた。

「井上のお母さんが、うちの嫁になる人が貸衣装なんかじゃ困ると言うんで、作ったんです」

「結婚式は今年、明けて間もなくでしたよね？」

「一月八日でした。あわただしいって、私ら最初は反対したんですが、二人が選んだ式場がそこしか空いてなかったもんで」

土井崎元は、結婚準備に追われる誠子を見ていた。達夫と二人で幸せそうな誠子を見ていた。ウエディングドレスの仮縫いも見ていた。

「先生には、お嬢さんはおられますか」と、土井崎元は尋ねた。弁護士がちょっと目を瞠る。

「いや、息子ばかりです」

「そうですか」土井崎氏の口元が緩む。「年頃の娘がいたら、先生にもおわかりになります。誠子をあんな男にくれてやるなんて――」

弛緩したような表情の奥に、強靭な怒りが一瞬浮かび、すぐに消えた。

だから追い返しましたよと、静かに言い足した。

「先生は弁護士さんだから、やっぱり法律とか警察とか、私らよりよっぽど重く考えておられるんです。私も家内も、警察は怖くなかった。いっそ、ちゃんと罰を受けた方が楽だとさえ思っていました。けども、誠子に知られるのだけは怖かった」

その誠子と引き換えにシゲの沈黙を買うというのは、本末転倒の最たるものだった。それくらいなら、いつだって、どんな状況下であっても、進んで自首したと、土井崎元は言い切った。

「でも」と、思わず滋子は声をあげてしまった。「結局、四月二十日には出頭されたじゃないですか。誠子さんがすべてを知ってしまうとわかっていながらね」

「そりゃあんた」気抜けしたように、土井崎元の顎が下がった。「隠し通せないと思ったからですよ。焼け跡を掘り返されたらおしまいだ」

「掘り返されるときまったわけじゃないのに」

「――私らはそう思ったんです」

「結果的に、誠子さんは離婚されました。ご存知でしょう？　そういう可能性はお考えにならなかったですか」

深々と息をついただけで、土井崎氏は返事をしなかった。滋子も、強いて答えを求めたわけではなかった。

ひとつ咳払いをして、高橋弁護士が多田君を呼んだ。秘書が衝立の陰から顔を出すと、手振りでお茶を替えるように指示した。

ちらっと見えた多田君の顔は青ざめていた。

「時効が成立した後も、あなた方が誠子さんに知られることを恐れていたから、シゲはあなた方を強請り続けていた。そうですね？」

確認するように、高橋弁護士が言う。

「しかしそれも、四月二十日にあなた方が出頭したことで終わりになった。以来、シゲはあなた方に接触してきていない。間違いはありませんか」

「そうです。おっしゃるとおりです」

「確かに、一度も、接触も連絡もない？」

土井崎元は、質問している弁護士ではなく、滋子の方を向いた。

「あの男、誠子に近づいてきてないでしょうね？　あなたなら知ってるはずだ。本当に大丈夫なんでしょうね？」

「大丈夫です。これからもよく注意します。でもそのためには、誠子さんに事情を説明しなくてはなりませんね」

土井崎元は、身体がふらつくほどに狼狽した。

「話さなくたって、そんなのは……」

「できませんよ。ごまかしようがありません」

土井崎氏がばっと立ち上がった。声が裏返る。

「誠子には黙っててくださいとお願いしたじゃないですか！　約束が違う」

叫ぶと、くちびるから唾が飛んだ。

「今までだって、先生がついていてくださるから、誠子のことは心配ないって、私も家内も思っていたんです。万にひとつ、あの男が誠子のまわりをうろちょろするようなことがあったって、そんな変な野郎が何かかんか言ってきたら、誠子はすぐ先生に相談するから、追っ払ってもらえる」

すがりつくような眼差しで、高橋弁護士に訴えかける。弁護士は、たぶんわざとだろう、無反応だ。

「だから、そのままでいいじゃないですか。あんたが」

土井崎元は滋子に指を突きつけた。

「あんたが余計なことさえしなけりゃ、これまでどおりなんだ。誠子は何も知らん。そのために、私はこうやって洗いざらいしゃべったんだから！」

滋子は背中を伸ばし、土井崎元の顔を仰いだ。すぐ後ろに茶器を載せた盆を持って立っている多田君に負けず劣らず、彼の顔も蒼白だった。

「なぜ、隠さなくてはならないんです？」

「そりゃ、あんた――わかってるじゃないか」

「シゲが何とかして誠子さんを探し出して、あなた方が彼にお金を払っていたことを伝える。その心配はあると、わたしも思います。最初にも申し上げましたけど、他人を恐る味を覚えてしまった人間は、あの手この手でゲームを続けようとするものだからです。そういう邪な所業に中毒していますからね」

　おまえの両親は、姉貴殺しの罪を逃れたいばっかりに、時効までずうっとこの俺に口止め料を払ってたんだぞ。そりゃもうみっともなかった。コソコソと卑屈で、浅ましい眺めだった。背格好も容姿もわからないシゲではあるが、滋子の頭のなかでは、彼が誠子の面前で、嬉しそうにクツクツ笑いながらそう打ち明け、彼女を苦しめ、傷つけ、なぶって楽しむときの表情がはっきりと浮かんでいた。

　土井崎元の頭のなかでも同じことが起こっているはずだ。青ざめた顔に、白目だけが真っ赤に充血している。

「可能性としてはさほど大きな危険ではないかもしれません。でも、あり得ることです。誠子さんは魅力的な美人だし、シゲはもともと彼女に興味を抱いていた。あなた方が誠子さんのそばを離れてしまった今こそ、絶好のチャンスだと涎を垂らしているかもしれません。彼がそういうふうに考えそうな人間だということを、いちばんよくご存知なのは土井崎さん、あなたじゃないですか」

　怒るべき対象は目の前の不幸な父親ではないのに、しかし滋子は怒っていた。

「それを防ぐために、まっとうな方法がただひとつだけあります。あなたの口から、誠子さんにすべて打ち明けるんですよ」

　棒立ちのまま、土井崎元はまたいやいやと首を振り始めた。多田君が口を開きかけ、やめた。高橋弁護士は、じっと目を凝らし、滋子と土井崎元を見つめている。

「あなたはおっしゃいました。刑事罰など怖くなかった。いっそ罰を受けた方が楽なくらいだった。沈黙を守り秘密を抱えてきたのは、ただただ誠子さんに知られたくなかったからだ、と。それは何故です？」

誠子を悲しませたくなかった。誠子を傷つけたくなかったからだ。

「今まではそれでよかったかもしれない。でも、もうそのやり方では間違いなんです。その証拠に、誠子さんはわたしを雇いました。茜さんがなぜ死んだのか、なぜあなた方が茜さんを手にかけなくてはならなかったのか、本当は何が起こったのか知りたいから。誰もわたしに真実を教えてくれない、と誠子さんは苦しんでいました」

話してあげてください。声を励まして、滋子は訴えた。

「あなたと奥さんにしかできないことです。逃げないで。本当に誠子さんのためになることを考えてください」

色を失い、立ちすくんでいる土井崎元は、急にひとまわりもふたまわりも縮んでしまった。彼ひとりだけ風に吹かれてでもいるかのように、頼りなく身体が前後に揺れる。

高橋弁護士が腰をあげ、彼の両肩に手を置いて、ゆっくりと腰をおろさせた。

「すぐには無理だ」と、弁護士は言った。「時間が要ります。今さら急ぐこともないでしょう」

軽く肩を叩いてから、手を離す。それが合図になったかのように、土井崎元はがっくりと首を落とした。

一人で帰すのは心配だからと、多田君は、土井崎元を駅まで送っていった。高橋弁護士と滋子は、テーブルに並んだ生ぬるいお茶を、黙りこくったまま飲んだ。

「しかし、あなたも」と、弁護士が口を開く。「よくやりますな」

褒められたのではないことぐらい、滋子にもわかった。

土井崎元は、最後まで涙を見せはしなかった。そんなものは、とっくの昔に涸れ果てているのだろう。その代わり、テーブルの下に入り込もうとしてでもいるかのようにどんどん身を縮め、頭を下げていった。できるだけ小さくなって、この場から消えようとしていた。

弁護士と秘書の叔父甥は、慎ましやかな沈黙を保って、そんな土井崎元を見守っていた。だがその静けさが、かえって彼を現実から外へ追いやるような気がして、滋子は勝手にしゃべった。彼の職場の同僚たちのこと。北千住の家の近所の人たちのこと。浦田鳩子のこと。茜の担任だった生方芳江のこと。加藤紙工業の加藤社長のこと。皆が土井崎夫妻を案じ、事件のことを訝り、謎は謎のままに抱えて、悼んだり悲しんだりしている。世間は今も、あなた方のまわりで動いているのだ。それはあなた方が望むような動き方ではないだろうが、でもあなた方夫婦は二人だけで、何もかもが凍りついた世間に堕ちてしまったわけではないのだ。そう伝えるために、滋子は一方的にどんどんしゃべった。

しゃべり続けるうちに、少しずつ、土井崎元が身を起こし始めた。それに勇気づけられて、滋子は語り続けたのだった。

「加藤さんは、元気でしたか」

まだ頭を垂れたまま、土井崎元がそう問いかけてくるまで、三十分以上も一人でしゃべったろうか。

「電話でしたからお顔は見えませんが、お元気な様子でした。ご家族の誰かが、加藤さんを呼ぶ声が聞こえてきましたよ」

「あの人はね」そう言って、土井崎元は掌で顔を拭った。深々と呼吸をする。吐き出す呼気と一緒に言った。

「うちと同じで、子供さんがグレて」

やはり、と滋子は思った。他人事じゃないという加藤宣夫の台詞は、その意味だったか。

「悪い仲間と付き合って――それも茜と同じですわ。夜、新宿だったか渋谷だったか、盛り場でうろついてて、別の不良グループと喧嘩になって、死人が出ちゃってね」

それで少年院に入ったんだ、という。

「グレてるっていう話を聞いてるうちは、お互いさまで、父親同士の愚痴でね、ときどき飲んだりしてたんです。けども、そうなるともう同情のしようもないです」

だから付き合いが切れたのか。

「あれは、次男坊だったかなぁ」

「茜さんと同い年のお子さんですか」

「聞きましたか？　よく話したね、加藤さん」

激情の針が振り切れて、感情が弛緩しているのだろうか。にわかに口がほぐれていた。

「私も、茜の将来が心配だったから」

他人事じゃないと思った、という。同じ台詞だ。

「加藤さんとこも、確か次男の子がそんな事件を起こしたとき、いちばん上の姉さんが就職活動をしてて、いろいろ障りになるんじゃないかってえらく心配してました。子供らのなかに一人そういうのがいると、みんなが要らん苦労をすることになるんです」

しみじみと嚙み締めるように呟いてから、土井崎元はどこかが破けたかのような笑い声をたてた。

「だからって、私が茜を殺した言い訳になるわけじゃないけども」

言い捨てて、滋子を見た。まだ目は赤いままだ。

「誠子と会って、こういうふうに話せって、あんたは言うんですか」

滋子が何も言えないうちに、たたみかける。

「なんでおまえの姉さんを殺したかっていったら、こんなろくでなしの姉さんがいたら、先々おまえが大変だって思ったからだって、そう言えっていうんですか。おまえのためにやったって、そう言やぁいいですかね」

「土井崎さん――」

「いんや、違う」一人芝居のように表情と仕草をつけながら、土井崎元は続けた。「父さんも母さんも、おまえの姉さんにはさんざん手を焼かされて、いい加減うんざりだったんだ。もう茜は要らん、娘はおまえ一人でいいと思ったんだよ。そう言えば、誠子は喜びますかね?」

え? どうですよ。どう思います?

「それともこう言いますか。父さん、思わずカッとなっちまったんだよ。後先考えなかったんだよ。それともこうですか。茜みたいなワルは世の中のためにならない。私ら家族にとっても悩みのタネになるだけだ。だから責任持って親の私が片付けたんだって、ね。あんた、どの言い訳がもっともらしいと思います? 娘を殺した親が残った方の娘に何て言ってやるんです? みんなみんな、家族のためだったとでも言いますかね? え?」

会えませんよ。

「誠子には会えません。どの面下げて会うんです? 何て言うんですよ。私らが本当のことを話せばあの子も救われるなんざ、あんたみたいな部外者の勝手な想像だ」

あとはもう、ドアを開けて出てゆくまで、ひと言も口を開かなかった。

「最後になって、土井崎さんに余計なことを言わせたもんです。少しはこたえましたか？」

弁護士のきつい言葉を、滋子は聞こえないふりをした。それには、額に手をあてて顔を隠さねばならなかった。

「誰にだって、楽しい仕事じゃないですよ」

高橋弁護士はぼそりと呟いた。滋子への慰めではないのだろうし、自己弁護にも聞こえなかった。

多田君が戻ってきた。「なかなかクーポンを受け取ってくれなかったんで、運転手に預けてきました」

タクシーに乗せたのだ、という。

「もしかして、駅のホームで変な気を起こしたりしたらいけませんから」

「気が利くね。ご苦労さん」

小鳥が怒ることがあるとしたら、今の多田君がそれだった。滋子を睨んで、小学生のように口を尖らせている。

「あんなこと言って、何かあったら責任とれるんですか」

滋子は黙って肩をすくめた。弁護士は笑いを噛み殺している。

「誠子さんにはなんて報告するんですか」

「さあ、どうしましょうか」

「前畑さん、ちょっと反省した方がいいと思いますよ」

「おまえがそんなことを言うのは、それこそ余計だ」

叔父貴にぴしゃりと叱られて、しかし多田君はなおも不満そうだ。

「あなたも――」と、高橋弁護士は言った。表情は和らいでいて、口調も穏やかだ。「過去に一度は大きな犯罪と渡り合ったことのある人だ。わかるでしょう？　こういうことでは、全部がすっきり割り切れて、全員の気持ちが落ち着くなんてことはあり得ないんです」

「それを理想とすることも、いけませんか」

「いけませんね」即答だった。「誠子さんには、これからの人生で、長い時間をかけて整理をつけてもらうしかない。他人が救うことはできないし、誰かの告白で何かが解決するということもないんです」

それは滋子にもわかっている。でも――

「恐喝者の存在については、あなたの読みがあたっていた。ただ、私も以前から、土井崎夫婦にはまだ何か隠し事があると察してはいたんです。これは負け惜しみじゃありませんよ」

「でも先生は追及なさらなかった」

「する必要はないし、そんなことをしても、誰のためにもならない種類の秘密だろうと感じたからです。それは、今だってそうですよ」

どういう意味なのかわからなかったから、滋子は首をかしげた。多田君が、何がそうなんですかと、代わりに尋ねてくれた。

「土井崎さんは今日、全部話してくれたわけじゃないということだ」と、高橋弁護士は言った。

多田君が目を丸くした。「なんで？　僕も話はずっと聞いてたけど、そんな感じは受けませんでしたよ」

「そりゃ、聞く耳の経験の差だな」

「シゲのことですか?」と、滋子は思わず勢い込んだ。「彼との関わり合いのことじゃないですか? ほかにはないと思うんです。わたしも――」

「ストップ」弁護士が手をあげる。「もういいでしょう。あなたの推測は的中していた。あなたの勝ちだ。ここらが、鉾を収める潮時じゃないかと思いますがね」

そうなさい。やんわりと忠告し、宥めている。これまでで
もっとも親身で、親切だった。

だからこそ、滋子は返事ができなかった。


その夜、昭二が帰宅したとき、滋子はテーブルの前に座りこんで、ICレコーダーから流れる土井崎元の声に聴きいっていた。何度目かわからない。時間も忘れていた。昭二に声をかけられて、やっと我に返った。

「わ! ごめん」

何の支度もしていない台所を一瞥すると、昭二はわざとらしくしかめっ面をつくってみせてから、電話に歩み寄った。

「ダブルチーズにガーリックにイタリアン・ソーセージだぞ」

ピザ屋にかけるのだ。サラダもと、滋子は言った。

「優しい旦那様で、わたしは幸せです。拝んじゃう」

「ただで優しいんじゃねぇぞ。何だ、それ」

ICレコーダーを指さす。「誰の声だ?」

「誠子さんのお父さん」

昭二は文字通り跳び上がった。「会ったのか?」

「うん。急展開だった」

ちっぽけなレコーダーの前で、昭二は色めき立った。「で、その何だ、聞きたいことは全部聞き出せたのか？　滋子、いろいろ考えてたじゃねぇか。俺も聴いていいだろ？」

にじり寄るのを肘で押し返し、滋子はレコーダーをさっと取って手の中に隠した。

「誓約しなさい。誰にもしゃべらないって」

「俺を誰だと思ってんだ？　前畑滋子の亭主だぞ」

そう言いながらも、昭二は右手を上げて誓約の格好をした。「だけど、よく録音なんかできたな」

「盗み録り（ど）だもん」

この調査を始めて以来、出歩くときは、必ずバッグにレコーダーを入れておくようにしている。必要が生じたら、こっそりスイッチをオンにするのだ。ＩＣレコーダーは容量が大きく、可動音がしないので本当に便利だ。九年前にもこういう機器があって、関係者のあらゆる肉声をこっそり録音し、あとで何度も何度も――気が済むまで何度も聴き直すことができたなら、滋子はすべてにもう少し賢く対処することができたかもしれない。死なせずに済んだ人もいたかもしれない。

今さら詮無（せんな）いことだが、これを使うたびにそう思う。

もっともそれも、嘘や秘密や欺瞞（ぎまん）を聞き取る耳があってこそのことだが。高橋弁護士の言うとおりだ。

ピザの配達が来て数分中断したが、それ以外はずっと、夫婦とも沈黙したままレコーダーの声を聴き続けた。途中から、昭二は食べるのをやめてビールばかり飲み、土井崎元が滋子に食ってかかった最後のくだりでは、それもやめてしまった。

大きな顔が、焼く前のチーズのような色になっていた。

「とんでもねぇ話だ」

こんなこと、世の中にあるのか。

「誠子さんに、何て言うつもりだ？」

真っ先にそれを思うのが昭二の昭二たる所以（ゆえん）だ。

「親父さんに会ったことは伝えるのか？」

「まだわからない。どこまで話すか、ちょっと考える」

昭二は冷めてしまったピザをわしづかみにして口に突っ込んだ。しゃにむに噛んで、ぐいぐい飲み込む。滋子は新しいビールを開けて、土井崎氏が帰った後に高橋弁護士と話し合ったことについて語った。

「弁護士先生は、土井崎さんがまだ何を隠してるっていうのかな」

呟いて、昭二は噛むのをやめた。

「土井崎さんはシゲって野郎のこと、もっとよく知ってるんじゃねぇのかな。俺はそんな気がする」

「どうして？」

「だってさ、相手の素姓も、ちゃんとした名前さえ知らないって言ってる割には、この野郎についていろんなことをしゃべってるだろ。ほかにも金づるがいるなんて、ちょっとやそっとじゃ聞き出せない話だぜ。結婚と離婚を繰り返して戸籍をきれいにしてるなんてのも、さ。弁護士さんも、そう思ってるんじゃないかな」

滋子としては、半分賛成、半分白票という気分だ。

「それは判断が難しいところだと思うの。シゲだってバカじゃないから、自分から土井崎さんに素姓を明らかにするわけはないでしょ。でも、土井崎さんにしゃべって聞かせることで、ある効果が期待できるような事柄だったら、逆にいろいろ宣伝してみせるんじゃないかな」

「効果って——どんな」

「俺は手強（てごわ）い人間だぞ、一筋縄ではいかない男だぞって、思わせること」

「堅気じゃねぇとか」

「それもそうね」

「でも金にピーピーしてはいねぇって？」

「それはシゲの見栄もあるんじゃない？　俺は、金欠だからおまえらにたかってるわけじゃねぇんだぞって」

そこを強調しておかないと、恐喝者の側が惨（みじ）めな「たかり屋」になり、支配のゲームの味が落ちてしまう。

家に帰り、見慣れた昭二の顔と向き合って、滋子もようやく落ち着きを取り戻してきた。頭が働き始める。

「でもあたし、大事なことを考え落としてたかも」

このゲームが始まったとき、シゲはまだ尻の青いガキだったということだ。

「それが何だっていうんだ？」

「土井崎さんは、ガキにいいようにあしらわれていたっていうけど、事実はやっぱり、それほど単純なものじゃなかったんじゃないのかな。いくら相手が性悪で、弱味を握られているにしても、土井崎夫妻から見たらシゲは子供みたいなもんなのよ」

昭二は露骨に嫌な顔をした。「ガキにだって、したたかなワルはいるぞ」

「そうだけど……」滋子は手にしたピザの一切れを口にしないまま、また皿にもどした。

「シゲはどうして、誠子さんに手を出さなかったんだろ」

「何言い出すんだよ」と、昭二が目に見えて狼狽する。「縁起でもないっていうか、おかしなこと言うなよ」

滋子は冷静だった。「ちっともおかしなことじゃないよ。シゲのようなガキが、自分の立場を利用して誠子さんに手を出そうとしない方がおかしいんだよ。そう思わない？」

「だからそれは、土井崎さんが身体を張ってさ」

ブツブツと抗弁し、昭二は急に目を明るくした。

「弁護士さんがほのめかしたことも、それじゃねぇか？　誠子さんを巡って、土井崎さんとシゲのあいだには、めったに口にできないような激しい争いがあったんだよ。今さらそんなことを訊くな、言わせるなって、高橋先生はおまえに言ったんだよ」

完全にピザのことを忘れ、滋子は夫の顔を凝視した。

「激しい争い？」

「う、うん」

「殺すか殺されるかってことになりかねないよね」

昭二はあわてた。口から唾が飛ぶ。「オレはそこまで言ってねぇ！　あくまでも、土井崎さんは、誠子さんを犠牲にするくらいなら自首するってことを盾にして」

「そんな言葉で、シゲが引き下がるかな？　大人を舐めきってるガキなんだよ？　今のあたしたちみたいに、いちいち深く考えて行動したりなんかしない。思いつきで、やりたいことをやっちゃうんじゃない？　そうやって、彼が誠子さんに手を出しちゃったとしたら？　その後で、土井崎さんが、なぜそんなおぞましいことが起こったのか誠子さんに説明して、おまえに済まないからこれから自首するとか言っても、誠子さんは慰められる？」

もしかしたら、誠子はむしろ両親の自首を止めるかもしれない。そしてそれからは、一家三人でシゲの言いなりになるか——それとも——それとも——。

反撃に出るか。

「あたしが土井崎夫妻なら、誠子さんがそんな目に遭わされたなら、自首するよりシゲを殺すよ」

茜を手にかけた、その手で。

「——恐ろしいことを考える女だな、おまえ」

呟く昭二の顔からツンと鼻先をそらし、滋子はさっきの彼の台詞を真似た。「あたしを誰だと思ってんの？」

「確かに」と、昭二はうなずく。「ここんとこ忘れてたけど、そうなんだよな」

でも、それが親の気持ちってもんだと、気を取り直すようにして言い足した。

滋子は声に出して考える。「シゲは、生きてるのかな？」

「おいおい、ちょっと待て！」

「ううん、ずっと生きてたんだ。だって等君と遭遇してるんだから。だけど——」

どうしても釈然としないのだ。土井崎元の告白には、まだ余白がある。語られていないものがある。まだ何かが残って、隠されている。そう思えてならない。

第十一章　秘密

　警視庁の秋津信吾から連絡があったのは、土井崎元との会見から三日後のことだった。以前に会った上野の喫茶店で落ち合うことになった。

　場所がうろ覚えで、滋子は秋津を少し待たせてしまった。店はまたガラガラだった。

「秋津さん、この店の場所を覚えていらしたんですか」

「マッチを持って帰ってましたからね」

　人と会う場所がいろいろと必要になるので、使えそうな店に出くわすといつもそうするのだ、という。

　いいきっかけになった。滋子は、複数のマッチをきっかけに生まれた仮説と、唐突に実現した土井崎元との会見までの出来事を、順を追って説明した。

「何とまあ……大変でしたね」

　秋津は滋子を労い、一転して鋭く訊いた。

「で、どうやってシゲを狩り出します？」

　秋津の前だと、滋子は素直に弱気になれる。相手がプロの捜査官だからだ。黙ってかぶりを振った。

「そうしてもいいものかどうかわからないんです」

「もういっぺん土井崎元を攻めて、全部吐かせてみたらどうです？　さもなきゃ、彼を説得して警察に被害届を出させるんです。もちろん強請の——って、こっちはまあ最初から無理か」

「全部吐かせろとおっしゃるということは、秋津さんも、土井崎さんにはまだ秘密があると思われるんですね」

「思います」

いや、そう感じますと言い直した。

「いずれほじくり返してみて気分のいい秘密じゃないでしょう。今さら意味があるかどうかもわからない。でも、確かに彼には語り残した部分があると思いますよ。というより、その部分を隠しておきたいがために、あわててあなたに会いに出て来たんじゃないですかね」

推測があたっていることを認めて滋子を満足させ、それ以上の追及を防ぐために、だ。滋子には黙っていてくれ、これ以上誠子を傷つけたくないという親の願いを切札にして。

「高橋という弁護士さんも、その辺は察してるんでしょう。だからあなたに鉾を収めるよう忠告した」

「大人の判断ですよね」

「いいえ。依頼人を守ろうとする弁護士の判断ですよ。警官やルポライターの判断とは違います」

きっぱりとした口調だった。滋子はふと胸を突かれた。

「その秘密の内容については、少し悪いことからうんと悪いことまで、いろいろ想像できますよ。ただ、前畑さんが一瞬だけ考えた、土井崎夫妻が過去のある時点でシゲを殺してしまったんじゃないかという説だけは成り立たないと思いますね」

さっと手を上げ、

「あ、これは等君の能力云々とは別の理由で」

首をかしげる滋子の前で、秋津は胸ポケットから手帳を取り出し、広げた。

「うちのチビたちと、あおぞら会の会員になりました」

手帳に挟んでいた、小さな会員証を取り出して見せてくれた。町の医院の診察券みたいなものだ。

「ホームページの全項目を見られるようになったんで、目を通してきました。そっちはどうってことありません」

「登録のとき、職業は何だとおっしゃったんです？」

「団体職員」秋津は笑った。「ま、舌先三寸も私らの商売のノウハウのうちです」

秋津があの丁寧な事務局長を爽(さわ)やかに丸め込んでいる様子を、滋子は想像して楽しんだ。

「うちのカミさんは本好きなんですがね、チビどもは私に似ちまったのか、活字が嫌いなんです。本を読む習慣は、子供のうちにつけておかないと駄目だって、前々からカミさんは気にしてまして、ですから渡りに船でした。チビたちを連れて、さっそく行きましたよ、あの図書室に」

秋津の自宅は津田沼なのだそうだ。千葉から遠くない。

「そうそう、例の読み聞かせ会の様子を記録したＤＶＤを見せてもらえました。なかなか楽しそうでしたよ」

それでですねと、ちょっともったいをつける。

「昨日の日曜日、例によって亭主は元気で留守だし、外は雨だけどチビどもは家に置いとくとうるさいしで、カミさん、図書室に連れて行きました」

スパイ気取りじゃないですがと、おどけたように断ってから、

「カミさんも会員になったそもそもの目的は承知してるわけです。だもんで、適当な口実をつけて入会早々事務局に顔を出しちゃ、こっそり観察する。また都合のいいことに、家内は昔小学校の教師をしてたんですよ。会の運営をお手伝いできることはありませんかしら？　ってな感じで入り込む手が使える」

今度は、秋津夫人が事務局長を優しく丸め込む様子が滋子の頭に浮かんできた。おそらく、美人で人当たりのいい女性なのだろう、秋津夫人は。

「で、その日も子供らは図書室に任せておいて、自分は事務局でお茶なんか出してもらってしゃべくってるうちに、電話がかかってきたんです。経理の男性が出たそうです。田無さんでしたっけね」

元は金川有機材の社員だった人だ。

「その電話が、のっけから剣呑だった」

秋津は面白がっているような口調だが、目は笑っていない。

「田無さんは、電話の主が誰だかわかると、いきなり腰が引けていたそうです。低姿勢なんだけど、明らかに迷惑がってる。電話の主はだんだん声が大きくなる。なんせ、家内のいるところまで声が漏れて聞こえてきたそうですから」

やりとりが不穏なので、荒井事務局長も気がつき、席を立って田無氏のそばへ行った。秋津夫人は、知らん顔でお茶を飲みながら耳による観察を続けた。

「どうやら、金の問題らしい」と、秋津は続けた。「要するに田無さんに、これこれの金を用立

てろと命令してるような内容らしいんですよ。それを田無さんは、何だかおろおろ言い訳を並べて断ろうとしている」

ここで秋津は人差し指をきりりと立てた。

「注目すべきは、その言い訳のなかに金川会長の名前が出てきたことです。カミさん、数えてたんですから」

五分ぐらいの電話に、六回出てきたそうだ。

滋子は身を乗り出した。「田無さんは何て？」

秋津もわずかに前かがみになり、台詞に抑揚をたっぷりつけて、再現してくれた。

「会長からもご指示を受けております。それはできかねます、私が会長に叱られます。会長にご相談ください。会長のご命令に反することですから、こちらでは対応できません――」

「つまり、お金は用立てられない、と」

「そういうことですな」秋津は背もたれに身体を戻した。

「電話の主はがんがん怒鳴ってる。うちのカミさんはもう耳がダンボみたいになってる。田無さんは防戦一方で、そのうちガチャンと切られちゃった。で、田無さんと事務局長がヒソヒソ話を始めて、それはカミさんのいる場所からじゃ聞き取れない。この雰囲気のなかで長居して不審に思われてもまずいから、適当に引き揚げて――」

秋津夫人は、子供たちと図書室で待つことにした。

「あの様子だと、電話の主が金を取りにここへ乗り込んでくることもあるんじゃないかと思ったそうでして」

お世辞ではなく、滋子は感心した。「凄いわ」

「野次馬なだけですよ。いや、亭主の命令に忠実なのかな?」秋津はちょっとだけ照れた。「カミさんの予想はあたりました」

小一時間ほど経って、あおぞら会に来客があった。

「三十歳ぐらいの男が一人。髪に金のメッシュを入れて、片ピアスで、ジャージの上下にサンダル履きという格好だったそうです。外は本降りだったのに濡れた様子もなかったから、たぶん車で来たんだろうとカミさんは言ってました」

その男は、案内もなしに、職員の誰にも断らず、ずんずんと二階の事務局にあがって行った。

「カミさん、トイレに行くふりをして後を尾けた」

二時間もののサスペンスドラマに出てくる素人探偵さながらである。

「男は事務局のなかに入り込んでいて、やっぱり大声でやりとりしていたそうです。迂闊に頭を突っ込んで覗くわけにはいかないので声だけ聞いていたそうですが、押しかけられてどうしようもなかったんでしょう、どうやら事務局長は金を渡したらしい。金額はわかりません」

男は五分と事務局にいなかった。荒井事務局長と田無氏のことを、遠慮のかけらもなく責めていたそうだ。

「その男を、事務局長と田無さんは、アキオさんと呼んでいたそうです」

「アキオさん」と、滋子は復唱した。胸の奥がぞわりと騒いだ。

「カミさんは、彼があおぞら会に来て出ていくまでずっと見てました。そして面白いことに気づいた」

そのとき、図書室にはアルバイトの女性が二人いた。その二人が二人とも、通路を通ってゆく「アキオ」の目を逃れるように、書架の陰に隠れたというのだ。

「興味深いでしょう？」秋津は微笑する。「アキオは、来たときから剣呑な雰囲気を漂わせていました。そして事務局へずかずか乗り込んで行った。しかも風体が風体だ。私がアルバイトの女の子なら、何事だろうと驚いて目を向けますよ、心配ですからね。彼が下りてきたときも、やっぱりそっちを見てしまうでしょう」

しかし、彼女たちは逆のことをした。

滋子はゆっくりとうなずいた。「アルバイトの女性たちは、アキオがどこの誰で、どんな人物なのか知ってたんですね」

「そのとおり。厄介な男だと承知していた。だから関わりを避けたんでしょう。アキオがあおぞら会に来るのは、それが初めてじゃないってことにもなりますわな」

目を細め、滋子は言った。「おそらく、金川会長の身内なんでしょう」

だから、荒井事務局長も経理の田無氏も弱腰にならざるを得ないのだ。

「でも息子や孫じゃありませんよ」と、秋津が素早く応じた。「そっちはもう調べがついてます」

驚いた。手早い。「会長の家族のことを？」

「まあ、その辺は専門ですから」と、秋津は顔をほころばせる。「ただ、個人情報ですからね。我々捜査機関でも、ちゃんと手順を踏まなくちゃならない。今はさらに範囲を広げて調べているところです。会長の甥とか、従兄弟の子供とかね」

金川会長には、弟が二人と妹がいるのだという。また会長の父親は兄弟姉妹が多く、だから金川一族全体では相当な人数になるのだそうだ。

アキオは、そのなかにいる——。

滋子はまた、ざわりという震えを感じた。

「年齢は三十ぐらいだとおっしゃいましたよね?」

秋津は真っ直ぐに滋子の目を見る。そして滋子より先に口に出した。「彼がシゲなのかもしれない」

「シゲノ・アキオですか」

「それはまだ確定できませんね。まず、土井崎さんがうろ覚えに覚えていた〝シゲノ〟が彼の名字であるかどうかわかりませんよ。単なるあだ名や、仲間内の呼び名であったかもしれない。それに彼は、その後何度も名字を変えているんでしょう?」

そうか。シゲノのシゲは、あくまでも彼が茜と付き合っていた時点の呼称に過ぎない。時効成立までの十五年間、彼はその後ろに正体を隠し、土井崎夫妻を脅(おびや)かし続けてきたのだ。

「アキオの存在を突き止められたら、すぐお知らせします。ネットの方からは何か情報が取れましたか?」

問われて、滋子は首を振った。「何度か連絡はもらったんですが、もう少し時間がほしいということで。相当さかのぼって調べてくれてるようなんです。細かいことならいろいろあると聞きました」

「細かいこと?」

「大半は、あおぞら会に入っている金川有機材の社員たちの愚痴と苦労話だそうですよ」

昨今は「ブログ」という形で簡単に誰でもネット上に自分の情報の発信基地を持てるようになった。会員自身やその夫人、子供たちまでブログで日記を公開している。

「全部洗い出すとたいへんな数になるそうです」

会長の道楽に付き合うのは大変だと、日記でこぼしている会員たちが多いという。会を立ち上げたばかりのころは、本丸の金川有機材だけでなく、発起人たちの会社のなかでも、「各課でこれこれの人数の会員を出せ」と指示があった――という記述が複数見つかったそうだ。なかには、上からの命令で会員になり、覚えを目出度くするために、図書室に通ったり会のイベントに毎回欠かさず出席できるよう、わざわざ千葉に引っ越したという関連会社の社員もいた。

「まあ、ありそうなことだなぁ」

秋津は、手をあげてコーヒーのお代わりを頼んだ。

「しかし、私はいつも不思議に思うんですけどね。大丈夫なんですかね、そんな愚痴を書いてネットに載せて」

「バレやしないと思うんじゃないですか。膨大な情報の海のなかじゃ、これぐらいは平気だろうって」

「だけど、誰にも気づかれないんじゃ公開する意味がないわけでしょう。その矛盾した心情がわからんのです」

この店は、空調が効いているのとオーダーした飲み物が迅速に運ばれて来ることだけが取り柄である。秋津は湯気のたつコーヒーにミルクをどぼりと入れた。

そして何気ないようにさらりと言った。「土井崎元が語り残した情報とは何なのか」

滋子は、飲みかけていたお冷やのグラスを口元で止めた。

「彼が大慌てで姿を現し、そこに至る以前にあなたを追い返さないと拙いと思ったほどの情報だ」

かき混ぜたコーヒーから視線を上げる。

「それが何なのか、前畑さん、あなたにはわかるはずですよ。ただ、自分でわかっていることにいるじゃないですか。それらは一見無関係に見えるけれども、実は互いに深い関係を持っている。あなたが気づいていないだけです」

滋子は彼の目を凝視した。

秋津は淡々と続ける。「私には明々白々に思えます。あなたが引っかかった不審点。あなたが抱いた疑問。それを総合し、わかっている事柄と組み合わせてゆくと、まだピースの嵌(は)まっていない部分がきれいに浮き上がってくるじゃないですか」

滋子にはわからない。このパズルの全体像が見えてこない。

「十五年以上も、ひとつの秘密を守り通す。傍目(はため)には何事もないように穏やかに、静かにね。これは並大抵のことじゃありません」

地面の下に眠り続ける茜。その上で過ぎてゆく時間。重ねられてゆく日々が織り成す人生。

その底に、難破船のように横たわる暗い秘密。

「それをやり遂げたのは、シゲと土井崎夫妻だ。彼らは、確かに強請(ゆすり)の加害者と被害者の組み合わせではありますが、見方を変えるならば、秘密を守るという作業の共犯者同士でもあるじゃないですか。でしょう?」

「それは……そうですけど」

「共犯関係が成り立つには、相応の理由が必要です。それは大きく分けてふたつある。ひとつは温情や愛情、同情だ。しかしシゲにはこんなものはない。一切なかった。ならば、残るのは何です？　ふたつ目の必要にして充分な条件とは？」

答えはすぐに浮かんだ。今度は、秋津は滋子に先回りして言ってくれる様子がない。

「――利害関係」

呟くと、実に嫌な言葉だった。

「秘密を守ることで、土井崎夫妻はもちろん、シゲの側にも利益があったということでしょう？　そんなの、だからお金ですよ」

「彼は惨めなたかり屋ではなかったんじゃありませんか？　金に困って土井崎夫妻を強っていたのではない。少なくとも本人はそういうポーズを通していた——通すことができた」

「あとはだから」

支配のゲームだ。強請そのものの面白さ。

「そこですよ」秋津は節くれだった指を滋子に突きつける。「シゲにとっては、土井崎夫妻が彼の言いなりで、彼に何をされても抵抗できないという状況が、ことのほか嬉しくて、楽しくて、美味しいものだった。だから、一日でも長くそれを続けるために秘密を守った」

「そうです。おっしゃるとおりです」

秋津は声を強める。「なのに、彼は土井崎夫妻にとってもっとも残酷なことだけはしなかった。それをやれば、他のどんなことよりもこっぴどく夫妻を傷つけ、いたぶり、しかも彼の娯楽をより濃厚なものに高めてくれる、ある事だけはしなかった。それを指摘したのは前畑さん、あなた自身ですよ」

滋子はゆるゆると目を瞠った。

土井崎誠子だ。シゲは彼女には手を出さなかった。

「なぜ、シゲが我慢したんだと思います？」

質問されているというより、励まされているようだった。しゃんとしなさい。そして自分の頭のなかのものと向き合いなさい。

「なぜ我慢しなきゃならなかったんですかね、シゲは」

誠子というご馳走を前に、彼は甘んじてお預けを食っていた。十六年もの長い年月を。滋子のなかにあった騙し絵が、その位置を変えた。別の光があたり、今まで見えなかった図柄が浮き上がる。

利害関係。利と害だ。利だけではない。害もある。

害が、土井崎夫妻の側だけにあったのではなかったとしたら？

「シゲにも——彼の秘密があった？」

声に出し、騙し絵のなかに見えてきたものを確認した。

「それを土井崎夫妻は知っていた？」

うなずくまでもないという顔で、秋津は目元で微笑む。

「だけどどうして——どうやって土井崎さんがそんなものを」

口にするそばから、答えが閃いた。

シゲの秘密はすなわち、彼にべったりだった茜の秘密でもあったからだ。

そうだ。秋津の言うとおりだった。滋子にはわかっていた。推察できた。でも、無意識のうちに目を逸らしていたのだ。

シゲは土井崎夫妻をこう問い詰めたという。

——あんたら、茜に何かしたんじゃねぇのか？

それと同じように、滋子は、土井崎夫妻にこう問いかけることができるのではないのか。

いいや、茜さんも何かしたんじゃありませんか？

シゲと一緒に。かつて彼女の陰口を言った浦田鳩子を虐げたときと同じように。シゲとつるんで。鳩子のときと同じように、せせら笑いながら。

思わず、滋子は片手で口元を押さえた。驚愕と認識に、調子っぱずれの声が飛び出してきそうだったのだ。

茜がシゲと共にしたことが、罪であったなら。法に触れる行為であったなら。人として許されざることであったならば。

それはシゲの弱味になる。そして同時に――

「夫妻が茜さんを殺害する動機にもなった？」

自分の声に我に返ると、向かいの席は空になっていた。秋津は姿を消していた。伝票のそばに、二杯分のコーヒー代が置いてある。生徒に課題を与え、問題点を整理し、解答用紙の書き方まで教えて、教師は教室を出て行った。

一人きりの店内で、滋子は怒濤のように寄せてくる思考に身を任せた。

土井崎夫妻は茜の行状に手を焼いていた。それは近所でも有名だった。夫妻は悩んでいた。何度となく茜を叱り、説得し、躾けようとしては失敗を繰り返していた。彼らは茜に舐められていた。土井崎自身が、はっきりそう言っていたではないか。

だから、思い余って殺してしまった。一九八九年十二月八日の深夜、土井崎夫妻は越えてはならない線を越えて、我が娘を手にかけた。一瞬、カッとなって。

それで説明がつくと思っていた。それでいいと。それ以上の心の動き、暗黒の衝動と慟哭は、捜査機関さえ時効の壁の前に引き下がった事件の深部であり、第三者が追及できるものではない。それを聞き出す資格と権利を持つのは、土井崎誠子だけだ。滋子はそう思い、その思いを尊重してきた。だから騙し絵に見蕩れていた。

土井崎夫妻は茜を殺した。人の親として飛び越え難いハードルを越えて。そのとき、夫妻の背中を酷く叩いて飛び上がらせた、「何か」があったとは思わなかった。

思いたくなかった。思うべきではないと思っていた。

しかし今、騙し絵は正体を現した。後戻りはできない。

土井崎茜は、両親に殺害される前に、何をしたのか？

彼女の共犯者であったシゲに、土井崎夫妻との沈黙の共犯関係を築かせるほどの、何を。

胸の内に、平手でひっぱたかれたような衝撃を感じて、滋子は目をつぶった。そして今度は本当に自分の右手で自分の額を打った。何度も何度も。

時効は、ひとつだけではなかった――。

もうひとつあったのだ。土井崎夫妻の時効の前に、シゲと茜のしでかしたことの時効が。だからこそ、シゲと土井崎夫妻の間にバランスが生まれた。双方の利と利、害と害が釣り合ってしまったのだ。

シゲはただ、支配のゲームを楽しんでいたわけではなかった。シゲもまた、土井崎夫妻に首根っこを押さえられていた。誠子という存在が夫妻の弱味になり、だから彼の方が有利な立場にはあったし、「誠子への口止め料」として夫妻から小金をたかり取る楽しみは保証されていた。だが、ほしいままに暴走することはできなかった。

だからこそ、夫妻よりも先に彼自身の時効を迎えた彼は、そこで初めて、晴れて夫妻に、悪辣（あくらつ）で剥き出しな要求を突きつけることができたのだ。誠子の縁談を白紙に戻し、自分と結婚させろ、と。

シゲがどこまで本気で要求したのかはわからない。しかし、少なくともそれは彼のゲームのルール変更の宣言であり、土井崎夫妻には充分脅威に感じられる種類のものだったはずだ。しかも、今度の脅威には終わりがない。

夫妻が終わらせない限りは。

だから夫妻は、誠子の結婚からわずか三カ月後に、隠そうと思えばまだ秘密を隠すことのできる状況下で、敢えて出頭し自白したのである。時効はふたつとも成立した。もう我々のもとに法の手は届かない。十五年間の危うい均衡は消えた。最早、過去の秘密から誠子を遠ざけておく手段はない。シゲはいつでも、好きなときに口を開くだろう。ならば、考え得る二種類の災厄のうち、最悪なものから誠子を守るためには、自ら罪を明らかにするしかない。

シゲに、誠子の人生まで毟らせることはできない。

土井崎元は、滋子を追い返すためにやって来た。だがそんな場でも、彼はシゲの無体な要求について言わずにおられなかった。黙っていてもよかったのに、叫びは口をついて出てきてしまった。止められなかったし、ごまかすこともできなかった。あれは、夫妻の真実が発した悲鳴だったのだ。


千住南警察署の野本希恵とは、最初の会見と同じ場所、同じ時刻に待ち合わせをした。京成関屋駅前の喫茶店は、やっぱりあの日と同じように空いていた。彼女にしろ秋津にしろ、優秀な警察官は、客が少なく安心して話し込むことのできる喫茶店を見つけるセンサーを持っているらしい。

席に着いて注文を済ませると、滋子は開口一番、こう尋ねた。

「こうしたお店の場所を覚えるとき、マッチを持ち帰ったりなさいますか」

女性刑事は、凛々しい表情をちょっとだけ崩した。

「それが何か?」と、短く問い返す。「お電話では、わたしにまた何かご依頼があるということでしたが」

「依頼なんて高飛車な表現はできません。お力をお借りしたいんです」

滋子は話し始めた。コーヒーが運ばれてきたが、手をつけなかった。店主は二人を放っておいてくれた。彼がテレビで観ている巨人阪神戦が、三回裏の攻撃から七回まで進み、スタンドの阪神ファンが色とりどりのジェット風船を飛ばして応援を始めるまで、滋子は一人で語り続けた。

滋子の思い込みでなければ、野本刑事は息を呑んでいるように見えた。次に彼女が口を開くとき、何を言うか。語り終えたとき、今度は滋子の方が息を呑んで待った。

何度かまばたきを繰り返し、野本刑事は壁を見つめている。滋子が語っているあいだ、そこに彼女にしか見えない数式を書きとめていて、今、大急ぎで検算しているかのように視線が揺れていた。

検算の答えは、合っていたらしい。ひとつ深呼吸すると、野本刑事は自問自答するように呟いた。

「土井崎茜が何をしたのか」

滋子はゆっくりうなずいた。

「取調室では、もちろん、土井崎夫妻が茜さんを殺害するに至った経緯と動機について、詳しく聞き出したんです。夫妻は律儀に答えていました。答えられる限りのことを、精一杯打ち明けているように見えました。その当時の自分たちの気持ちや、茜さんがらみの問題や……」

滋子はまたうなずく。

「わたしはその場におりましたから、逐一知っています」と、野本刑事は言う。苦しげに眉が歪んでいた。「あのときの夫妻の言葉に嘘はなかったと思います」

「嘘をつける人たちではないと、わたしも思います」滋子は言った。「ただ、隠し事はしていたんです」

野本刑事は滋子を見た。「茜があまりにもケロリとしてたので、どうしようもなく腹が立って我を忘れてしまった——と言ったんですよ」

「一九八九年十二月八日の夜に、ですね」

運命の夜だ。破滅の夜だ。

「夜中も十二時過ぎに、茜さんが夜遊びから帰ってきたので叱ったけれど、ケロリとしていた。しかも小遣いをねだられた」

夫妻の供述書を思い出し、読み上げるような口調だ。

「茜さんの金遣いが荒いことには、夫妻も悩んでいた。とても中学生のレベルの金の使い方ではない。かといって、夫妻がせびられても金を与えないと、彼女はどこからか自分で都合してくる。そうとしか思えない派手な使い方をしているし、現に分不相応な服やアクセサリーや化粧品なんかを持っていたそうです。夫妻は、それはそれで不安でたまらなかった——」

「親としては当然です」

「だからあの夜も、おまえはいったい何に金を使っているのか、自分で稼いでいるのなら、何をやっているんだと問い詰めたのだそうです。それまでにも、そういう質問を投げたことはあったけれど、いつも適当にごまかされていた。でもそのときは、夫妻も本腰を入れて茜さんを問い詰める覚悟があったそうです」

しかし茜は、やっぱりケロリとしていた。

「何をやって稼ごうが、何に使おうが、あたしの勝手だ。おまえらなんかにぐちゃぐちゃ文句を言われる筋合いはない。おまえらが貧乏人だから、あたしは自分の小遣いを自分で稼がなくちゃならないんだ、いい娘じゃないか、少しはありがたいと思え」

ひと息に諳んじて、野本刑事は苦笑した。

「一九八九年末というと、バブル経済崩壊の直前です」

金余り社会などという、今では信じられないような言葉が通用した時代だ。国が全国津々浦々へ、小さな自治体にまで、ふるさと創生資金などと銘打って、一億円の金をばらまいても平気な顔をしていられた時代である。

「当時子供だったわたしには実感がないんですけど、あのころって、若くて奇麗な女性なら、誰でも王女様みたいにチヤホヤしてもらえて、贅沢し放題だったって、本当ですか?」

問いかけられて、今度は滋子が苦笑した。「確かに、わたしみたいなライターにはいい時代でした。出版社が気前よく取材費を出してくれましたし、取材の企画そのものも豪勢だし、新創刊の雑誌が次から次へとあって、仕事にはまったく困らなかったですよ」

はあ……と呟き、野本刑事はあらためてしげしげと滋子の顔を見つめ直した。急に、滋子と自分の年代差に気づいたという様子だ。滋子も同じ気持ちだった。

「美味しい時代だったということですか」

「そうですね。わたしも多少はあの時代の旨味を知っていると、白状します」

しかし、野本刑事の質問の意味は違うはずだ。

「若くて奇麗な女性だって、普通の学生や会社員なら、贅沢三昧だったはずはないと思いますよ」

バブル時代は、インフレで物価高でもあったのだ。

「バブルの恩恵と呼ばれるものを本当に享受できたのは、ごく限られた仕事や階層の人たちだけです。もともと富裕層の生まれではない若い女性が、手っ取り早くそうなるケースというのは、やっぱり――」

野本刑事が先んじた。「まあ、広い意味の水商売ですかね」と、滋子は笑った。「水商売で稼ぐということですかね？」

つと噛み締めるようにくちびるをきつく閉じてから、若い女性刑事はゆっくりと呟いた。

「いずれにしろ、美少女の土井崎茜は、ちょっぴり生まれるのが遅かったんですね」

バブル最盛期に中学三年生ではなかったら。もっと大人になっていたならば。

「生まれた環境も、時代の旨味を吸い取れる場所ではなかった。彼女はそれをわかってた」

父親は地味な会社員だ。それも、派手に膨らんだ幻想の経済社会から利益を得ることのできる職種ではない。土井崎家は高金利に潤う資産家でもないし、株式投資にも土地の売買にも縁がない。

「テレビや雑誌で見ると、世の中はこんなに明るくて豊かでにぎやかなのに、自分のいるこの場所は煤(すす)けている。こんなの不公平だ。不当だ。何が何でもここから抜け出して、あたしもいい思いをするんだ。きっとできるはずだ。だってあたしはこんなにも若くて美人なんだから」

茜の心情を想像し、言葉にして口に出す野本希恵は、しかしどこまでも清純で利発で生真面目な警察官で、彼女の声は茜の肉声にはならなかった。茜という被告人の供述を、冒頭陳述で代弁する弁護士の語りのようにしか聞こえてはこなかった。

それでいて、野本刑事の声にかぶせて、滋子は急に、土井崎誠子の声を思い出していた。姉さんはいつも怒っていました。しょっちゅう不機嫌でした。

茜は、きらびやかな世間に比べて大きく見劣りする自分の人生を憎んでいたのか。自分にそんな人生しか与えてくれなかった両親にも、怒りと軽蔑の視線しか向けることができなかったのか。

思春期なら、多くの人間が通る道筋だ。彼我を比べ、自分にないものを渇望し、自分の置かれた位置に不平不満を募らせる。誰もがそれで苦しむが、一方でそれが成長の糧にもなる。

茜は、強いエネルギーと過敏な感性を持っていた。彼女の自我の芯には、ひたすらな欲があった。そのどれも、上手に伸ばせば彼女を一人前以上の成熟した女性へと完成させるために、大いに役立つ要素だったはずだ。

だが、そんな彼女に、底抜けに拝金的で享楽的な時代は、彼女のまだ若い心では処理しきれないほどの情報を与えまくった。茜の頭と心が、最短距離を行くことだけが正解ではないという人生の素朴な真理を理解する前に、茜の我欲は、茜という人間の存在そのものを乗っ取ってしまった。

今、味わうことのできるいい思いをしたい。いい思いをするんだ。ほかのことなんかどうでもいい。いい思いをしないで、何で生きてる価値がある？　現実に、世の中には、いい思いをしてる連中が溢れてるじゃないか。

だが結局、それで茜は何をしたろう？　学校をサボり、シゲという年上の不良少年と恋愛ごっこにふけっただけではないのか。それは十五年以上前の中学三年生にとっては立派な享楽だったろう。が、茜が憧れ、欲してやまなかったあの時代の享楽とは、その程度のものではなかったはずだ。なのに——

その見分けがつかなかった。茜は幼かった。

あの夜、命を落とさなければ、茜はいつか気づいたろうか。そんな自分の幼い愚かさと、無駄にした時間がいかに尊く、取り返しのつかないものであるかということに。時間を浪費するのはたやすい。買い戻そうとするときに初めて、人は、その法外な金利に驚くのだ。

野本刑事は滋子の頭のなかの思いを読み取り、その流れについてきているようだった。口に出して述べなくても、この場の想いは共有されていた。

「ですからわたしも――」と、彼女は言った。「あの親子の問題は、つまるところそういう時代の病でもあったんだろうと思っていました。もちろん、どんな時代にも素行不良の少年少女たちはいますし、彼らがそうなってしまう普遍的な理由もあるんでしょうけれど」

「早く大人になりたがり過ぎるということじゃないですか」と、滋子は言った。「焦り過ぎるんです」

「かもしれませんね」女性刑事の横顔が、ふっと暗くなった。「いつの世の中にもあることです。でもバブル時代は、それに拍車がかかったんじゃないでしょうか。早く大人になり、早くこの社会からいいとこ取りをしなくちゃ、損をしてしまう――」

そして土井崎夫妻は、自分たちが教え込んだわけではないそんな茜の価値観に面食らい、彼女を制御することができなかった。

「それで説明がつくと思っていました。だから、殺害の動機については深く切り込まなかったきらいはあります。もともと家庭内の殺人事件というのは、その家の抱えている問題がこじれてどうしようもなくて、関係者の誰かが一瞬――決定的な一瞬に辛抱が切れてコントロールを失ってしまったがために起こることが、圧倒的に多いんです。その点でも、土井崎茜殺人事件は異例なタイプのものではないように見えましたし」

だから、千住南署の誰もが問いかけなかった。土井崎夫妻に問い質すことはなかった。あの夜、あなたたちが親として越えてはならない一線を越えたのは、茜が、あなたたちがどうしても勘弁ならんと思うほどのことを何かしたからではないのかと。「ケロリとしていた」という言葉も、そこにこそ係るものではなかったのか。

「でも、まだ、そうと決まったわけじゃないですよね」

一歩後退するように、声をひそめて野本刑事は言った。「あくまで推察なんですよね」

「おっしゃるとおりです。だからお願いしたいんです」

未解決の殺人事件を洗い出すことを。

その言葉の発する邪気が目に痛いとでもいうように、野本刑事はまぶたを閉じた。滋子は、彼女を見つめて目を瞠っていた。

「殺人事件と決めつける根拠がありますか」

「公訴時効の成立期限が十五年間なのは、殺人罪だけですよね？」

「時効が二つあったのじゃないかというのは、あなたの想像に過ぎないんですよ」

「調べていただけませんか」

野本刑事が目を開いた。滋子はそれで、彼女が折れてくれたことを察した。説得しきれたとは思えないが、動かすことはできたのだ。

「殺人事件として扱われていないケースも考えられます。失踪者とか」

言われるまでもないというふうに、野本刑事は小刻みにうなずいた。「想定するだけなら、もっといろいろあり得ますよ。事件そのものが表面化していない場合。それと、既に解決を見ている場合」

ピンとこない。「というと？」

「誰かが冤罪を被っている場合です」と言って、口の片端で微笑した。「そんなあれこれを、全部わたし一人で調べあげろとおっしゃるわけですね」

さすがに少しバツが悪くて、滋子はうつむいた。「大変な作業だということはわかります。ただ、時期は限定できますし、十六年前の高校生と中学生のカップルのことですから、行動範囲もたかが知れていると思うんです。千住南署の管轄内に絞っていいんじゃないかと……」

思いがけず、野本希恵が短く声をたてて笑った。顔を上げた女性刑事は、晴れた目をしていた。

「わかりました。やってみましょう」

力強い口調だった。

「前畑さんて、人使いが荒いですね。口も上手いし」

「申し訳ありません！」

「わたしも少し、見習おうかな。署のおっさんたちを操縦するスキルを磨かないとなりませんので」

連絡方法を確認し合い、今夜は二人で店を出た。コーヒー代は、強く主張して滋子が払った。

野本刑事は署に戻るという。さっそく取りかかるつもりらしい。滋子も一緒に歩いた。

「さっきの話ですけど……」

いい思いをしなくちゃ損だという人生観のことだ、と彼女は説明した。

「それって、今もたいして変わってないんじゃないでしょうか。ただ〝いい思い〟が〝充実した人生〟とか〝自己実現〟とか、きれいな言葉に置き換わっただけで」

それも、実はお金で買おうとしてるんですから、結局は一緒ですよと言った。

「あの時代を知らないわたしが言う台詞じゃないかな」

ちらりと苦笑を残して、女性刑事は煌々と明かりの灯る千住南警察署のなかに消えていった。


翌日のことである。萩谷敏子から電話がかかってきた。

「先生、先日はお邪魔いたしました。その後いかがでございましょうか。毎日暑いですけれども――」

気遣わしそうな呼びかけを聞いて、滋子は一人で狼狽し、電話口でぺこぺこ謝った。ごめんなさい、あれっきり連絡しなくて。

萩谷敏子は、いつもの彼女らしい大慌て状態に突入し、あわあわと滋子を遮る。

「とんでもないです、先生。お電話したのは、催促しようとかそんなつもりじゃないんです。ただ先生のお声をちょっと聞いて安心したかっただけなんでございますよ」

滋子は家にいて、パジャマの上にエプロンがけ。足元には洗濯物を山積みにしたカゴがおいてある。まだ顔も洗っていない。昨夜はなかなか寝付かれなくて、どうにか眠ってからも脈絡のない夢を見ては眼が覚めて、そのせいかひどい寝癖がついている。まったく、他人様には見せられない格好だ。

が、受話器を耳にあてて敏子の声を聞いているうちに、このところの積もり積もった疲労や自己嫌悪やそれと裏腹の昂揚や、雑多な感情のもつれがすべて、ゆるゆるとほぐれてゆくのを感じた。

「わたしは元気です。調査にも進展がありました。まだご説明できる段階ではありませんが、もう少し待っていただければ、お話しできると思います」

まあ、まあ、まあ。敏子は依然あわただしく声をあげる。進展があったんでございますか、まあ！

「敏子さんはお変わりありませんか」

「はい、元気にしております。あの先生、実は」

あれから二度、誠子と会ったという。電話でもちょいちょい話しているという。

「先生のお宅にお邪魔したすぐ後、等にお線香をあげに来てくださったんです。井上さんとお二人で」

それから間をおかず、今度は一人で訪れた。用があって近くまで来たから、と言って。

敏子の声が、さらに一段、柔らかくなった。「誠子さんがお住まいのあたりからは、うちは見当違いの方角ですし、千住のご実家があったところからも離れていますでしょう。ですから、ご用があったというのは、ね」

たぶん口実だろう。

「いくらしっかりしていても、誠子さんも寂しいはずです。敏子さんに会いたかったんですね」

「そんな、わたしなんかに会ってもしょうがないですが」

敏子はまたぞろ早口に否定する。

「でも、等の話とか、いろいろ聞かせてほしいっておっしゃいますのでね。あの子のちゃんとした方の絵も見てくれて、たいそう褒めてくださいました」

「そういうとき、事件のお話は出ますか？」

「はい……」言いにくそうだ。「誠子さんがお姉さんとご両親のことを話せる相手といったら、先生と井上さんだけでございましょう？　もちろん、弁護士さんがいらっしゃるんでしょうけども」

「おしゃべりの相手はしてもらえませんよね」

「はあ。それでもあの、井上さんにはお仕事がございますし、誠子さんは、あんまり再々と先生にお電話すると、催促がましい感じがするからと、遠慮していらっしゃるみたいなんです。だもんで、わたしぐらいしか残らないんでございましょうかね」

「それだけじゃないですよ。敏子さんが優しい方だからです」

嘘ではない。あたしだって今、あなたの声に癒やされてる気がしますもの。

声だけでもはっきりわかるくらい、敏子ははにかんだ。

「とんでもない。わたしなんぞ何の役にも立ちません」

「誠子さん、どんなお話をなさいます？」

あまりご自分のことは話さないと、敏子はまず言った。

「ただ、あの、先生にお姉さんのことを調べてほしいってお頼みしたこと、よかったんだろうかって、ちょっと迷ってるような感じがいたします」

滋子は黙ってうなずいた。ありそうなことだ。その不安を滋子には言えなくても、敏子にならば打ち明けられる。

「先生にお願いしたことがじゃなくて、そもそもそういう調査をすることが、でございますよ」

「ええ、よくわかります。迷って当然ですよ」

「誠子さん、これはわたしの我がままじゃないかって。本当はご両親のためでもお姉さんのためでもなくって、闇雲に自分の気が済むようにしようとしてるだけじゃないかって」

誠子は冷たい。昭二の言葉が、頭をよぎって消えた。

「そういう不安を口に出して聞いてもらえるだけでも、今の誠子さんには嬉しいことじゃないかと思いますよ」

「そうなんでございますかね、やっぱり」

「毎日、どんな感じで過ごしているんでしょうね」

「一人でぽつりとしてることが多いようですよ。井上さんも、毎日いらしてるわけじゃないみたいです」

実は昨日も誠子から電話があり、達ちゃんと口喧嘩しちゃったんですと、萎(しお)れていたそうだ。

「細かいことにまで、いちいちうるさいんだものって、そういうところは普通の若いお嬢さんですね。とっても可愛らしかったです」

敏子もこれから出勤だそうだ。「あの、つまらないものが届きますが、ご笑納ください」と、電話を切る間際に急いで言い足した。

滋子が洗濯にとりかかったら、宅配便が来た。敏子からだった。小さな箱を開けてみると、菓子の詰め合わせが入っている。スーパーの同僚たちと成田山に行ったお土産だという、短い手紙が添えてあった。敏子らしい気遣いに、滋子は微笑んだ。

箱のなかからきれいな飴の袋を選んで、滋子は家を出た。道々ノアエディションに遅刻の連絡を入れ、そこから誠子に電話した。彼女は在宅していた。土井崎誠子がどこへふらふら出掛けるというのだ。

誠子の住む小奇麗なアパートは、室内もオモチャの家のようにちまちまと明るく、建具はパステルカラーで統一されている。家具は少なく、家電も最低限のものしか揃えていないようだった。

普段着姿の誠子を見るのは初めてだ。Tシャツにジーンズで、スリッパをはかずフローリングの床をぺたぺたと裸足（はだし）で歩いている。少し痩（や）せたように見え、それは服装のせいだとしても、表情には生気がなかった。

「ハイ、おすそ分け」

敏子の土産だと説明して、飴の袋を差し出した。

「萩谷さんはとっても気を使う人だから、若い女性の一人暮らしのあなたに、いきなり宅配便を送りつけたりしないと思うの。だから、ね」

誠子は子供のように喜んだ。そして自分から、ときどき萩谷さんとおしゃべりするのだと話してくれた。

「お宅にお邪魔したこともあるんです。等君の絵をたくさん見せてもらいました」

滋子はにこにこと聞いていた。会話に飢えているのか、ひとしきり、誠子はつんのめるようにして、敏子のこと等のことをあれこれしゃべった。そのうちにだんだん元気を取り戻してきたが、井上達夫との口喧嘩の話は出てこなかった。

「経過報告と、ひとつお願いがあって伺ったの」

折を見て滋子が切り出すと、途端に誠子の表情に陰が戻った。てっきり彼女が勢い込むとばかり思い込んでいた滋子は、ちょっと驚いた。

そして即座に、今現在つかんでいる情報はすべて伏せておこうと決断した。

「何かわかったんですか」

「まだ、はっきりしないんです。あなたにきちんと、結論としてお話しできる形にはなっていないの。経過報告の内容って、実はそういうことです。ごめんなさい」

誠子は何度かまばたきをした。まぶたがひらひらするたびに、瞳に違う色が浮かんだ。疑惑？

安堵？　懸念？　不満？　どれとも決め付けられない。

「調べて出てくる材料が悪いものばっかりだから、前畑さん、わたしには黙っていようかと思っているんじゃないですか」

滋子はかぶりを振った。「そんな小細工をするくらいなら、最初からあなたの依頼を引き受けたりしません」

今度は、明らかに誠子はほっとしたようだった。

「このごろ気分が沈んでるみたいね」

「わかりますか？」

「顔色が冴えないよ。一人で部屋に閉じこもってるのもつまらないでしょう。たまには出かけたりしない？」

「調査に連れてってくれるんですか？」

「それは駄目」わざと明るく、滋子は笑った。「最初に、一緒に調べましょうなんて言ったのは、おバカなミステイクでした。それこそ、わたしが出張る意味がない」

実は、静岡に行こうと思っているのだと、滋子は切り出した。誠子はくりりと目を丸くする。

「木村の叔父さんと叔母さんに会うんですか？」

「うん。ホラ、茜さんの写真のこともあるし」

誠子から電話で、事前にこの調査のことを知らせてもらえないだろうか。千住の近所の人たちが誠子の気持ちを聞いて初めて協力してくれたように、静岡の木村夫妻にも、誠子の口ぞえがあった方が話が通り易いだろう。

「そんなの簡単ですけど、わたしも一緒に行く方がもっと話が早いんじゃないかな」

滋子は切り返した。「一緒に行きたい？」

これまでの誠子なら、即座に「はい！」と応じたろう。だが今の彼女は違う。その原因が何かは分からないが、変化が起こっていることだけは間違いない。

「……どうなのかな」と、小さく答えた。「自分でもわからなくなってきちゃった」

「だから気分も暗くなってるのね」

どうしたのと、滋子は穏やかに問いかけた。

誠子はTシャツの裾を引っ張り、じっと俯いている。もともと丈の短いシャツをぐいぐい引っ張るので、裾が斜めになってしまい、彼女のほっそりとしたウエストが見えた。滑らかな肌も見えた。

誠子は顔を上げた。「萩谷さんから聞いてませんか」

滋子は驚いたような顔をしてみせた。「何を？」

上擦るような早口になった。

「そっか。敏子さんは前畑さんに、そんな告げ口みたいなことはしない人ですよね」

た。「じゃ、いいんです。でもね前畑さん。わたし、よくわかりました。萩谷さんはホントに本当に等君を愛してたんですね。今でも等君の話をすると涙ぐむんですよ。だけど、等君のことを思い出すのは、ちっとも辛くないんですって。思い出すたびに幸せになれるんですって。あんなこともあった、こんなこともあった、楽しかったね等って、心のなかで等君に話しかけながら、思い出話をしてくれるんです」

一気に言った。両腕で胸を抱きしめ、狭いダイニングキッチンのスツールの上で、身を縮めている。

「わたしもお父さんとお母さんに会いたい」

あまりにも素直で、あまりにも頼りなげな、少女のような訴えに、滋子は返す言葉を失った。

誠子は自力で立ち直った。軽く頭を振ると、

「ごめんなさい。もっとしっかりしなくちゃ」

ぎこちない笑顔に、滋子は笑顔を返した。

「充分しっかりしてますよ」

静岡にはすぐ連絡してくれるという。木村夫妻は必ず協力してくれるはずだ。

「きっと、わたしの気持ちをわかってくれる」

自分に言い聞かせ、再確認するように、誠子はそう呟いた。


その週末の午後一時過ぎ、前畑滋子は静岡駅に降り立った。新幹線のホームでは木村夫妻が待っており、その場で短く挨拶を交わした。夫妻はすぐに滋子を自家用車に乗せ、彼らの自宅に行くことになった。

「やっぱり誠子ちゃんは一緒に来なかったんですね」

運転するのは木村夫人で、夫の木村一哉氏は助手席に乗っている。夫婦でお揃いの銀縁眼鏡をかけており、きちんと外出用に整えた服装の、色合いも調和がとれている。知的で裕福な雰囲気の漂う中年カップルだった。

「来ない方がいいって、あなたも自分で言ってたじゃないか」

木村氏は夫人を「あなた」と呼んだ。

「だけど、もしかしたらじっとしていられなくてついて来ちゃうかなとも思ってたんですよ」

車はビルの立ち並ぶ市街地をスムーズに抜けてゆく。夏空の色が、やはり東京とは違っている。

「ご親切にお出迎えをいただいて恐縮です」と、滋子は言った。「でも、よろしいのでしょうか……」

「何がですか？」

「わたくしは初めてお目にかかる者ですから」

用件が用件なのだし、もうちょっと警戒して然るべきではないのか。が、夫妻はにこやかに笑った。

「誠子ちゃんからよく話を聞きましたから」

「それに、あなたはあの前畑さんでしょう？　網川浩一をお縄にした人だ」

九年前の事件のことだ。「わたしが逮捕したわけではないんですよ」

「最初にあの男の化けの皮を剝いだのはあなたですよ。しかもテレビの生放送中にね。大変な勇気と行動力だ」

銀行マンと華道教授の夫婦だ。どちらも生身の人間相手の商売で経験を積んでいる。どこまでが本気でどこまでが社交辞令なのかわからない。滋子はしおらしく「ありがとうございます」と応じただけで黙った。

「前畑さんが初めてではないんですよ」前を向いたまま、木村氏が言った。「四、五人はいたかな？　もっとだったかな」

「手紙や電話だけの人も含めたら、十人ぐらいはいたんじゃないかしら」

夫妻を窓口に、土井崎家を取材したいと申し入れてきたライターや作家たちの数だという。

「姉夫婦と誠子には高橋先生がついてますからね。守りが堅くて歯が立たない。だからこちらへお鉢が回ってきたんでしょう。私たちも、そのたびに一応は誠子の意向を聞くようにしていたんですが、今まであの子がイエスと言ったことは一度もありませんでした」

「でも前畑さんには、誠子ちゃんの方から事件を調べてくれるようにお願いしたそうですね」

そう頼むに足る人が現れるのを、誠子も待っていたんですよと言う。「ちゃんとした人にちゃんとした形で真実を明らかにしてもらいたかったんでしょう」

十五分ほどのドライブで、木村家に到着した。滋子がきっとそうだろうと想像していた以上に立派な家で、窓辺のフラワーボックスには紅白の花が咲き乱れていた。

三人は広々としたリビングルームで向き合った。夫人が紅茶を出してくれた。窓からはスペースこそささやかだがきれいに刈り込まれた芝生の庭が見える。

土井崎茜は、こういう生活にも憧れただろう。東京の下町の、古びた木造の借家暮らしではなくて。

「お父様のお加減がよくないと伺いましたが」

「そうなんですけどね。老人ホームで世話してもらっています。もう我々では介護しきれなくて」

木村氏の言葉を、夫人が引き継ぐ。「義父はだいぶボケが進んでおります。義母はもう他界しておりますし。ただ、わたしたちも少しは聞き知っていることがありますので……」

「事件の後、それを誠子さんにお話しになったことはありますか？」

夫妻は顔を見合わせた。帰宅すると、またぞろ気を揃えたように二人とも眼鏡を外してしまっている。

「話しにくくて」

「そういう内容なのですか」

「はっきり申し上げて、そうです」

木村氏はため息をつくと、手振りで滋子に紅茶を勧め、自分もカップを取り上げた。

「姉夫婦は茜に手を焼いていました。あの子の逸脱ぶりを、私も家内もすべて知っているわけではないですが、何度か姉から相談されたことがありますし、茜の口から直（じか）に聞き出したこともあります。そこから推察するだけでも、相当なものだった――」

木村氏は辛そうに表情を歪める。夫人が続けた。「茜さんが本当に家出をしているだけなら、別に何を話したって差し支えはないんです。でも、こういう事態になりますとね。いくら事実でも死者を鞭打つことになりますし、そうすることであの子の両親をかばう形になるわけでしょう？」

「確かにそうですね」

「身内にはできないことです」今度は夫人がため息を吐き出した。「義姉（ねえ）さんたちが誠子ちゃんと会えずにいるのも、そういう理由があるからでしょう。これこれこういうことがあって、こういうわけであんなことになってしまったんだよって、説明すればするほど自己弁護になって、茜さんを貶（おとし）めることになりますものね」

「誠子もそれは承知しているんですよ。賢い娘ですから」

「だから誠子ちゃんは、そういう確認作業を、第三者にやってもらいたいんです。客観的な目で、事実そうだったんだと認定してもらいたいんです」

茜は事実、箸（はし）にも棒にもかからないろくでなしだった。彼女を手にかけた両親は、追い詰められて思い余って、ほかにどうしようもなかったのだ。だから許してあげよう。それなら許してあげられる――。

第三者による事実の検証が、土井崎夫妻と誠子、双方の苦しみを和らげる処方箋(せん)になる。誠子の依頼の真意はともかく、彼女の叔父夫婦がそう解釈しているということは、よくわかった。夫妻は誠子の味方なのだ。

「茜さんの性格や行状について、ご存じのことを教えていただけませんでしょうか」

最初こそ譲り合う感じだったが、夫妻はすぐにコンビネーションを取り戻し、互いの話を補ったり修正したりしながら語った。赤ん坊の茜。幼児の茜。小学生の茜。中学にあがり、誰の目にも問題行動が明らかになってからの茜。当然のことながら、土井崎元から、誠子から、近所の人びとから聞いたことのあるエピソードと重なるものが多い。が、初耳のものもあった。茜が小学校四年生のとき、学級会で「クラスにとって良くない生徒」と名指しされ、級友たちから吊るし上げをくって、泣いて帰ってきたという逸話だ。

「なぜこんなことをよく覚えているかと申しますとね、姉が茜のことで私に相談をもちかけてきたのは、たぶん、このときが初めてだったんですよ」

当時、木村氏はまだ独身で、土井崎家の人びとと頻繁に顔を合わせていたわけではない。茜のことも、

「盆や正月に会いますとね、なんか親の言うことを聞かない気の強い子だなと感じる程度で、特に気にしていませんでした。私も、仕事と付き合いと自分の生活に夢中でしたから」

「でも、茜さんの方が木村さんに懐(なつ)くということはなかったんでしょうか」

「懐かれるほど会いませんでしたからねぇ」

了解を求めるようにちらと夫人を見てから、苦笑する。「まあ、これは誠子も承知していることだから申し上げていいでしょう。実は私、若いころから義兄とあまり反りが合いませんでね。

口数が少ないし、妙に淡々としてる人で、何を考えているんだかよくわからないところがあって。私はそういうタイプが苦手なんですよ。こっちが敬遠すると、義兄にもそれが伝わるでしょうから、自然と疎遠になってしまいました。姉とは仲がいいんですけどね。不思議なものです」

滋子は、あの雑多な保管箱のなかから出てきた安っぽい手帳に、土井崎向子が弟を訪ねる予定を書き留めていたことを思い出した。

「私が結婚して所帯を持って、それからですよ。行き来ができたのは」

木村氏はひょいと傍らの妻を指した。

「これは私と違って根っからの社交家ですから、義兄とも上手くやってくれました」

「誠子ちゃんがわたしたちに懐いてくれたのも大きかったんじゃないかしら」と、夫人が言い添える。「わたしたち、とうとう子供に恵まれませんで、その分、誠子ちゃんのことは本当に可愛くて」

「茜さんはいかがでした？」

夫妻はバツが悪そうに苦笑した。

「姉たち家族と付き合い始めると、茜にはいろいろ問題がありそうだってことが、具体的によく見えるようになりましたからね……」

「こちらから働きかけなかったわけじゃないんですよ」と、夫人がフォローに回る。「誠子ちゃんに対するのと同じようにしたつもりです。でも、上手くいかなかったのよね」

「誠子とは六歳離れてますからね。同じように接すると、茜の方としては子供扱いされてる気がして嫌だったのかもしれない」

これには、夫人が違う違うとかぶりを振った。「だからあなた、わたしずっと言ってるじゃない。そうじゃないの、逆なのよ。茜さんは、わたしたちが誠子ちゃんばっかり可愛がってえこひいきしてるって思ってたのよ。わたしたちだけじゃなくて、お父さんお母さんも」

「土井崎夫妻もですか」

　単純に、より幼い子供の方に余計にかまってしまうということはあるだろうが。

「でもそれって、兄弟姉妹のいる家では、珍しいことじゃございませんよ。わたしだって子供のころはそう感じていましたもの。わたしは長女で、弟と妹がいるんですけれどもね。姉さんなんて貧乏くじだ、損してばっかりだと思っていましたよ」

　みんなそういう感情を乗り越えながら育つんです。いかにも人にものを教える立場にある者らしい、毅然とした発言だった。

「では、茜さんは上手く乗り越えられなかったんでしょうか」

「難しい子でしたから。今で言う〝育てにくい子〟ですよ」夫人ははっきり言い切った。「もちろん、そういう子供さんだって、ほとんどは成長して立派な大人になります。ですけど、いろいろとボタンの掛け違いがあったり、環境が悪かったりすると、ねぇ」

「土井崎家の環境はいかがでしたか」

　ストレートな質問だが、木村夫妻は鼻白む様子もない。「どちらかというと、暗い雰囲気の家でしたよ」

　義兄がそういう人ですから、という。

「うちの姉もけっして陽気な気質じゃないですしね。だからこそ夫婦仲は悪くなかったと思います。波長が合う」

「あの家では、いつでも誠子ちゃんがいちばん明るかったわね。あの子がムードメーカーでした」

「茜さんは、明るくはなかった？」

夫妻は同じタイミングでうなずいた。「気性が激しいのと、明るいのとは別でしょう」

「まるっきり反対でしたよ。いつも不機嫌で、文句が多くて」

誠子と似た感想である。

「土井崎家の経済状態について、茜さんが不満を抱いていたということは考えられますか」

木村氏が顎を引いて滋子をじっと見た。

「誰かそんなことを言っていましたか？」

滋子は微笑だけで応じた。夫人が笑う。「やっぱり、わかってしまうものなんですねぇ」

うちにはお金がない、貧乏くさくて嫌だ、こんな家に生まれるんじゃなかった——茜にそんな言葉を面と向かってぶつけられたと、土井崎向子が泣いていたことがあるそうだ。

木村夫人は真顔に戻る。「土井崎の義兄は真面目な会社員でしたし、ギャンブルも女遊びもしませんでした。ごく普通のまっとうな社会人です。でも確かに、義兄のお給料だけでは裕福な暮らしはできなかったと思います。〝裕福〟の定義にもよりますが」

「つまりは世間並みだということですよ」と、木村氏が言った。「平均的な家庭です」

「それも〝平均〟の定義によりますね。たとえば、ご夫妻の暮らしぶりに比べたら、確かに土井崎さんのお宅はつましかったはずですよね」

「まあ……ねぇ」木村氏が口を濁した。「うちは子供がいないし、共稼ぎですしね」

「茜さんがそうしたことに敏感になる時期は、空前のバブル景気でもありました。金融機関にお勤めの木村さんは、まだ社会をよく知らない茜さんの目には、そういう時代の成功者、裕福な人の代表格のように見えていたのではありませんか」

木村氏はうーんと唸った。目が笑っている。「うちは大手都銀ではないし、地銀のなかでも行風が石部金吉で有名なところですからね。あのころも濡れ手で粟のまさにバブルな儲け方はしませんでした。その分、リスクの高い金融商品をやたらめったら売りつけて、後になって顧客を泣かせるようなこともありませんでしたが」

一瞬、誇らしげな口調になった。

「それでも、いや、前畑さんのおっしゃるとおりです。茜はそういう誤解というか、錯覚をしていたようでした」

「叔父さんに比べてうちのお父さんは駄目だと」

「はっきり口に出して言ってたわけじゃないですよ。少なくとも私は聞いておりません」

「ご夫妻の暮らしぶりに憧れている様子はありませんでしたか」

夫人が木村氏を指先で軽く突いた。「ねぇ、お話ししてもいいわよね？」

そして夫の返事を待たず、滋子の方に軽く身を乗り出す。「時期的には、茜さんが中学へあがったばかりのころだと思いますけど、さっきも申しましたとおりわたしたちは子供に恵まれませんので、一時期、養子をとろうと考えていたんです」

土井崎夫妻にもその件で相談をした。だから茜の耳にも入ったのだろう。

「確か、あの子たちの入学祝いを持ってあちらへ行ったときでした。珍しく茜さんがわたしたちに寄ってきて――」

自分を叔父さんたちの養女にしてほしいと言った。

「いつも、わたしたちが遊びに行ったってふくれっ面で、挨拶もろくにしない子ですのに、そのときだけは内緒話でもするみたいにこっそり近づいてきましてね」

木村氏も強くうなずいた。「叔父さん家の子供にしてくれたら、ちゃんと勉強するからって言うんですよ。驚きました」

刹那だが、滋子の心に、そのときの茜の切実な表情、すがりつくような目の色がくっきりと浮かんだ。こんな家から出たい。好んで生まれてきたわけではないこの家。自分で選んだわけではない両親と境遇。何から何まで冴えないことばかり。ここからもっと明るく豊かな場所に移れるなら、自分だっていい子になれるんだ——。

「どうお答えになったんですか」

滋子の問いかけに、夫妻は軽くうなずきあってから、木村氏が言った。「口先でごまかすようなことはしませんでした。いい機会だから、茜とちゃんと話し合おうと思ったんです」

木村氏は、茜の問題を知るにつけ、地味で真面目で働き者の義兄と姉をけっして責める気はないものの、彼らの親としての不覚悟が、茜を曲げてしまっていると感じるようになっていた。

「義兄も姉も、一度でいいから茜にきっぱり言ってやるべきだと思ったんですよ。おまえは私たちの娘だ。おまえの親は私たち以外にいない。私たちは親子で、私たちはおまえを愛しているんだよ、とね。その上で、叱るべきところは叱って改めさせる。やれ家が貧乏だの、お父さんが安月給だから恥ずかしいだの文句を垂れたら、その考え方は間違っていると言うべきなんです。社会に出て職を持ち、自分の役割を果たし、家庭を持って子育てをする。それがどれほど大変なことで大事なことであるか、言い聞かせるべきです。義兄は、お父さんは何も恥じることなどないと胸を張っていいし、姉はそういう義兄を一家の長として尊敬していると言うべきなんです。それを茜にわからせなくてはいけない」

だが、土井崎夫妻は茜とそういう形で向きあったことがなかった。抗弁さえしていない。

「だから茜に舐められていました。私はそれが我慢ならなかったんですよ」

夫妻で茜と話し合い、彼女がなぜ養女になりたいのか、自分の家の何が不満なのか、順々と問い質した。

「茜は、そんな経験がないので驚いたんでしょうが、思ったより素直にいろいろ話してくれました。ですから私たち二人で、それがどんなに考え違いであるか言い聞かせようとしたんですが……」

茜は途中からイライラし始め、話を聞こうとしなくなった。

「叔父さんも叔母さんもあたしの気持ちなんかわかってないとか言うものですから、だったら何をどうわかっていないのか教えてくれと言ったんですけどね」

叔父さんも叔母さんも、結局はお父さんお母さんと同じだ。あたしより誠子の方が可愛いんだろう。誠子だったら養女にしてもいいんだろう。誠子がどんなにズルくって、上手く立ち回ってあたしが悪く見えるようにしてるのか、何にも知らないくせに。

聞き捨てならない台詞だ。事実かどうかは問題ではない。茜の目に妹の誠子がそういう存在に映っていた。それが彼女の世界観を作り上げていたということが重要なのである。

「私もだんだん血が逆流(のぼ)ってきてしまいまして」

今更(いまさら)のように、木村氏は頭をかいた。

「おまえが学校をサボるのも、勉強ができないのも、不良になるのも、みんなおまえ自身の責任だ、誠子のせいじゃないと言いました」

自分の良くないことを、親や妹のせいにするんじゃない！　叱りつけられて、茜は泣き出した。

話し合いはそれで決裂した。

「考えてみれば、後にも先にもあのとき一度きりでした。茜が泣くのを見たのは……」

急にしみじみと噛みしめる口調になった。

「あの子はあの子で辛かったんでしょうが、しかしああいう言い分を聞き入れていたら、示しがつきません。そうは思われませんか」

自分の妻にではなく、滋子に同意を求めてきた。滋子はわざと聞き流した。

「その後、茜さんの様子に変化はありましたか」

「それまで以上にわたしたちを敬遠するようになりました」と、夫人が答えた。「というより、たまにわたしたちがあちらを訪ねても、茜さんが家にいたためしがありませんでしたから」

「しょっちゅう遊び歩いていたそうですから」と、滋子は言った。「よほど家にいたくなかったんでしょう」

「全部あの子の勘違いだったんだがなぁ」木村氏が唸り声を出した。「自分の子が可愛くない親がいるわけがない。義兄や姉があんなに悩んでいたのも、茜を愛していたからですよ。茜のことなんかどうでもよかったら、悩みもしないでほったらかしにしたでしょう」

悩んだ挙句、手にかけることもなかったか。

「茜さんは愛情に飢えていたんだとおっしゃる方がいます」滋子は言った。木村氏は飛びつくように同意した。

「そうですよ、そうです。しかし愛はあったんです。あの子が背中を向けていただけです。私たちだって、あの子が嫌いだったわけじゃない」

木村夫人がゆっくりと首をかしげ、ちょっと苦しそうな表情になった。「それはどうかしら。

わたしは自信を持ってそう言い切れませんねぇ」

「おいおい」

「わたしは義理の立場で、血を分けていませんからね。冷たいのかもしれない。でも、身内だろうと家族だろうと、理解できない、合わないということはあるじゃない」

滋子は木村夫人の端整な顔を見つめた。「茜さんがお好きではありませんでしたか」

夫人は臆せずうなずいた。「ええ」

「何故でしょう」

少し考え、短く答えた。「万事に言い訳が多かったから——ですかしら」

「難しいお答えです」

「そうですか？」と、夫人は笑う。「今はあのころより、もっともっとそういう風潮が幅を利かせてるんじゃありませんか。わたしがちゃんとできないのは親が愛してくれないから。先生が不親切だから。環境が良くないから。みんな言い訳ですよ」

取りなすように、木村氏が滋子に言った。「この人は華道の先生ですからね。古武士のようなものの考え方をするんです」

「そうですよ。そういう人間の最後の生き残りなんです、わたしは」夫人はつんと澄ましてみせる。「何でもかんでも自分が自分がと自己主張するくせに、悪いことや拙いことだけ他人や社会のせいにするなんて、正しい日本人の考え方じゃありません。輸入物の思想です。昔から日本人は、まず我が襟を正すという生き方をしてきたんです」

夫妻が日本人論や歴史論を始めそうになったので、滋子は言った。「茜さんは、家族や身内からは得られないと思いこんだ愛情を、外に求めていたようです。彼女のボーイフレンドの存在をご存じですか」

「不良仲間でしょう？」と、夫人が言った。

「茜のオトコのことですか」と、木村氏が言った。「自分の姪で、十五やそこらの女の子をつかまえて言いたくもない台詞ですが、茜は男出入りが激しかった。事実ですよ、ええ」

茜とは疎遠になっていたので、直には知らない。

「姉から愚痴というか相談で聞いたり、あとは、なあ？」

水を向けられた夫人が、ちょっと目を瞠った。

「わたしたち、父と母から聞いております」

たぶん土井崎夫妻も知らないことを——という。

「茜さんの母方のお祖父さんとお祖母さんからですね」

「ええ、私の両親です。大崎で雑貨屋をやっていたころは、茜が頻繁に出入りしていたんですよ」

浦田鳩子から聞いたとおりだ。茜は祖父母を訪ねていた。

木村氏はこれ以上ないほど渋い顔をした。

「小遣いをねだりに通っていたんですよ。さすがに小学校のときは、一人じゃ行かれませんからね。中学にあがって、いろんな男友達と取っ替え引っ替えつるむようになってからのことです」

茜が中学一年生の夏休みから、そういう「たかり」が激しくなったという。

「祖父ちゃん祖母ちゃんからなら金を取り易いと、茜が思いついたんだか、仲間や男に焚きつけられたんだか」

木村夫妻も当時、リアルタイムで知っていたわけではない。両親を呼び寄せて同居するようになってから、ぽつりぽつりと漏れ聞いて驚いたのだそうだ。

「最初のうちは可愛いもので、本当に小遣い程度の金をねだりに来ていたんですよ。父も母も茜がグレていることは承知していましたが、親に叱られてばっかりいるあの子を、それはそれで不憫（ふびん）にも思ったらしくて……。だいたい、ジジババは孫に甘いものですしね」

適当に金を与えていたそうだ。だが、それをいいことに茜はどんどん図に乗り、さらに頻繁に、多くの金をねだるようになっていった。さすがにまずいと祖父母が断ったり叱ったりすると、途端に拗（す）ねたり荒れたりする。

「店先で茜が騒ぐんで、ご近所に恥ずかしくてしょうがなかったという話もしていました」

「土井崎夫妻はそのことを？」

「だいぶ非道（ひど）くなってから、母が姉に話したようです。姉はビックリして茜を叱りもしたみたいですが、もちろんあの子は聞く耳を持ちません」

木村夫妻には、茜の恥だし、向子が可哀相だからと、祖父母は黙っていたらしい。

「祖父母がなかなか金を出さなくなると、茜は仲間を連れてくるようになったそうです。老夫婦が二人でやってる店に大勢で押しかけるんですから、いくら相手が中学生でも、ほとんど脅しみたいなものですよ」

「そういうときに、ボーイフレンドも？」

「そんな上等な相手ではないと思いますがね」苦り切った笑みが、木村氏の口元に刻まれる。

「さっき、取っ替え引っ替えとおっしゃいましたね？」

「不純異性交遊ですよ」と、夫人が厳（いか）めしく言った。「とんでもない話です」

「決まった相手ではなかったんでしょうか」

「そのときそのときで、決まった相手はいたんでしょう。ですが、遊びですからね。くっついたり離れたりまたくっついたりしてたんでしょう」

「ご両親は、茜さんの相手の名前を言っておられましたか？」

名前なんてと、夫妻は呆れたように首を振る。

「名乗って挨拶するような連中じゃありませんから」

茜の祖父母はいいようにたかられていたのだ。

「そういう状態は、茜さんが亡くなる——いえ、家出するまで続いていたんでしょうか」

「そのようです」

「ご両親は、茜さんがボーイフレンドと二人で原付に乗ってきたことがあるとおっしゃっていませんでしたか」

中学三年生になってからですと、滋子は言った。

「そのボーイフレンドは年上なんです。当時高校生でした。茜さんは彼を〝シゲ〟と呼んでいたそうです」

「シゲ？」

木村夫妻は互いの記憶を確かめるようなやりとりを始めた。滋子は固唾（かたず）を呑んで待った。

「両親からそういう名前を聞いたことはないと思うんですが」険しい目をして、木村氏が言う。

「なあ？」

「ええ」と、夫人が受ける。「でも、これは義姉さんから、茜さんが三年生になって、ひどく熱を上げている彼氏がいるという話は聞いたことがあります。もちろん子供は子供なんだけど、これまでとはわけが違う相手なんで、ほとほと困ってるとか」

シゲのことだ。

「そのとき、シゲという名前が出ませんでしたか。あるいはほかのときでも、シゲという名前にお聞き覚えがありませんか。シゲノかもしれません」

木村夫妻は当惑顔になり、逆に問い返してきた。「そのシゲというのが茜の相手なんですか」

「どうもそのようなんです」

「わたしたち、名前まで聞いたかしら」

「どうだったかなぁ……」

ズバリ的中というふうにはいかないようだ。

「とにかく、その彼氏とやらには茜の方が夢中になっていて——」言いにくそうに、木村氏は口を濁した。「一緒にラブホテルにも出入りしているようだと」

「土井崎向子さんがそう言ったんですか?」

ならば、知っていたのか。

「呆（あき）れた話でしょう?」木村氏は怒りだした。「姉さん、そんなのやめさせなきゃ駄目だ、ラブホテルの前で張り込んででもやめさせろって、言ってやりました。義兄さんもだらしないとも言ったんです。前々から思ってはいましたよ。でも、口に出したのは初めてでした」

土井崎元は、何かというと、子供のことはおまえに任せてあると、向子に押しつけていたのだそうだ。

「父親として無責任に過ぎるでしょう。義兄にはそういうところがあるんです。それがわかっていたから、うちの両親も茜にたかられて困ったときも、義兄には何も言わなかったんじゃないかなぁ。あてにならないから」

婿に対する遠慮ではないと、ばっさり断定した。

「それであの、ここから先が義兄さんも義姉さんも知らないことになるんですが」

木村夫人が声を落とす。滋子は乗り出す。

「家出する前、どのくらい前だったか、ともかくその彼氏に熱を上げ始めてからですよ。茜さんがね、大崎の両親のところにまたお金をもらいに来たんですが、それが半端な金額じゃなかったそうなんです」

二十万円ほしいと言った。

「そんな大金を何に使うんだと問い詰めたら――」

茜は、妊娠中絶の費用だと答えた。

「悪びれた様子もなくて、ケロッとしてたというんです」

中学三年の女の子ですよと、嘆き節になる。

「それで、お母様はお金を？」

夫人は大きくかぶりを振った。「おまえのお父さんお母さんに内緒でそんなことはできない。まず両親に相談しなさいと、突っぱねたそうです」

茜は粘ったが、祖母が折れないので、ぷんぷん怒って引き揚げていった。

「その、帰って行くときの茜さんの態度で、義母はとっさに、今の話はまとまったお金を引き出すための嘘じゃないかと感じたそうです。切羽詰まった感じがしなかったというんですよ。だから、とりあえずは黙って様子を見ていたんだけど、その後は向子からも茜からも何も言ってこなかったから、やっぱり本当じゃなかったんだろうと話していました」

木村夫妻がこの話を聞いたのは、茜の祖母が病床にあり、余命いくばくもなくなってからのことだそうだ。

「ずっと隠したままになるのは気が重いからと打ち明けてくれたんですが、それでも元さんと向子には黙っていておくれ、あれは茜の嘘だろうからって」

木村夫人はうっすらと笑った。「あの子は嘘つきだったからねぇって言うんですよ。甘いですよね」

そのころはもう、茜は「家出」して姿を消していた。

「うちの両親も、義兄と姉のことは言えませんでね。悪い意味で昔気質（かたぎ）というか、子育てのことには、父はほとんどかまいませんでした。それは孫に関しても同じで、ですから、茜の問題はもっぱら母の担当でした」

茜の祖母は、亡くなる直前まで意識がはっきりしており、木村夫妻にこんなことも言ったという。

——元さんと向子には気の毒だけど、茜はもうこのまま帰ってこない方がいいね。

「家出したと思いこんでいましたからね、当時は」

亡き母親を悼む目の色になって、木村氏は呟いた。

「私も家内も、母の言葉の意味がよくわかりました。ですから、そうだね、きっとそうなるよと言いましたよ」

茜は帰ってこないだろう。土井崎家とは無縁の者として生きるのだろう。自分の生家を嫌い、親を憎み、妹を恨んでいるのだから。

帰ってこない方がいい。誰のためにいいのだ？　滋子は自問自答した。元さんと向子には気の毒だけど。ならば、誠子のためだろうか。それとも茜自身だろうか。

「あの子ばっかり、どうしてあんなふうになっちゃったんだかねぇって、母は最期まで気にしていましたよ」

　見ると、木村氏の目が潤んでいた。対照的に、夫人はどこまでも乾いて冷静だった。

「もう一度確認させてください。茜さんは姿を消すまで――その二十万円云々(うんぬん)の話の後も、大崎のご両親の店にお金をねだりに通っていた」

「ええ、そうです」

「でも、そこへは、遊び仲間たちと一緒に押しかけることはあっても、彼女がいちばん熱を上げていた彼氏を連れて行ったことはない」

「はっきりはしませんけども、母から聞いたことはありませんからねぇ」

　シゲにはそんなことはさせられなかった。茜とシゲとの関係は、他の仲間たちとのそれとは違うからだ。

　シゲは大人で、金の調達方法も使い道も、茜がそれまで付き合っていた不良仲間とは違っていた。だから茜も弁(わきま)えていた。シゲに、ガキみたいなおねだりはさせられない。自分がおねだりしているところも見せたくない。

　ならば、二十万円は何のために要ったのか。遊ぶ金なら、いくら何でも中学生がそこまでまとまった金を一度に手にする必要はないはずだし、妊娠中絶なんて話を持ち出さなくても、これまでのように祖父母からたかり取ればいい。

　二十万円となると、小遣いのレベルではない。

「中絶費用が要るという話が持ち込まれたのは、正確にいつ頃だったんでしょう。ご記憶にありませんか」

　夫妻はまた検証のやりとりを始めたが、結果ははかばかしくなかった。揃って申し訳なさそう

に、

「私たちも母からの又聞きですからね」

ただ、茜が「家出」する前の出来事であり、「家出」からそんなに遠く離れた時期の話でないことは確かだ。

「だって、このことを打ち明けてくれたとき、義母は、茜はあの二十万円を家出の資金にするつもりだったんじゃないか、と言っておりましたからね」

滋子はゆっくりと何度もうなずいた。そういうことなら、そうだろう。

一転して鋭く、木村夫人が滋子に訊いた。「もしかして前畑さん、義兄と義姉が茜を手にかけたのは、あの子が妊娠していたからじゃないかとお考えなのかしら」

二十万円の話をしたときはともかく、殺害されたときには本当に妊娠していた。それが両親にばれて、大きな揉め事になった——

「それはないと思います」と、滋子は答えた。

「どうしてです？」夫人はわずかに気色ばんでいる。木村氏は夫人と滋子の顔を見比べている。

「茜さんの遺体は、たいへん珍しいケースですが、ほとんど損なわれることなく屍蝋化していました。もし彼女が妊娠していたなら、解剖でそれとわかったはずです。でも、警察からそういう情報は出てきておりません」

ああ、そう——急に気が抜けたように、夫人が背もたれに寄りかかった。

「それで納得がいくかと思ったんですけどねぇ」

「だからさ、あなたの気持ちはわかるけれども」と、夫が宥める。「こういうことに、座りのいい動機を求めても無駄なんだよ。あの時のことは、義兄さんと姉さんにしかわからない。いや、本人たちだって、今ではもう筋道立てて説明することなんかできないんじゃないかね」

そんなことはない。わたしはそうでないことを証明しようとしてるんですよ。滋子は心のなかで言った。

「ところで、茜さんの写真は見つかりましたでしょうか」

夫人があわてて立ち上がった。「ありました。いえ、うちの写真じゃありませんのよ。義父母が大崎の家をたたんで移ってきたとき、アルバムを持ってきたんです。すっかり忘れておりました」

第十二章　たどり着いた場所

それから三日間、滋子はアルバムをめくり、土井崎茜の写真を眺めて暮らした。

ずっと顔形がわからず、情報の集積だけの存在だった少女が、ようやく一人の人間になった。何度見直しても飽きなかったし、反面、写真に残る茜の棘(とげ)のある目つきや寂しげな笑顔が、彼女だけにしか告げることのできない真実を教えてくれるということもなかった。

しかし、茜が実体化したことが大きな転機になったかのように――それこそが、これまで滋子が探しあぐねてきたスイッチで、茜自身がそれを押してくれたかのように、事態は動き始めた。

「アキオを見つけましたよ」

秋津から簡潔明瞭な連絡をもらい、滋子は三度、上野のあの寂れた店へと足を運んだ。過去二回、秋津と向き合って座ったテーブルの、彼がいた椅子には、滋子と同年代ぐらいの、目鼻立ちのきりりとした女性が座っていた。涼しげな麻のスーツ姿である。

「秋津の家内の栄恵(さかえ)と申します」と、その人はよく通る声で名乗った。「今日は夫がどうしても外せない用事がございまして、わたしが代理で参りました」

秋津とは何ら疚(やま)しい間柄ではないのに、滋子は妙にどぎまぎした。秋津夫人は、その機微を承知しているようだった。てきぱきと話を進めた。

テーブルの上に、一冊のファイルを載せた。

「ご覧になってみてください」

戸籍謄本や住民票の写し、秋津の書いたらしいメモなどが挟み込んである。さらにめくると、写真のコピーが出てきた。二十代半ばか後半ぐらいの若い男の、正面と左右の横顔を写したものだ。

滋子にも、これがどこでどういう状況下で撮影されたものなのか、すぐピンときた。

「金川有機材の金川一男会長には、十歳下の尚子という妹がいます」

滋子の目は写真に釘付けだ。秋津夫人は落ち着き払って続ける。

「彼女は二十代で結婚して三和尚子になり、男の子を二人もうけます。長男の方の名前がアキオ——三和明夫なんです。現在三十二歳になります」

滋子はようやく目を上げた。秋津夫人は微笑してうなずいた。

「この写真の男性です」

そして、わたしが「あおぞら会」で目撃した男性ですと、厳(おごそ)かに言い切った。

「間違いございませんか」

「はい。この写真より少し太って、髪の色も違っていましたが、この人です」

電話で経理の田無氏を怒鳴りつけ、だらしないジャージ姿であおぞら会に乗り込んで来た男。アルバイトの女性たちに恐れられ、荒井事務局長に声を潜めさせる存在。

「これは、警察で撮った写真ですね？」

「はい。三和明夫には前科があるんです。詐欺と傷害と脅迫と未成年者略取・監禁で」

芸能プロダクションのプロデューサーを装い、若い女性や女子高生を騙して、無理矢理ビデオに出演させたり、写真を撮ったりした。無論、牧歌的な内容の代物(しろもの)ではない。騙されたと気づいた女性や少女たちが逃げようとすれば監禁し、暴力をふるう。化けの皮が剝がれないうちは、テレビに出してやるなどといいように言いくるめ、金を巻き上げていた。

「要するに、女性の敵です。女を食い物にする悪党です」

その件で逮捕・起訴され、裁判で実刑を食らった。

「たぶん、それで親兄弟ともゴタゴタしたんでしょうね。三和尚子はその当時夫と離婚しています。二人の息子たちはどちらも成人していましたが、明夫は尚子の、弟は父親の籍に入りました」

「離婚しても旧姓には戻らなかったんですね」

「母親はね」と言って、秋津夫人は渋い顔で笑った。夫の笑い方とよく似ていた。

「明夫の方は、その後、籍も名字もコロコロ変わっていますよ」

「結婚と離婚を繰り返して？」

秋津夫人がちょっと目を瞠(みは)った。「ご存じでしたか」

「そうやって身元をリセットしていたんですね」

「秋津が申しますには、珍しい手口ではないそうです。前科前歴があってしかも改心していない人間にとっては有り難いシステムですね」

誰かを言いくるめて結婚するたびに、しばらくはその相手を金づるにすることもできるのだろうし。

「今現在は——？」

「三和明夫は単身者です。戸籍は母親の籍に戻っていますが、現住所まではわかりませんでした。

この男、住民票を動かしていないんです」

ただ、母の三和尚子の住所地はわかったという。秋津夫人がそのページを指で示してくれた。都内だ。

心が躍った。手が汗ばんで、無意識のうちに拳を握りしめていた。それを目に留めて、秋津夫人が言った。

「秋津から、前畑さんにお伝えするように言い付かりました。くれぐれもお一人で乗り込まないように、と」

滋子は噴き出してしまった。「よく注意します。でも、これ以上は秋津さんに甘えるわけにいきません」

秋津栄恵もにっこりする。「遠慮は要りませんよ。秋津は――というより、主人の属している警察組織は、前畑さんに大きな借りがあるんですから」

「それは……どうでしょうか」

「九年前、あなたが身体を張って、テレビの視聴者の面前で犯人の仮面を引っ剝がさなかったら、主人たちがあいつを捕まえるまで、まだまだ時間がかかったことでしょう。そのあいだに、また誰かが騙されて犠牲になったかもしれません」

秋津がはっきりそう言っているそうだ。

「ありがとうございます。けっして一人で暴走しないとお約束しますとお伝えください」

秋津夫人は滋子の顔をひたと見つめてから、ファイルの写真に目を落とした。「今度はこの男が相手ですね」

「たぶん、そうなんでしょう」

こんな状況下で撮影された写真のなかでも、三和明夫はハンサムだった。茜がやみくもに熱を上げた男だ。

「わたしが受けた印象では、三和明夫は、あおぞら会の事務局を自分の好きに使える財布とでも思っているようでした。態度も横柄で、威張りくさっていました」

「金川会長の甥ですからね……」

三和明夫のそういうふるまいが通用していたということは、金川会長がそれを許していた、少なくとも黙認していたということだ。

「あおぞら会そのものは、けっしておかしな団体ではないと思います。活動の趣旨も立派です。事務局の方たちは真面目だし、熱心ですし」

そこで突然、秋津夫人の鼻息が荒くなった。

「なのに、どうしてこういうことになるんでしょうね？　金川会長は、自分の甥っ子だからって、何でこんな男をあおぞら会に出入りさせていたんでしょう。身内だからですか。前科のことだって知っていたんでしょうに、なぜそんな人間を子供たちに近づけたんでしょう？」

不明であり、軽率であり、無責任であり、愚かだ。礫（つぶて）を投げつけるようにそう言い並べた。三和明夫は、こんな環境を与えられて正しくふるまえるような人間に更生してはいない、表面化してないだけで、きっと何か問題を起こしているはずだと、怒りながら言い切った。

「全部暴露されるのを待っております。少しでもお役に立てて幸いでした」

二人で店を出て、別れる間際になって、秋津夫人は滋子を呼び止めた。

「最近でこそめったになくなりましたが、わたしたちが結婚した当時は、主人もよく夜中にうなされておりました」

滋子は両腕でファイルを抱きかかえていた。

「今でも完全に癒やされたとは思えません。主人は、生きている限り、九年前の事件を背負って行かなくてはならないんだろうと思います」

わたし、何を言いたいのかしらとちょっと照れた。

「ともかく、前畑さんはお一人ではないということです」

言い置いて、颯爽（さっそう）と歩み去った。滋子はしばらくのあいだ頭を下げていた。


真っ直ぐ、いったん家に帰った。リビングのテーブルの中央に明夫の写真を置き、その隣に、アルバムから選び出した茜のスナップを一枚並べた。彼女の顔のアップで、胸元に中学校の制服のリボンが見える。指をピースマークにして、見とれるような美少女の笑顔だ。

息を止めて、二枚の写真に見入った。それから茜の写真だけを裏返して伏せた。まだ、この二人がカップルなのかどうかはわからない。

写真をそのままに、ネットでの情報収集を頼んでいる同業者に電話をかけた。その後、どうでしょう。このところ、何度も同じやりとりをしている。が、今はこれまでと違う。三和明夫という名前が手に入った。

滋子の知り合いの紹介でこの面倒な作業を引き受けてくれた同業者は、実に慎重な人物だった。何を警戒しているのか、はっきりしたことを言いたがらない。もうちょっとあたってみてから——というのが口癖だった。ネットのなかにはお化けがいっぱいいるからね。

「ミワアキオ?」と、驚いたように復唱した。「名前がわかったんですか」

「はい。まさかストレートにその名前で情報が出てることはないと思いますけど」

念のためだと検索をかけてくれた。少し間があいた。

「ないことはないけど、これは同名異人だろうなぁ。あおぞら会関係では、ミワもアキオも出てきたことはないですよ」

ただねぇ……と、言い渋る。

「情報の確度に責任が持てないから、言いたくないんだけどなぁ」

ということは、何かあるのだ。「教えてください」

「だけどおたく、この手のことに慣れてないんでしょ。それが怖いんですよ。僕が情報源だってことは、絶対に漏らさないでよね？」

何度も念を押した上で、やっと話してくれた。

「あおぞら会がらみではね、いくつか怪しいやりとりが出てきてるんです。ただ、最近のことじゃない。去年か一昨年のことだろうと思うよ。書き込んでる人たち、何だかえらくこの会のことを怖がってるっていうか、遠慮してるっていうか、だからすごく断片的なんだけど」

それは、ネットでそれらのことを漏らしている会員たちが、金川有機材の社員だからではないか。

「イベントだかに参加した子供が、騒いでうるさいとかって、引率の先生に殴られて怪我をした事件があったらしいんだよね。まとまったエピソードとして出てきてるわけじゃないんだ。いろいろつなぎ合わせるとそういうことじゃないかと推察できるってレベルの話」

「その〝先生〟がどうなったかわかりますか」

「わかんないですよ。出てきてないから」

「怪我した子供は男の子？　女の子？」

相手は失笑する。「だからぁ、そんなのも無理」

けど、いろいろ問題アリの感じがする、と続ける。

「こっちは子供を殴った先生と同一人物の仕業かどうかわかんないけど、先生同士のあいだで、セクハラっていうか、むしろ強制猥褻(わいせつ)に近いような事件も起きてるみたいなんだ。但(ただ)しこれについては、書き込んでる人も噂として知ってるだけみたいだね」

滋子は思わず言った。「それ、たぶん同一人物の仕業ですよ」

「そうなの？　ああ、それがミワって奴なのか」

こっちの件では「M」というイニシャルが出ていると、大変なことをあっけらかんと言った。

「ほかには何かないですか」

「今年に入ってからは、何もナシ。そいつがクビになったのかな」

三和明夫が、会員の子供たちに接するイベントなどには出てこなくなったのだろう。さすがに金川会長も拙いと思ったのだ。

「僕がこの情報を集めた場所は、教育雑誌の編集者がよく出入りしてるところなの」

言っとくけど、誰でも入れる場所じゃないよ。はいはい、わかった。感謝する。

「それって要するに、彼らのところにたれ込みがあったんだね。で、彼らも問題を明らかにしたいらしいんだけど、なかなか踏ん切りがつかない。直接的な関係者がみんな口をつぐんじゃってるっていう声もあるから、どっちのトラブルも、あおぞら会が金で解決したんじゃないかな。それだけ庇(かば)ってもらってるってことは、ひょっとすると、この問題の〝先生〟が、あおぞら会の偉い人とコネでも持ってるのかもしれない」

いい勘をしている。

「ありがとう。それだけ聞けば充分です」

「そりゃ結構だけど、書かないでよね！　おたくが関係者の名前をつかんできたから、僕は噂話を教えただけだ。責任持たないからね！」

かまわない。責任は他の人物に取ってもらえばいい。

時計も見ずに家を出て、あおぞら会の事務局に向かってしまった。着いたときにはもう図書室はとっくに閉館時間で、門も閉じている。しかし、事務局の部屋の窓には明かりが見えた。

電話すると、荒井事務局長が出た。当惑するのが目に見えるようだった。四の五の言わせずに、滋子は切り込んだ。「そちらで働いていた〝M〟という人物のことで、大切なお話があります」

十五分と待たずに、事務局長が出てきた。金川有機材の社屋の側にある通用門を使ったのだろう、滋子は横から声をかけられて、街灯の下で彼女に向き直った。

「三和明夫」と、いきなり言った。声は静かに抑えたつもりだ。

「金川会長の甥御さんですよね？　彼がいろいろ問題を起こしていることは、わかってるんです」

滋子の耳に、荒井事務局長の血が逆流する音が聞こえてきた。みるみる真っ青になり、泣き出しそうになった。

「そんなことを……お調べになって……やっぱり……そういう意図だったんですね」

「お辛いようでしたら、出直しましょうか。田無さんがご一緒のときでもいいですし、何なら金川会長を直撃しますが」

通りかかったタクシーを停めて、荒井事務局長はしゃにむに滋子の袖をつかみ、二人で乗り込んだ。とにかくここでは困りますの一点張りだった。

十分ばかりあてもなく走って、あるファミリーレストランの看板の前でタクシーから降りた。禁煙席のボックスに座った。事務局長はまだ蒼白だった。

滋子は無言で、三和明夫の写真のコピーをテーブルの上に滑らせた。

「この人物ですね？」

仕立てのいい夏物のスーツの内側で、事務局長の身体がひと回り縮んだように見える。萎れきっていた。うなだれたまま何か囁（ささや）いたが、声が小さすぎて聞こえない。

滋子は自分のバッグを取り上げ、テーブルの上で逆さにして、コピーの上に中身をぶちまけた。事務局長が驚いてのけぞる。次に半袖のジャケットを脱ぎ、そのポケットを全部裏返してみせた。

「ご覧のとおりです。録音機を隠してはいません。メモもとりません。ここでのお話は記録に残しませんし、外には漏らしません」

それでも、涙目の事務局長は逃げるように目をそらす。

「わたしは、あなたのあおぞら会に対するお気持ちに嘘がないことは承知しております。金川会長の理想も、あなたがそれを尊敬していることも、だからそれを実現させるために努力しておられることも、よくわかっているつもりです。だからこそ、あなたのお立場が大変苦しいものであることも、推察がつきます」

バッグの中身を邪険に手で退（の）けて、滋子はコピーの三和明夫の顔を指さした。

「この男は、ごく最近も事務局へ押しかけてきて、あなたと田無さんを怒鳴りつけてお金をまきあげて行った。そうですよね？」

事務局長は黙っている。店はガラ空きで、ウエートレスの姿さえ見あたらない。それでも滋子は相手の方に身体を乗り出し、声を落とした。

「なぜ金川会長は彼を放置しておくんです？」

事務局長は口で呼吸をしていた。

「お願いします。教えてください」

甥御さんですから……と、事務局長は呟いた。

「金川会長は身内に甘い、と」

「いえ、違います」事務局長は顔を上げた。目が潤んできらきらしている。「会長は、明夫さんを立ち直らせようとなすったんです。だからこそ、あおぞら会の仕事を手伝わせたんです。子供たちに混じって、子供たちの純真な心に触れれば、明夫も人間が変わる。あれはもともと悪い子ではないんだから、と」

唖然とした。なんと楽観的な人間性善説だ。

「会長は、過去に明夫さんが何をして刑務所に送られたかご存じなんですよね？」

事務局長はひるんだ。「その罪はもう償いました」

「でも更生はしてない。違いますか」

滋子ははったりをかまし、会員の子供が殴られたこと、女性職員が悪質なセクハラの被害に遭ったこと、全部わかっているのだと並べ立てた。

「どちらの件も三和明夫の仕業です。出所してすぐに、たかだか二、三カ月の間に、もうこの有様ですよ。表沙汰にならないよう、会長がお金で始末をつけたんですか？　そんなのが正しいことですか？　本当にそう思いますか？　あなたはあおぞら会を愛しておられるはずなのに」

片手を顔にあてて、事務局長は再び深くうなだれる。

「金川会長にわからないはずがないんです。三和明夫のような人間を、会長が支配する組織のなかに招き入れればどんなことになるか。会長の威光を笠に着て、どんなことをやらかすか。想像つかないわけがない」

「――立ち直るかもしれないじゃないですか」

空々しい抗弁を、滋子は笑い飛ばした。

「可能性としては、ね。でも現実はどうでした？」

「少し急ぎすぎたのかもしれません」

「それが会長のご高察ですか。へえ！」

「どちらの事件も過去のことです。ですから会長は、今年に入って、明夫さんをアルバイトで使うことをやめたんです。もうしばらく待とうっておっしゃいまして」

「だけど彼はお金をたかりにあなたのところに来てますよね？　会長は、それでいいと思ってるんですか？」

事務局長は涙声を絞り出した。「会長は、明夫が無心に来ても断れとおっしゃっています！　あれのためにならないから――」

「だけどあなた方は断れない。彼に脅されたら怖いですものね。当然ですよ。会長はそんなこともわからないんですか？　自分の理想どおりに立ち直ってくれない甥っ子に嫌気がさして、あとはほったらかしですか？　あなた方に押しつけて、自分では躾けようともしない？　ご立派な伯父さんですね。もっとも、三十過ぎた男を躾けなきゃならないこと自体がみっともないけど」

事務局長はしとやかな手つきでハンカチを取り出すと、涙を拭い洟をかんだ。

「会長はむしろ、尚子さんのことを思いやっていらっしゃるんだと思います」

「明夫さんの母親、会長の末の妹さんですね」

「兄妹の情というものがございますでしょう？　明夫さんがあんなふうで、ご主人とも離婚する羽目になりました。お気の毒です」

　もちろん、金川会長は妹に経済的な援助をしている。が、いくら彼が一代で大きくした会社とはいえ、今では社長の座から退いているし、跡継ぎの子供たちの手前もある。尚子を丸抱えで養ってやることは憚られる。

「尚子さんを役員にしようとなさったこともあるのですが、ご一族の反対で上手くいきませんでした」

　ふっきれたように、事務局長は淡々と続けた。

「それで、次にはあおぞら会の運営を尚子さんに任せようとなさったんです。何かちゃんとした社会的な立場と、収入源を持たせてやりたいとおっしゃいまして」

　滋子は思わず眉を寄せた。「それが本当の設立趣旨だったわけですか」

　事務局長は、短い時間にひどく窶れてしまった顔つきで、滋子に視線で触れることさえ恐ろしいというように、そろりそろりと目を上げた。

「会長はご長男で、ご兄弟姉妹が多ございます。皆様それぞれに立派な方々ですが、末っ子の尚子さんだけは、昔からいろいろと問題があったと申しますか――」

　跳ねっ返りだったのだと、古風な表現をした。

「で、結局は一族の鼻つまみ者に？」

　滋子はわざと棘のある表現をしたが、事務局長は素直にうなずいて認めた。「世間様ではそう言うでしょうね」

そもそも尚子の結婚からして駆け落ち同然で、一時は親から勘当扱いを受けていたのだそうだ。そのために、彼女と彼女の家族だけは、金川有機材とその系列会社の経営からも弾き出されてきた。

「会長は、尚子は小さいときに甘やかされ過ぎたんだと手厳しいこともおっしゃいますが、ずっと気にかけておられます。ご兄弟姉妹や一族の皆様が尚子さんを見捨てても、尚子さんのご主人さえ離れていっても、会長だけは尚子さんの力になってこられたんです」

「だから、彼女のろくでなしの倅も抱え込んで面倒を見てやったと。周囲の迷惑を顧みずにね」

滋子は、思い切って冷たく意地悪に言い切った。と、事務局長は突然、凛として背中を伸ばした。

「それなら、どうすればよろしいというのでしょう?」

思いがけない反撃に、滋子は目をしばたたいた。荒井事務局長は、テーブル越しに詰め寄ってくる。

「身内のなかに、どうにも行状のよろしくない者がいる。世間様に後ろ指さされるようなことをしてしまう。挙句に警察のご厄介になった。そういう者がいるとき、家族はどうすればよろしいのです? そんな出来損ないなど放っておけ。切り捨ててしまえ。前畑さんはそうおっしゃるのですか?」

事務局長の語気に押されたせいばかりではなく、そのとき自分の頭のなかに忽然と浮かび上がってきた光景に圧倒されて、滋子は言い返すことができなかった。

その光景とは——土井崎夫妻だ。滋子は夫妻と向き合っている。夫妻の口から、今度こそすべての真相を聞き出している。些細なことまで掘り下げ、掘り起こし、夫妻を問い詰めている。しかし、行き着く質問はただひとつ、滋子の結論もただひとつだ。なるほど、だからあなた方は茜さんを殺したのですね。茜さんがああいう女の子だったから、殺してしまったのですね。

するど、夫妻が初めて反問するのだ。ええ、そうです。だって、ほかに方法がありましたか？私たちはほかにどうすればよかったのでしょう。茜を放り出せばよかったのですか。茜を捨てればよかったのですか。こんな人間とはもう親でもなければ子でもない、縁切りだ。私たちの平和な暮らしに、おまえは必要ない。邪魔者だ。そうやって茜を追い出し、あの子が何をしようと、どうなろうと、知らん顔をしていればよかったのですか？


「鳩の巣」には明かりが灯り、酔客の笑い声が路地にまで漏れ聞こえてきた。

滋子がドアを細く開け、顔を覗（のぞ）かせると、鳩子はすぐ気づいて外に出てきた。後ろ手にドアを閉めた。

遠い街灯と窓からこぼれる弱い明かりの下で、鳩子は滋子が渡した写真のコピーを見た。

「そうよ。こいつ」と言った。「シゲよ」

滋子は彼女の目を見た。鳩子も見つめ返してきた。瞳の色は暗く、深い。

「よく見つけたね」

かすれた囁きに、わずかながら懐かしさがこもっている。嫌悪や憎しみの響きはなかった。鳩子は、ひどく遠いところから来た客をねぎらうように、優しく滋子の肩を二つ叩いた。

「それなりに歳くってるけど、感じは変わってない」

「あなたが知っている彼の、ほぼ十年後の顔です」

「これ、警察で撮られた写真でしょ？」

滋子は黙ってうなずいた。

鳩子はコピーを滋子に返して寄越した。「結局、そういう生き方をしちゃってるわけだ」

じゃあね。あっさり手を挙げて指をぱらぱらと振り、店内に戻ろうとして、思い出したように振り返る。

「名前、何ていうの？」

「三和明夫です」

ミワアキオと、鳩子は呟いた。「あのね、あやふやだけど、思い出したんだ。シゲっていう呼び名の由来。あのころ流行(はや)ってた野球漫画に、シゲっていう選手が出てきたの。こいつ、そのキャラに顔が似てたのよ」

誰が言い出したのか知らない。でもみんなそう呼んでいた。本人も気に入っているようだった。

「野球なんかとは、およそ縁のない奴だったけどね。ときどきラガーシャツを着てたことはあった。カッコだけ」

「鳩子さん」と、滋子は呼んだ。「彼が何かひどいことをしようとするとき、茜さんは止めたと思いますか」

暗がりに、鳩子の目が猫のように細くなる。「ひどいこと？　どういうひどいこと？」

犯罪ですと、滋子はきっぱり言った。

「少なくとも、茜はあたしのときには止めなかった。そう言ったでしょ？」鼻先でふっと笑う。

「ほかのときでも、シゲがやりたいことをやるのを、あの娘(こ)が止めたとは思えないわね」

「むしろ手伝うかもしれない？」

鳩子は身体ごと滋子に向き直った。「何かわかったの？　何か——そういうことがあったの？」

「あっても不思議はありませんか？」

鳩子は窓に背を向けた。すぐそばにいるのに、滋子からは彼女の表情が見えなくなってしまった。

「わからないわ」と、鳩子は言った。「あたしにはわからない。わかったとしても言いたくない。あたしに、そんなことを言わせないで」


翌日の朝早く、滋子は萩谷敏子に電話をかけた。これからお伺いしたい、萩谷さんにも、今日は仕事を休んでいただいた方がいいかと思う――その言葉で察したのか、敏子は多くを尋ねなかった。滋子がアパートを訪ねてゆくと、スーパーの大きなビニール袋を提げた敏子が、玄関の鍵を開けているところだった。

「ああ、良かったです。行き違いにならなくて」

「ずいぶん買い込んでこられましたね？」

敏子は照れた。「たいしたことはできませんが、先生にお昼をお出ししたいと思いまして」

いつもの敏子だ。こういう人なのだ。それが胸に染みた。

「最初にお願いがあるんです。等君があおぞら会のイベントに出たときの写真がないでしょうか。あったら見せていただけませんか」

ハイキングなどの遠出をするイベントでは、いつも集合写真を撮るという。敏子はアルバムを持ってきた。きちんと整理され、日付と場所が書き添えてある。

そのなかの一枚に、滋子は目を留めた。

三十人ほどの子供たちと、保護者が二列になっている。最前列の中央には、金川会長が恵比寿(えびす)

顔で写っている。隣に座っているのは荒井事務局長だ。会長と並んでいる子供たちは、あおぞら会の大きな旗を持っている。

最後列の左端、楽しげにカメラに笑いかける会員たちから心持ち離れて、一人の若い男が立っている。その顔に笑みはなく、カメラを見る目はうっすりと細められている。白いポロシャツにジーンズ、スニーカー。他の大人の参加者たちと服装こそ似たり寄ったりだが、一人だけいかにも気怠げだった。

三和明夫だった。

子供たちのなかに、滋子は萩谷等の顔を探した。二列目の右端で、つぶらな目を大真面目に瞠っていた。すぐ後ろに顔を出している敏子は笑っているのに。

「千葉の牧場へ、みんなで遊びに行ったときの写真です」

敏子が言った。二〇〇四年の十一月。日曜日の行楽日和。写真の背景には見事な紅葉の木立が見える。

等は、ここで三和明夫に遭遇していた。

最後の通関手続きが終わった。書類は揃った。あとは、いつどこにこの荷を運んで、然るべき場所におろすかという問題が残っているだけだ。

「この人は、あおぞら会の職員ですか?」

写真の三和明夫の肩のあたりを指で押さえて、滋子は尋ねた。敏子がのぞき込む。

「保護者の方にしてはお若いですねぇ」

「この顔に見覚えはありませんか?」

さあ……と、考え込む。「職員でも、アルバイトの人だと、よく入れ替わりますから。お手伝いのボランティアの方もいらっしゃいますし」

「お話しになった記憶は？」

「どうでしょう……覚えていません」

「このイベントの後、等君が、この場で会った人たちのことで、あなたに何か話したことはありませんでしたか？　誰々はいい人だとか、あの人は嫌いだとか」

不安げに目をしばたたかせながら、質問の裏を読もうとするように、敏子が滋子の顔を見た。

滋子はうなずきを返し、自分のバッグを手元に引き寄せた。茜の写真と、三和明夫の写真のコピーを取り出す。ゆっくりと、ゆっくりと。敏子はその手元を見ている。

滋子は二人の顔を並べた。眉を寄せて三和明夫のコピーを見ていた敏子の口元が、「あら」と動いた。

「この人は、この人ですね……」

指先が、集合写真の男をさす。

「そしてこっちが……もしかして茜さんですか、先生」

深く息をすると、滋子は語り出した。ぶちまけるのではなく、箱からパーツをひとつずつ取り出して、慎重に並べてゆくようなつもりで。順番にも注意して。角の尖ったパーツはそっと持ち上げて。

敏子は凍りついたようになって聞いていた。

「それじゃ先生」

「はい。解答を見つけたんだと思います。等君の残した絵の謎は解けました」

敏子は集合写真に目を落とした。今度は触ろうともせず、手を引っ込めたままだ。

「この男の人が……茜さんの……」

「死の秘密を知っていました。そして土井崎夫妻を強請っていたんです」

　言葉に出すことで、滋子も落ち着いた。心の揺らぎは止まった。

「彼の頭のなかを覗き見ることで、等君は土井崎茜の死を知りました。彼にとっては不可解で、恐ろしいだけの光景だったことでしょう。なかなか絵にできなかったんでしょうし、それでいて、絵にして吐き出してしまわないと辛かったんだろうとも思います」

　風見蝙蝠（こうもり）のある家の床下で眠る、冷たい灰色の肌の少女。描いてしまった後も、等には、正確にその光景の意味するところがわからなかった可能性はある。だから具体的な話題にはならなかったし、敏子に絵の意味を説明することもできなかった。だが、一方で彼はこう言った。悲しいと。この女の子はこの家から出られなくて、悲しいんだよ。

　等が目にした三和明夫の記憶には、悲哀の色がついていたのだ。記憶にまつわる感情も、等は感じ取ることができたのだ。その悲哀は誰のものだったのだろう。茜か。土井崎夫妻か。それとも〝シゲ〟か。

　三和明夫のなかにも悲しみがあったとするならば。

「この人は、茜さんの亡骸（なきがら）があんなふうに横たわっていることを知っていたんでしょうか。見たことがあるんでしょうか」

　敏子の声が震え始める。

「こればっかりは、本人か土井崎夫妻に確認してみないことには、はっきりとは言えません。でも——」

　目のあたりにしてはいなくても、ここにある、茜はこの床下にいるということを知っていれば、彼の心の目はそれを見たことだろう。それは暗い記憶の映像となり、常に彼の脳裏のどこかに映し出されていた。

萩谷等は、それを見た。

「先生、ありがとうございました」

敏子は手をついて頭を下げている。

「わたしは――わたしと等には、これで充分です。よくわかりました。等には、めったにない珍しい力があったんです。あの子はそれを、ああいう絵に描くことで、何とか上手く乗りこなそうとしていたんでしょう」

声が詰まった。敏子の顔がくしゃくしゃになる。

乗りこなす。滋子は思った。等が命を落とした事故の不可解だったことを。さくら小学校で、彼の自殺説が囁かれていたということを。

意味がわからず、解釈ができないまでも、他人の記憶と心の奥を不用意に覗き込んでしまうことを、等は物心つく以前から繰り返してきた。そこにあるのは美しい光景ばかりではなかった。秘密は常に暗く、常に危険をはらんでいる。萩谷等が生きて成長してゆくことは、そのエネルギーに抗するために、自分を駆り立ててゆくことだった。

十二歳になるまで、彼は頑張ってきた。しかし、いつも優勢だったとは限らない。彼はまだ幼かった。自身の内から湧き出る不本意な力と、その力が呼び寄せる圧倒的な負の映像との戦いは熾烈なものだった。膝をついてしまうこともあったろう。

等の内なる力が、等の身体と心を圧倒する瞬間が訪れたときもあるかもしれない。すると等は、目の前の現実を、道の向こうから迫ってくる自動車や赤信号を忘れてしまう。外から流れ込んでくる他者の記憶と、目に映る自分自身を囲む現実の境界がわからなくなってしまう。

等はよく、ぼうっとしていた。

自殺――ではない。むしろ、これは真の意味での「事故」なのだ。等はふたつの世界を生きていた。車に撥ねられたときは、望みもしないのに生まれながらに与えられたもうひとつの世界が、彼の視界を奪ってしまっていたのではないか。

敏子は手で顔を覆って泣いていた。

敏子に寄り添い、その背中を撫でてやりながら、滋子はページをめくるようにして思い出した。等が残した数々の作品を。こちらの等は、小さな巨匠だった。あちらの等は、この世の混沌を何とか整理しようと苦戦する孤独な管理者だった。彼の描く現実の景色はどこまでも温かく、それは、彼が彼の母親と二人で作り上げていた世界の写し絵だった。母と子の楽園だった。等は、そこに入り込んでこようとする彼にとっては未知のもの――人の世の悪を、秘密を、葛藤を、執念を、我欲を、一枚の紙の上に定着させて、彼にはまだ早すぎる認識から、せめて距離を置こうとしていたのではないか。

それでも――滋子は、ふと気がついた。

「あの、梅の絵」と呟いた。「お二人で偕楽園に梅を見に行ったあとに、等君が描いたあの絵……」

涙を拭いながら、敏子がうなずく。

「きれいな梅の絵でした。等君が現実に見たものなのに、〝変な絵〟の方に分類されていましたし、実際、ちょっと変でしたよね？」

「ええ、はい」

「あれはね、敏子さんの記憶に残っている梅林を描いたものだったんじゃないでしょうか」

滋子は、敏子にほほえみかけた。

「だから、等君の分類としては〝変な絵〟になったんですよ。でも、あれはちっとも怖い絵じゃなかった。不可解でも恐ろしくもありませんでした」

そういうものが、ほかにもあったかもしれない。等にしか見えない、温かいものや美しいものが。誰かの心に焼き付いている、等の知らない異国の雄大な景色。誰かが誰かを想う淡いときめきの色合い。

ああ、そうですねぇ。敏子は泣きながら笑い出した。

「先生のおっしゃるとおりです。きっとそうだったんでしょう」

今度は二人で声を合わせて笑った。気が済むまで笑ったり涙をこぼしたりした。

しばらくしてようやく落ち着くと、敏子は鼻声で不安そうに切り出した。「でも先生、これからどうなさるおつもりですか」

「どうって？」

「誠子さんにすべてお知らせするんですか。あの、その、もうひとつの事件があるかもしれないってこともございますし……」

滋子は一気に現実に引き戻された。そう、萩谷親子の依頼案件は終了しても、もうひとつはまだ進行中だ。ラストのもっとも厳しい局面にいる。ただ、真の終盤戦に持ち込めるかどうかは、滋子にもまだわからない。

三和明夫と土井崎茜が関わった、もうひとつの事件は存在するのか否か。

「千住南署の野本さんに頼るだけじゃなくて、わたしも動いてみようと思うんです」

シゲに会いに行くつもりだった。秋津と秋津夫人とは、暴走はしないと約束した。会うだけなら暴走ではない。

「本人の現住所はわかりませんが、母親の居所はわかっています。それが手がかりになりますから」

するど、やおら敏子が座り直し、滋子の想像外のことを言い出した。「先生、そのときはわたしも一緒に連れて行ってください」

さすがに仰天してしまった。「だって、何のために?」

「いえ、わたしなんかがお役に立たないことは百も承知ですけれども、先生お一人でそんな家に行かせるわけにはいきません」遮られる前に言い切ってしまおうと、敏子は早口になる。「それに、わたしも会いたいです」

「三和明夫に?」

「はい。等にああいう景色を見せた人です。どんな人なのか知りたいです。イベントでいっぺん会ってるのかもしれませんけど、わたし何も覚えていません。何も気づかなかった。けど、等は見ていました。あの子が見たものが何なのかわかった今、わたしもう一度この人に会ってみたいんです」

お願いいたしますと、また頭を下げる。

「それに先生、わたしが一緒なら、この人のお母さんに会うときも、口実になるかもしれないですよ。うちの子が、お宅様の息子さんにあおぞら会でお世話になったことがあるんですよって」

笑ってしまった。「敏子さん、なかなか考えるようになりましたねぇ」

「はい、おかげさまで」

必ずそうすると約束し、滋子は敏子と別れた。駅に向かう途上で野本刑事の携帯電話に連絡すると、留守番サービスが出た。メッセージを吹き込んで、滋子は土井崎誠子のアパートに向かった。

珍しく不在で、どうしようかとエントランスの前で迷っているうちに、見覚えのある乗用車が路上を近づいてきた。井上達夫の車だ。建物の手前で停まり、助手席のドアが開いた。

誠子が降りてきた。運転席の達夫が何か声をかけるのを無視して、意固地な感じで下を向いたまま、どんどんこちらにやって来る。達夫も運転席から出てきて、彼の方が先に滋子に気づいた。

「あ、前畑さん！」

誠子がびくりとして顔を上げた。ちらっと達夫を振り返ると、走ってきて滋子の腕を取った。

「どうぞ。入ってください、どうぞ。達ちゃんはいいですから、放っておいて」

不満そうに佇む達夫を置き去りにしてしまった。

「喧嘩しちゃったの？」

先日も口喧嘩したと泣きべそをかいていたのではなかったか。

「うるさいんですよ、達ちゃん」誠子はくちびるを突き出した。「何でもかんでも口を出して、わたしにまとわりついて。わたしだって自分のことぐらい自分でちゃんとできるし、いろいろ考えてるのに」

滋子は黙って見つめていた。誠子がその次に何を言い出しそうか、おおかたの見当がつく気がした。

ため息と一緒に、誠子は吐き出した。「わたしたち、こういうふうにズルズルくっついてるの、良くないのかもしれない……」

やっぱり、そうなるか。

「あんまり優しくされると、かえって息苦しい？」

勢いよくうなずいてから、それを打ち消すように、誠子はかぶりを振った。「そういうのじゃないんです。でも、達ちゃんにはわからないこともあるから」

絶対にわからないことがある。なのに、何もかもわかっているようにふるまう彼が腹立たしくて、邪魔くさくてどうしようもなくなる瞬間がある——という。

「わたしたち、一心同体なんかじゃないもの。わたしの気持ちは、わたしと同じ立場に立たなくちゃわかるわけない。だけど達ちゃんはそう思いたいんです」

滋子は玄関先で、まだ靴も脱いでいなかった。そのまま言った。

「用はないの。ちょっと誠子さんの顔を見に来ただけ」

誠子は、その言葉の真意を探るような目をした。

「何かあったんですか」

「ないよ。あなたがどうしてるかなって、ふっと気になっただけ。この前は元気がなかったから」

大丈夫そうだねと、滋子は笑ってみせた。「あなたが達夫さんに対してそういう矛盾した気持ちを抱くのは当然よ。でも、結論は急がない方がいいと思う」

誠子は鋭い。滋子の口先にごまかされなかった。

「そんなことじゃないでしょ。本当は、用事があるんじゃないんですか」

「ないってば」

「叔父さんと叔母さんは何て言ってました？」

「お元気でした。茜さんの昔話をしてくださってね。あなたにも、たまには顔を見せてほしいとおっしゃってた」

誠子は怒り顔になり、ぎゅっと黙った。

「そのときがきたら、きちんとご報告します」と、滋子は言った。「そのときには、あなたにそれを受け止めてほしいとも願っています。その上で、あなたが晴れてお父さんお母さんに会えるように、わたしにできることなら何でもします」

手近のスツールに、誠子は子供のようにぺたりと腰をおろした。急に幼い顔になった。「わかりました」

外に出た。達夫の車はなくなっていた。滋子は歩いた。歩きながらとりとめもなく考えた。誠子は何を求めているのか。滋子に何を求め、達夫に何を求め、父母に何を求め、そして、茜に何を求めているのか。

真実は、必ずしも人を癒やさない。あの賢い誠子なら、それがわかるはずだ。それでもなお、真実がほしいと望んだ。

木村夫妻は、誠子が求めているのは第三者の見解なのだと言っていた。それこそが、誠子が両親を許し、茜の死を過去へと片付けるよりどころになる。それは自前で調達できるものではない、と。

できないのではない。誠子はそうしたくないだけではないかと、立ち止まるようにして、滋子は思った。

等が見たものを、もしも誠子が見ることができたなら。彼女はそこに、どんな色をつけただろう。等が生きていて、彼がその目で「見た」ものを誠子に語ることができたなら、誠子は何と言うのだろう。この女の子は悲しいんだよという等の言葉に、誠子は何と答えるだろう。

そうね。わたしも悲しいのよ。


三日後の朝のことである。野本刑事に、滋子は電話で叩き起こされた。

「寝ぼけてるんですか？　ニュースを見てませんね？」

あわててテレビを点(つ)ける。何か事件があったらしく、住宅街の道筋にパトカーが停まり、その脇で報道記者がマイクを手にしている。

「しっかりしてくださいよ。昨夜からの報道も知らないんですか？」と、野本刑事は滋子を叱咤(しった)する。

杉並区内の町で、昨夜から小学生の少女が帰宅せず、警察と地元住民が捜索に乗り出しているという。

「忘れたわけじゃないでしょう？　三和尚子の住所地です。今テレビに映っているのは彼女の家です！」

眠気が吹っ飛んだ。

野本刑事には、既に一連の資料を渡してある。シゲの正体が三和明夫であることも、彼の前科前歴も、彼女は承知だ。

一方で、未解決の殺人事件の検索は難航していた。いくつかピックアップした案件があるが、継続捜査扱いになっていながら、当時の関係者が異動していて細かいことがわからなかったり、関係者が（野本刑事が言うには新米の女刑事を警戒して）口を開いてくれなかったりで、絞りきれないというのだ。滋子は、どうすれば彼女を手伝えるのかわからないまま、ただ待っている状態だった。

「行方不明の少女は佐藤昌子といいます。この子の身に何があったのか今はまだわかりませんが、地元では三和明夫の過去はよく知られていて、前々から噂になっていたもんですから、昌子ちゃんの失踪にも彼が絡んでるんじゃないかって、疑う向きがあるんです」

悪い噂はそれだけではない。三和家に若い女性が連れ込まれるのを見た、深夜に女性の叫び声が聞こえたなどの情報も出てきているという。

「じゃ、明夫は母親のもとで暮らしてたんですか？」

「どうやらそのようです」

今朝方、捜索隊のうちの何人かが三和尚子に会い、話しているうちに互いに激高して、揉み合いになった。三和尚子が軽い怪我を負い、一一〇番通報したのだ。そこから騒ぎに火がついた。

「性犯罪の前歴のある人物の出所後の居住地情報を公開するか否かについては論議が分かれており――」

記者が急き込んでしゃべっている。滋子は受話器を持ったままぽかんとテレビに見とれた。

「わたし、現場に行きます」と言った。

「え？」急いで報せてきたくせに、野本刑事は驚いた。「行って何をするんです？」

「わかりません。三和尚子に会います。シゲがまだこんなことを続けているのなら、やめさせなくちゃ。それには、母親の彼女に協力してもらわなくちゃ」

「前畑さんにできるんですか？」

「萩谷さんがいてくれれば」

敏子には等がついている。等の短い人生が無駄ではなかったと、彼の能力が彼を苦しめるだけのものではなかったと、きっと証明することができる。前畑滋子は立ち上がった。

第十三章　ピリオド

土井崎　元様
　　　　向子様

再び、不躾なお手紙を差し上げるご無礼をお許しください。

テレビや新聞の報道で、三和明夫が逮捕されたことについては、既にご承知のことでしょう。

また、その逮捕の端緒となった、彼の母親・三和尚子に関わる出来事についても同様と存じます。

その報道のなかで、わたくしの名前が一緒に報じられていることに、さぞかし驚かれたことと思います。

結論から先に申し上げますと、わたくしは、あの騒動が起こる以前の段階で、十六年間に亘りご夫妻を苦しめていた人物――「シゲ」の正体が、「三和明夫」であることを突き止めておりました。あの日、現場に居合わせ、今回の事件の終熄（しゅうそく）に立ち会うことになりましたのも、そのためでございます。

あれから今日（こんにち）まで、警察の事情聴取を受ける一方、わたくし自身もメディアの取材対象になりましたために、なかなか身動きがとれない状態が続いておりました。それらもやっと一段落いたしましたので、ようやくこの手紙を書くことができます。

高橋先生にご連絡したところ、「必ず渡すけれど、ご夫妻が読むかどうかはわかりませんよ」ということでした。

わたくしは、読んでいただけると信じて綴ることにいたします。

あの日、ほかでもない三和明夫の母・三和尚子の住まいのすぐそばで小学生の女児の失踪事件が起こり、地元の人たちが、前科前歴から今度もまた彼の仕業ではないかと疑って騒動が起こっている――その一報を、わたくしは千住南警察署の野本刑事から聞きました。ご記憶でしょうか。お二人が出頭された折、取調室に同席した若い女性の刑事さんです。

その時点ですぐ現場に行こうと決め、萩谷敏子さんにも一緒に来てもらうことにしました。よく考えれば、そんな事態になって報道関係者も入っている場所に、萩谷さんを連れて行くのは無謀で意味のないことだとわかるのですが、あのときは、等君に茜さんの死を「見せた」シゲという人物と相まみえるときは、必ず萩谷さんが一緒だ――そして萩谷さんには、亡くなった等君がついているということしか心に浮かびませんでした。

結果としてその判断は、正しかったか間違っていたかは別として、あたっていました。まるで占いのような言い方ですが、それしか表現が見つかりません。萩谷さんがいなければ、ああいう展開にはならなかったでしょう。

もちろん、予想外のことではあったのですが。

わたくしが少なからず冷静さを欠いていることを承知したのでしょう。野本刑事も来てくれることになり、わたくしたち三人は現場の近くで落ち合いました。わたくしは気負っておりましたし、野本刑事は予想されるさまざまな展開を考えて神経質になっていました（当然です）。萩谷さんがいちばん落ち着いていたように思います。

テレビでご覧になったでしょうか。三和明夫が母親と共に暮らしていたあの家を。灰色の四角い二階建てで、窓という窓には格子がはめられていました。

わたくしたち三人が尋ねあてて行ったときには、二つのテレビ局の取材クルーが、家のすぐそばに陣取っていました。女性レポーターが代わる代わるインターフォンを押して呼びかけていましたが、返事はないようでした。テレビクルーが、家には誰もいないというやりとりをしているのが聞こえてきました。

取材陣だけではなく、もちろん警察もその場には来ていました。交通整理をするためです。住宅地のなかの二車線の道は、中継車が停められ、大勢の野次馬が集まっていることで、大混雑状態だったのです。

あの時点では、小学四年生の佐藤昌子ちゃんの失踪と、三和明夫を結びつける線は、少なくとも具体的な要素は何も存在していませんでした。こんな騒ぎにさえならなければまだ彼に接触する方便を見つけられたかもしれない地元警察は、逆に手段を失って、交通整理ぐらいしかやることがありませんでした。彼の身辺にまつわりつく〝悪い噂〟に思わず感情的になり、三和家に押しかけたという人たちも、そのときにはすでに交番に連行されるか、立ち去っていました。集まっている野次馬の大半は、町の外から来た人びとでした。地元の住人たちは、手分けして昌子ちゃんの捜索にあたっていたからです。

三和家には迂闊（うかつ）に近づくわけにもいかず、わたくしたちはいったん戻りました。わたくしは車で行きましたので、三和家から二区画ほど先のパーキングに停めた車内で、野本刑事と善後策を話し合いました。というより、正直に白状するならば、こうなってしまっては当分のあいだ三和母子に会うことは難しいだろうし、そもそも今日ここにわたくしたちが来ることに意味はないと確認しあっただけでした。

「いいじゃないですか先生」萩谷さんが慰めてくれました。「うちにじっとしてなんかいられませんでしたよ」

野本刑事は、地元署で少しでも情報を集めてくると、出かけて行きました。

「まったくの別件で三和明夫を訪ねてきたらこの騒動だ、ということまでは正直に話してきます。〝別件〟の内容を訊かれたときには、その訊かれ方によってどうするか考えます。すみませんがわたしに任せてください」

わたくしと萩谷さんは、車内で待ちました。ときどき交代で外に出て、三和家の様子を見に行きました。行くたびに野次馬の数は減っていましたし、やがてはテレビ局の中継車も二台とも姿を消しました。

野本刑事が戻るまで三時間以上はかかりました。そのあいだに、昌子ちゃんを捜索する地元の人たちのグループを何度も見かけました。一度など、パーキングに入れた車に乗り込んでラジオをかけっぱなしにしている女二人を怪しんで、声をかけてきた人もいました。ただ、野本刑事の真似ではありませんが、その人の声のかけ方が、わたくしたちが車の故障で身動きとれなくなっているのではないかと親切に案じてくれているようだったので、三和さんの知人で、テレビを見て来てみたのだけれど不在のようだから、帰りを待っているのだと答えました。

「三和さんの奥さんは病院に行きましたよ」

年配の男の方でしたが、ひどく疲れた顔でそう教えてくれました。

「怪我をしたそうですね？　入院することになるんでしょうか」

「そんな重傷じゃないと思うけど」

「どこの病院だかご存じですか」

「このあたりに、救急病院はいくつかあるからねぇ。どこだかは、私らも知りませんよ」

「三和家には今、どなたもいらっしゃらないようですね」

「倅は昨日から出かけてるとかいう話だから」

「昌子ちゃんの行方は……手がかりは見つかりましたか」

残念そうに首を振って、その人はまた捜索に戻って行きました。

そのあと三十分も経たないうちに、今度は自転車に乗ったパトロール巡査に声をかけられました。わたくしたちを取材で来ているマスコミ関係者だと思ったらしく（確かに不審なおばさんの二人組ではありますから）、かなり厳しい問いかけられ方をしましたので、さてどうしようかと思っているときに、いいタイミングで野本刑事が戻ってきてくれました。彼女が警察手帳を提示しても、パトロール巡査は怪訝（けげん）そうな顔のままでしたが、お咎（とが）めは受けずに済みました。

「三和尚子は、ここから車で五分ほどの救急病院にいます。たいした怪我ではありません」

押しかけてきた人たちと玄関先で揉み合いになった際、転んで足をひねったのだそうです。

「治療はとっくに済んでるんですが、彼女が被害者になったこの傷害事件の事情聴取と同時に、佐藤昌子ちゃんの件の聞き取りも行われているんです。ですからずっと病院に留め置かれた状態です」

三和尚子は、明夫とは前夜の夕食時、午後八時ごろに顔を合わせたきりで、それ以降は会っていないと証言している。あとで出かけたようだけれど、何時ごろだったか覚えていないし、行き先も聞いていない。息子は仕事の関係で生活時間が自分とは違い、食事も睡眠も不規則なので、こういうことはよくある。佐藤昌子という小学生のことなど何も知らないし、明夫は関係ない。とんだ濡れ衣で、何も知らないままこんな騒ぎに巻き込まれ、息子は家に帰りたくても帰れないのだろう――。

「三和明夫の車は駐車場に残っているんです。でも、近所の人たちの話では、彼が徒歩でどこかへ出かけるなんて、コンビニへ行くときぐらいしか見たことがないそうですから、ほかの誰かの車を使ったか、レンタカーでしょうね」

「仲間がいるということでしょうか」

「おそらくは。どういう〝仲間〟なのかわかりませんけれどね」

地元の人たちは確かに勇み足だったけれど、昌子ちゃんの行方不明に三和明夫が噛んでいるのではないかという疑惑は、地元署のなかにも濃く漂っていると、野本刑事は教えてくれました。

「やっぱり、彼には前歴がありますからね。近所の評判も……。でも他にも理由はあるんですよ。三和家の前の道は、昌子ちゃんの通学路なんです。それだけじゃなくて、あの家の前で立ち止まっているのを何度か目撃されています」

「立ち止まってる？」

「昌子ちゃんのお母さんは、三和明夫の悪い噂を知っていて、昌子ちゃんに、あの道を通ってはいけないと言い聞かせていたそうなんですが……」

「怖いもの見たさですね」と、萩谷さんがすぐ言いました。「子供ってそういうものです。昌子ちゃんにとっては、お化け屋敷みたいなものだったんですよ。小学校の四年生じゃ、まだ〝悪い噂〟の内容がわからなかったでしょうから」

「じゃ、警察は三和明夫を追っているんですか？」

「レンタカー会社と、彼の立ち回りそうな場所を探しています。もっとも、尚子は非協力的で、息子の仕事や交友関係については何も知らないと言い張っているので、難航しているみたいです」

三和明夫の立ち回り先。わたくしは、とっさに「あおぞら会」のことを考えました。もしも三和明夫が（どういう理由であれ）昌子ちゃんの失踪に関わっており、それがこんな形で早々と広く報道される事態に発展していることを知ったならば、もう母親の家に戻ることはない。必要なのは逃走資金です。また事務局に金をたかりに行くのではないか。可能性は充分あります。

と、わたくしが口を開くより先に野本刑事が言いました。「独断専行で申し訳なかったんですが、あおぞら会のことを話してきました。情報を交換したんです。話のわかるおっさんが一人いたものですから」

少しでも早く昌子ちゃんを見つける手がかりになるのなら、まったくかまいません。

「ですけど……」ふと見ると、萩谷さんの顔色が土気色になっていました。「どうして小学生の女の子を連れ去ったりしたんでしょう？　いえ、もし三和明夫という人の仕業であるなら」

「わかりません」野本刑事は慎重でした。「ただ、三和家には確かに不特定多数の若い女性が出入りしていたようです。悲鳴が聞こえたという証言には裏付けがとれなくて、錯覚や後付けの作り話の可能性がありますが」

三和尚子は、同居している息子の前科前歴が近所の噂のタネになっていることを、まったく知らなかったらしいと、野本刑事は言いました。

「知らぬは当人たちばかりなり、ですよ。だから明夫も、平気で女性たちを連れ込んでいたんでしょう。大胆というか、無神経というか」

「それもその話のわかるおっさんからの情報ですか」

野本刑事は笑ってうなずきました。

「あおぞら会についての情報は、それぐらいの見返りをもらえるだけの価値があったということです。三和明夫が会員に暴力をふるった過去があるということも話してきましたから。あちらも、相手が子供です」

わたくしたちが話し合っているあいだにも、車のラジオから流れるニュースが、昌子ちゃんの行方不明について報じていました。昨日の午後、学校のプール教室に行き、いつもなら二時か三時には下校して帰宅するはずの昌子ちゃんが帰らず、ご両親が捜索願を出したのは午後六時のことだった――。

「こういう住宅地の道路って」野本刑事が眉間に皺を寄せて呟きました。「昼間のそれぐらいの時間が、案外すぽっと空白になってしまうものなんですね……。今までのところ、昌子ちゃんの姿を最後に目撃したのは、小学校の通用門のところで別れた友達だけなんです。同級生の女の子です」

ところでわたしたち、どうします？　野本刑事に尋ねられて、わたくしは困りました。

「どうしたらいいでしょう」

情けないですが、わからなかったのです。

「事件に関係があるのなら、三和明夫はもうここには戻りません。関係がなくても、戻ってきたらしばらくは警察に囲い込まれてしまうでしょうから、まず、すぐには会えませんね。会えるにしても、ほかの取材記者やレポーターをかきわけなくちゃならないし、彼らにわたしたちの目的を穿鑿（せんさく）され始めたら面倒なことになります」

「まさか、そんな心配はありませんよ」

土井崎茜と三和明夫の関係を知っているのはわたくしたちだけなのですから。でも、わたくしの言葉に、野本刑事は呆れたような顔をしました。

「前畑さん、本気で言ってるんですか？　この手の事件を取材している記者やレポーターたちのなかには、九年前の事件で華々しくトリを飾ったあなたの顔を覚えている人たちが、まだまだいるんですよ。あなたがここに出張って来ている理由を、彼らが知りたがらないとでも思うんですか？」

「先生、一本とられましたね」と、萩谷さんにも笑われました。「わたしなんかが口をはさむのは僭越ですけども、明夫という人は戻らなくても、お母さんは戻るんじゃありませんでしょうか。自分の家ですもの」

どこかに身を隠すにしても身の回りのものぐらいは取りに来るだろう。あるいは入院するとしても、その支度に、誰か代理の者を寄越すのじゃないか。

「そうですね。待ってみる価値はありそうです。幸い、騒がれるといちばん厄介なテレビは気が短いんで、もうみんないなくなりました。彼らとしては、母親の家なんか後回しでいいんですから。三和明夫本人の映像が欲しいんですからね」

「じゃ、このまま車で張り込みますか？」

張り込み！　と、思わずという感じで萩谷さんが繰り返しました。「ああ、すみません。何だかドラマの登場人物になったみたいな気がします」

土気色の顔のまま、汗をかいています。

「敏子さんはお帰りになってもいいんですよ。わたし、考えなしであなたを引っ張ってきちゃって――」

萩谷さんはきっぱりとかぶりを振りました。「いいえ、先生。会えるものなら、わたしも三和尚子さんに会いたいです。どうしてかわからないけど……どうしてでしょうかね？」

しばらく自問してから、こう呟きました。「母親同士だから、でしょうか」

「わかりました」野本刑事がてきぱきと動き出しました。「ただ、三和家のそばに車を停めていたら、目立ち過ぎます。捜索隊の迷惑にもなりますからね。場所を替えましょう。あてはあるんです」

三和家の斜（はす）向かいに、新聞販売店があるのだというのです。

「産経新聞なんですけどね。頼めば協力してくれるでしょう。ただ、問題がひとつ」

さすがに、わたくしにも見当がつきました。「そこの記者が、同じようにして張り込んでいる？」

「当たりです。何か訊かれたら、上手いこと言ってごまかさなくてはなりません。できますか？」

やりますと、わたくしは約束しました。

法山新聞店というお店でした。古い二階家で、訪ねてみると、若奥さんらしい女性が出てきて、

「あ、さっきの刑事さん」と、野本刑事に挨拶しました。根回しは済んでいたというわけです。

「やはり、お部屋を拝借したいのですが」

「いいですよ、上へどうぞ」と言ってから、若奥さんはちらりとわたくしを見て、首をかしげました。わたくしは会釈をして視線をそらしました。

「皆さん、警察の方なんですか？」

わたくしもですが、萩谷さんも刑事には見えないでしょう。敏子さんはまた汗をかいています。

「そうなんです。では失礼いたします」

軋(きし)む階段をのぼって上にあがろうとしたとき、奥の部屋から、小学校の二、三年生ぐらいの男の子がひょいと顔を出しました。眼鏡をかけた小柄な子でした。

「ヒトシ、お部屋にいなさい」

若奥さんが男の子に言いました。わたくしも驚きましたが、萩谷さんはまさに雷に打たれたようになりました。のぼりかけていた階段をどんどん降りてくると、両目をいっぱいに瞠って男の子を見つめました。

わたくしから見ても、ただならぬ様子でした。若奥さんが驚き、とっさに脅威を感じたとしても無理はありません。さっと動いて男の子を背中にかばい、萩谷さんの前に立ちふさがりました。

「敏子さん」

わたくしは萩谷さんの腕を取り、後ろに引き戻しました。何度か呼びかけると、ようやく敏子さんは我に返りました。「ああ、先生」

「大丈夫ですか？」

敏子さんは水のなかを漂っているかのようにふらついていました。目の焦点も合っていないような感じがしました。わたくしにつかまりながら、自分から少し身を引くようにして、法山新聞店の母子にあらためて向き合いました。「あの、こちらの坊ちゃんですか？」

若奥さんが険しい顔のままうなずきました。

「そうですか。ヒトシ君とおっしゃるんですね。どんな字を書くんですか？」

ヒトシ少年は母親の背中に隠れて、そっとこちらをのぞいています。この方のお子さんも等君という名前なんですと、わたくしは説明しました。

それでやっと、少しですが若奥さんがほぐれました。笑顔はいつもの萩谷さんですが、びっしょりと汗をかき、肌が冷えていました。そして、唐突にこう言い出したのです。「うちの子は平均の均のヒトシです」

「ああ、そうですか」萩谷さんは微笑みました。

「均君は、昌子ちゃんを知ってるんですね？」

今度は野本刑事も驚きました。法山新聞店の若奥さんも、あわてて均君を見おろしました。

「均、そうなの？」

均君はお母さんの背中にしがみついています。若奥さんの表情がまた強張りました。

「わたしは知ってるんですよ。あの子、よく学校の帰り道にここを通りましたから。三和さんの家の前でうろうろしてたこともあります」

「ホントですか？　見たんですね？」

勢い込む野本刑事にうなずいて、「早くうちに帰りなさいって、注意したこともありますよ。だけど均は昌子ちゃんを知らないはずです。学年もひとつ下ですし」

「でも、知ってるわよね？」

萩谷さんがまた言いました。うわごとのようでした。夢を見ているような目つきでした。

わたくしは背筋が冷えるのを感じていました。そのときはまだ、なぜそう感じるのか、理由はわかりませんでした。いえ、わかってはいても、あまりに途方もない理由なので、認めたくなかったのかもしれません。

法山新聞店の二階の道路に面した六畳間には、社会部の記者とカメラマンがいました。記者はとても若い人で、五十過ぎのカメラマンとは親子のように見えました。

「なんだ、さっきの千住南署の人じゃないですか」

やっぱり来たんですねと、親しげに野本刑事に笑いかけました。

「しばらく同居させてください」

「かまいませんけど……」

ベテランらしいカメラマンが、しげしげとわたくしの顔を見ていました。「もしかして、前畑滋子さんじゃないですか？」

やれやれ。「よくそう言われるんです。似てますか？」

「嫌だなぁ。冗談はよしてくださいよ。本人でしょ？」

若い記者は何の話だかわからないようで、きょとんとしていましたが、カメラマンが説明すると、急にわたくしたちに興味を抱いたようでした。

「何です？　何を狙ってるんですか？」

「あなた方と同じですよ。とりあえず三和尚子さんに会いたいだけです」

「そんなバカな。それだけのために前畑さんが来てるんですか？　だいたい、千住南署が乗り出して来てることがおかしいんですよ。ねえ、何があるんです？」

「訊いただけで、簡単に答えてもらえると思います？」

防衛戦は野本刑事にお任せしました。敏子さんがひどく気分が悪そうで、ますます顔色が悪くなっていくので、わたくしはそちらに気をとられていたということもあります。土気色を通り越し、今や蒼白でした。

「ごめんなさい、先生」

萩谷さん自身、怯（おび）えているようでした。

「どうしてか、目眩がするんです。頭がぐるぐるします」

頭がぐるぐるする。頭のなかが絵でいっぱいだ。いっぱいの絵がぐるぐるする――似たような言葉を、わたくしはかつて耳にしたことがありました。ほかでもない萩谷さんの声で、しかしそれは、萩谷さんの言葉ではありませんでした。等君の言葉だったはずでした。

「ヒトシという名前を不意打ちで聞いたからでしょう」

「そうですね。きっとそうです、先生」

萩谷さんはわたくしにすがりついていました。差し入れを持ってきてくれた若奥さんが、「寒いですか？　クーラーをとめましょうか」と言うほどに、ガタガタ震えていました。

「そちらの奥さん、お加減が悪そうですね」

毛布を貸してもらいました。汗を拭い、毛布にくるまると、萩谷さんはだいぶ落ち着いたようでした。

待っているあいだに、時どき記者の携帯電話が鳴りました。法山新聞店の電話が鳴るのも聞こえてきました。きれぎれの情報ですが、それらの電話からわかったこともありました。地元の捜索隊は、学校の近くにある大きな廃工場に子供たちが入り込んで遊んでいることがあるので、そこを重点的に捜索していたが、日没で引き揚げた、捜索再開は明日の午前七時からの予定。佐藤昌子ちゃんの自宅に、脅迫電話や身代金を要求するような内容の連絡は入っていない――。

そして、午前一時過ぎのことでした。

「帰ってきた」

窓から外を覗っていた若い記者が、ぱっと立ち上がりました。野本刑事は無言で動き出しました。

二人は先を争うようにして階段をおりました。カメラマンが、「あわてるなよ！　驚かすと逃げられちまうぞ！」と、記者に呼びかけていました。わたくしは萩谷さんを支えて、いちばん最後に街路へ出ました。

通りの左手の方向から、三人の人物がゆっくりとこちらに歩いてきました。二人は女性で、一人は男性です。男性が先に立ち、後に続く女性たちは、一人がもう一人に肩を貸していました。ロングスカートの裾からのぞいた足首に包帯を巻いている、あれが三和尚子だろう――。

と同時に、彼女を支えて一緒に歩いている女性の顔を見て、わたくしは驚きました。あおぞら会の荒井事務局長だったからです。今考えれば不思議はありません。金川会長からの指示で、「尚子様」を助けに駆けつけたのでしょう。そしてずっと付き添っていた。もう一人の男性は、金川会長付の社用車の運転手だということが、後にわかりました。車は、家から離れた場所に停めてありました。玄関先まで直接乗り付けたのでは目立つと思ったのでしょう。無駄な配慮だったわけですが。

「三和尚子さんですか」記者が呼びかけました。気がつけば、駆けつけてきたのはわたくしたちだけではありませんでした。ほかにも数人、記者らしい人たちがバラバラと集まってきていました。みんな、それぞれの張り込み場所を確保していたのでしょう。

「すみません、ちょっとお話を伺いたいのですが」

「お話しすることはございません」答えたのは荒井事務局長でした。うつむいて顔を隠し、痛めた足を引きずりながら何とか前に進んでいる三和尚子を、全身でかばっていました。

「息子さんの三和明夫さんのことなんですが――」

「お話しすることは何もございません」

道を開けてくださいと、運転手の男性が記者たちを押しのけました。

「三和さんはこれから入院するんです。身の回りのものを取りにきただけです。どいてください。警察を呼びますよ」

こっちは被害者なんだと、運転手が怒気をはらんだ声を出しました。

「荒井さん！」と、わたくしは呼びかけました。

事務局長は、掛け値なしにぎょっとしたようでした。三和尚子を抱きかかえたまま跳び上がりかけ、前後を忘れて逃げ出しそうになりました。

事務局長の腕が離れ、三和尚子が大きくよろけました。とっさに誰かが飛び出して、彼女を受け止めました。そのとき、何か柔らかいものがわたしの身体をかすめてふわりと落ちました。毛布でした。わたくしが萩谷さんをくるんでいた毛布でした。

三和尚子を抱き支えたのは、萩谷敏子さんでした。

「大丈夫ですか」

街灯の光に照らされて、二人の母親の顔は、どちらも青ざめた月のようでした。その目と目が合いました。

三和尚子は、後で知った実年齢よりも、そのときははるかに老けて見えました。状況が状況です。疲れてもいたでしょう。ぐったりと両肩を落としていました。それなのに、萩谷さんに呼びかけられ、触れられたその刹那に、ありったけの力を込めて彼女を突き飛ばしました。親切な腕に抱き留められたのではなく、蛇にでも巻きつかれたかのようでした。

そして、何かなすりつけられたとでもいわんばかりに顔を強張らせて両腕をさすり、その間にも萩谷さんから後ずさりして離れようとしました。

わたくしたちには、何があったのかわかりませんでした。事務局長でさえ口を開けっ放しにして突っ立っています。記者たちも動きを止めていました。

わたくしは萩谷さんを見つめていました。彼女はまた、滝のような汗を流し始めていました。

「あの、わたくしは――」

目はうつろ、語りかける声はうわずっていました。

「うちの等が、あおぞら会で、あなたの息子さんにお世話になったことがございます」

棒読みのような口調でした。本当に言うべき言葉を溢れ出させる前に、つっかえているものを押し流すためだけにしゃべった言葉――。

「まあ、奥さん」

ひときわ大きな声でした。今まで聞いたこともない声でした。萩谷さんの内側から響き出る未知の声でした。

三和尚子はまだ腕を撫でさすりながらも、その場に釘付けになったように立ちすくみ、萩谷さんから目が離せずに立ちすくんでいました。

「奥さん。明夫さんはどこにいるんです」

まばたきもせず、焦点を失った瞳をいっぱいに見開いて、萩谷さんは問いかけました。視線の先には三和尚子がいますが、敏子さんの目は何も見ていないようでした。

いいえ、わたくしたちには見えない、萩谷さんにしか見えないものを見ていました。

「ご存じなんでしょう？　奥さんは知ってるんです」

汗に濡れて、萩谷さんの頬も額も光っていました。

「知ってるんですよね？　息子さんを止めたこともあったじゃないですか。ねぇ、そうでしょう？　奥さん。あなたはあの人たちを逃がそうとしたことだってあったじゃないですか。鍵を――鍵を開けて」

野本刑事が死にかけたように息を吸い込みました。

「ねえ、その緑色のカーペットの部屋ですよ。みんなそこに閉じ込められていたんでしょう？　逃がしてほしいって、その、その、髪の赤い――」

萩谷さんはわずかに目を細めました。

「爪を紫に染めたお嬢さんに、奥さんは着替えをあげた。着替えと、お金を。だけど逃がせなかった」

おお、おお、おお。呻くような声に、萩谷さん以外の全員が我に返りました。三和尚子が絶叫し、その場にしゃがみこんで泣き始めたのは、その直後でした――。


三和明夫と彼の共犯者の二十代の男の三人組は、佐藤昌子の捜索願が出されてから三十三時間の後、千葉市内の大型複合施設の駐車場で発見された。パトロール警官の不審尋問を振り切って逃走を図ったところを押さえられたもので、彼らの乗り回していたヴァン（共犯者の男が借りたレンタカーだった）の後部座席には、佐藤昌子が手足を粘着テープで拘束された状態で乗せられていた。明夫らはその場で逮捕された。

佐藤昌子は衰弱しており、軽い脱水状態だったが、すぐ病院に運ばれて手当てを受け、命に別条はなかった。

逮捕されて間もなく、共犯者たちが先に供述を始めた。明夫と彼らは――他にも複数の男たちが関わっており、そのなかには未成年者もいた――主に出会い系サイトで知り合った女性たちに、

「モデルの仕事を紹介する」「CMやドラマに出してやる」などと持ちかけ、三和明夫の母親の家や、都内のウィークリーマンションの一室などに呼び出しては、詐術や暴力を行使して金品を奪い取っていた。被害に遭った女性たちは、キャッシュカードやクレジットカードを取り上げられ、また犯行グループの監視下で買い物をさせられたり、消費者金融で借り入れを強いられたりしていた。被害者が逃げようとすると、「家族を皆殺しにする」「風俗に売り飛ばす」などと脅し、口止めをした。犯行グループが複数の消費者金融会社を回るあいだ、被害者を監禁する場合もあった。

母親の家に家宅捜索が入り、物証が発見され始めてもなお、三和明夫は頑として口を割らなかった。一方で、これまでは恐怖のために泣き寝入りをしていた被害者たちが続々と証言を始めた。

佐藤昌子は、登下校の帰り道に三和家の前を通りかかり、失踪事件の起こる十日ほど前に、偶然、その当時三和家に監禁されていた女性が、助けを求めて窓から投げたメモを拾い上げたのだった。昌子がそれを拾ったことは、誰も知らなかった。彼女は両親にも何も話さず、メモも見せなかった。意味がよくわからなかったらしい。

三和明夫たち犯行グループは、監禁されていた女性が外にメモを投げたことを、その翌日になって知った。被害女性が、外に助けを求めたことを彼らに告げたのである。間もなく警察が踏み込んでくるから、自分を逃がしてほしいという取引を持ちかけたのだ。

が、これは彼女にとって裏目に出た。三和明夫らは暴力をふるって彼女に口を割らせ、窓から投げたメモを拾ったのが小学生の女児だったことまで吐かせた上で、彼女を殺害した。

先に吐き始めた共犯者たちは、彼女を殺したのは三和明夫だといい、それを受けてようやく「落ちた」三和明夫本人は、自分が殺したのではなく、衰弱して勝手に死んだなどと言った。死因は、共犯者の証言通りに千葉県北西部の丘陵地で遺体が発見された後、検死解剖で判明した。首を絞められたことによる窒息死だった。

萩谷敏子の「たとえ話」は思いのほか正確なところを言い当てており、幼い佐藤昌子は、三和家を本当に「おばけ屋敷」のように思っていたらしい。少なくとも本人はそのように述べている。おばけは怖いが、怖いから見たい。拾ったメモに「ケイサツ」と書かれていることもわかってはいたが、その意味は判然とせず、だからなおさら三和家に興味が湧いて、頻繁に近所をうろうろしていた。三和明夫たちにとってはもっけの幸いだった。

佐藤昌子を連れ去る以前に、三和明夫たちはメモを投げた女性の遺体を三和家から運び出して埋めていた。そのとき使ったのは明夫の車で、帰り道で脱輪し、その際に、車体に目立つ傷がついていた。だから佐藤昌子を拉致する際にはレンタカーを使ったのだ。

「あの子供のことは、特に最初からどうしようという目的があったわけじゃない。メモをまだ持っていたら取り上げて、ちょっと脅せば小学生のことだから黙っているだろうと思った。騒ぎになってることをニュースで知って、これじゃ帰せないから身代金でも取るかって話をしながら、しょうがないのであちこち走り回っていた」

計画性皆無であり、行き当たりばったりで粗雑であり、それだけ危険でもあった。

三和尚子は警察の取り調べに対して、時にはひどく取り乱し、時には淡々と供述した。息子がまた悪い仲間に誘い込まれているのではないかと不安を感じていたが、犯行の詳しい内容までは知らない。自分の家で女性が監禁されていたなど、まったく知らない。確かに複数の女性たちが明夫の部屋に出入りし、ときには明夫が大声を出したり、女性が泣いているのも聞こえたが、痴話喧嘩や別れ話だろうと思っていた。

監禁されている女性を見たことなどないし、ましてや助けてくれと頼まれたこともない。助けようとしたこともない。息子が怖くて助けられなかったなどというのは作り話だ。もちろん、かばってなんかいない。

「しかしそれでは、佐藤昌子ちゃんの件で地元の人たちとトラブルになったあの日、あの日の真夜中ですよ、あなたがあなたの家の真ん前で、居合わせた記者たちの見ている前で、息子さんと息子さんの〝悪い仲間〟があなたの家でしでかしているらしい犯罪について知っていると、だから息子を止めてほしいと、大声で泣きながら打ち明けたのは、どうしてですか？」

取調官がそう切り返すと、三和尚子はただ口をつぐんでしまう。そういうとき、彼女はいつも腕をさすり始める。あの夜、どこの誰とも知らない小太りの中年女に触られた腕。触れ合った瞬間に、何かが吸い取られるような感覚を覚えた。あの中年女に、頭の中身を覗かれたような気がした。

しかし、取調官には、そんなことは言わない。誰が信じてくれるものか。今では彼女自身も信じられないのに。

そうだ。だから誰も信じない。弁護士さんに聞いたけど、あの中年女のことは記事にもなってないじゃないか。

土井崎元様、向子様。

わたくしと萩谷敏子さんとの〝体験〟は、ここまで綴って参りましたとおりでございます。ここから先、三和明夫の抱えている暗部に関しては、警察の捜査で解き明かされることに期待をかけるしか術がございません。

ただ、わたくしには心残りと気がかりがございます。

以前に一度だけ、土井崎元様にお会いした際、わたくしは出過ぎたことを申し上げました。お嬢さんの誠子さんから依頼を受けた立場としても、過ぎた物言いだったかもしれません。申し訳ありませんでした。

わたくしは、ご夫妻の口から誠子さんに、十六年前の事件の真相を語っていただきたいとお願いしたのでした。

今も、その願いに変わりはありません。

誠子さんには、わたくしの方からは、まだ何もご報告しておりません（その意味では、現時点では、わたくしは誠子さんのご依頼にきちんと応えていないことになります）。誠子さんからも、今のところご連絡をいただいておりません。

誠子さんは、三和明夫のことは何もご存じありませんが、ここ数日、かまびすしく報道された佐藤昌子ちゃんの事件に、わたくし前畑滋子と、わたくしとは違って個人を特定できる情報こそ伏せられておりますが、誠子さんから見たらどうしても萩谷敏子さんとしか思われないだろう女性が二人揃って関わっていることを、ひどく不審に感じておられるはずです。不安も覚えておられることでしょう。誠子さんは聡明な女性です。

今一度、ご夫妻にお願い申し上げます。

誠子さんに、茜さんのことを話してあげてください。

この前畑滋子が、誠子さんからのご依頼に、もっとも誠実に応じようとするならば、ご夫妻にこうお願いすることが、今となってはいちばん正しい道であると、わたくしは思います。その旨を、このあと、誠子さんにも手紙をしたためまして、お伝えするつもりでおります。

ですから、ご夫妻がわたくしの願いを聞き入れてくださった上で、もしも誠子さんが、「もうそんな必要はない」というお気持ちでしたら、何も語っていただく必要はなくなります。それが土井崎家の皆様にとって、もっとも望ましい決着点になるとも思います。

わたくしの心残りと気がかりも、その時点で意味を失います。わたくしは、土井崎家の皆様とはご縁のない存在となり、皆様に忘れていただき、またわたくしも皆様を忘れることで、ピリオドを打つことにいたしたいと存じます。

末尾になりますが、弁護士の高橋先生に申し上げましたとおり、わたくしはこの件について、けっして何かを書き著(あらわ)すことはなく、公表することもございません。それはまた、萩谷敏子さんのお望みになるところでもございませんので、けっしていたしません。

そのお約束だけは、他の全てが消え失せた後も残ります。固く固く、お守りすることを、再度お約束申し上げます。

前畑滋子　拝

終章　楽園

二〇〇五年八月の末、昼下がりのことである。前畑鉄工所の看板の前を通り、敷地のなかを横切って、すらりとした若い女性が、前畑家の方に歩いてくる。ちょうど洗濯物を干していた滋子は、すぐに気づいた。野本希恵である。

「こんにちは！」

声をかけると、野本刑事は眩しそうに額の上に手をかざし、軽く頭を下げた。ライトグレーのスーツに半袖の白いブラウス。スーツの上着は脱いで腕にかけ、重そうな鞄と小さな紙袋を提げている。

「こっちからどうぞ、おあがりください」

滋子は縁側へと手招きした。と、声を聞きつけたのか、廊下の端から萩谷敏子が顔をのぞかせた。

「あら、まあ、刑事さん」

まだまだお暑いですねぇ。少しご無沙汰してしまいました。いえいえこちらこそ。その後いかがおすごしでしたか。お忙しいんでしょう——女たち三人は、他愛ない挨拶を交わし合った。

操業時間中の前畑鉄工所から、ときどき機械の稼働音や、甲高い金属音が聞こえてくる。滋子は窓を閉め、簾（すだれ）を半分おろし、折りたたみ式のお膳を据えて、エアコンの送風を確かめる。敏子が冷茶を配る。野本刑事が紙袋から菓子折を取り出す。

礼を述べて受け取りながら、滋子はふと既視感に襲われた。萩谷敏子が初めてノアエディションを訪ねてきたときも、こんなやりとりをした。あれも、五月というのに真夏さながらの暑い日だった。

三人が揃い、こうして落ち着いて顔を合わせるのは、三和家前での劇的な瞬間があって、所轄警察署で事情聴取を受けたあの日以来のことである。もう一カ月近く経つことになる。ホントにご無沙汰だ。

互いに近況を尋ね合い、野本刑事が切り出した。「少しは落ち着かれましたか。お身体の調子はいかがです?」

萩谷敏子ははにかんだようにうなずいた。三和家での出来事からこちら、緊張続きだったせいか、体重が二、三キロ落ちた。血色は悪くないが、頬はこけた。

「おかげさまで、元気でございます」

すっかりこちらに居候を決め込んでしまいまして——敏子は首を縮める。

「居候じゃありませんよ。敏子さんのおかげで、わたしは楽ちんですもの。家事をほとんど引き受けてもらっちゃって」

滋子が笑うと、

「いいですねぇ」と、野本刑事も明るく受ける。「羨ましい。でもそういうの、クセになりませんか?」

「なります、なります。ずっと敏子さんにいてほしくて、かき口説（くど）いてるところですよ」

野本刑事は、六畳間の正面に据えてある前畑家の仏壇に目をやった。その隣には、丈の低い小さな台を置いて、萩谷等の位牌を並べてある。高尾山へハイキングに行ったときの、笑顔の写真も一緒だ。

佐藤昌子の拉致事件が解決し、三和明夫とその仲間による女性殺人事件が発覚した後、当然のことだが、滋子と敏子は各種メディアの取材攻勢の標的となった。滋子は、自分自身は仕方ないとしても、敏子のプライバシーは何としても守りたかった。どんな形であれ、敏子をこの件でさらし者にしてはいけない。護(まも)りを固めるためにはまず、急いで敏子を船山のアパートから移す必要があったが、どこへ移そうと、そこで敏子が独りぼっちでいるのでは、やっぱり危ない。誰かに嗅ぎつけられれば、敏子一人では太刀打ちできない。さりとて、滋子が四六時中そこに張りついているわけにもいかない。

すると昭二が、うちに来てもらえばいいと言い出した。うちで匿(かくま)おうぜ。取材に来る連中だって、まさか萩谷さんが滋子と一緒にいるとは思わないだろ？　盲点ってヤツさ。

「なるほど。『盗まれた手紙』ね」

「何だ、それ？」

「いいのいいの、気にしないで」

という次第で、萩谷敏子は、とりあえず着替えと等の位牌と写真だけを抱えて、前畑家に転がり込むことになったのである。

当然、勤め先のスーパーも辞めた。これは、等の絵を見出した同僚の〝お騒がせ屋〟秋吉夫人から離れるためでもあった。ひとつ間違うと、ワイドショーのレポーターより厄介な存在になりかねない人だ。敏子も、それはよく理解してくれた。

昭二はさらに周到で、取材攻勢がピークの時期には、自腹を切って警備員を雇ってくれた。滋子を取材しようとやってくる記者やレポーターたちを「交通整理するために」である。

「外から客が大勢押しかけてくると、工場の操業に差し支えるからな。社員たちも迷惑するしよ」

経費だ経費、と言った。前畑鉄工所の顧問税理士が認めてくれるとは思えないが、滋子は深く感謝した。

最初の二日間で、滋子はノアエディションの野崎と高橋弁護士に智恵を借り、今度の事件について、「表向きに公表する筋書き」を完成させた。その間は、

「警察の捜査に協力することを優先しておりますので、今はまだ取材にお応えすることができません」

という優等生的コメントの一本槍で切り抜けた。萩谷敏子を守るという点でも、これは意外と効いた。メディアのなかには、やはり、〝あの前畑滋子〟を記憶している人びとがいて、彼らの視線はもっぱら滋子に向いていたからである。

おかげで、あおりを食らったのはノアエディションの二人である。電話は終日、鳴りっぱなし。次から次へと記者やレポーターが訪ねてくる。野次馬も押しかける。ひどい迷惑をかけてしまった上に、滋子の長期休みのせいで——クビにしてくださいと頼んでも、野崎は承知しなかった——人手が足らずにてんてこ舞いだ。

「いいよ、戻ってきたら返してもらうから」「そうですよ滋子さん。待ってますからね」

何であなたたち、そんなに人が好いのと、滋子はむかっ腹が立ちそうになったほどだ。そういうのを逆ギレというのだと、昭二に説教された。意味が違うと思う。

もちろん滋子は、「表向きに公表する筋書き」なるものを、事情聴取を受けた時点で、八割方は作り上げていた。事情聴取の際、滋子と敏子が引き離されず、終始二人一緒にいることができたのも運が良かった。

敏子は滋子に舵を預け、滋子がリードするとおりにうなずいたり、同意したり、滋子がその場その場で繰り出してゆく言説に添った証言をしてくれたりした。言葉は短く、余計なことは言わない。どう答えればいいか判断に迷う部分にぶつかると、よく覚えていないのですが、どうだったでしょうか前畑先生、というふうに時間を稼いでくれた。その柔軟な対応に、実際、滋子は内心で舌を巻いたものだ。

祖母のちやという託宣の暴君に人生をいいように支配され、流されてはきたけれど、萩谷敏子の奥底には強靭な聡明さが隠されていた。智恵と力は損なわれず、眠ったまま温存されていたのだ。それが目を覚ました。

ただ、事実関係を固めることが目的の捜査当局と、些末（さまつ）な要素であっても世間の耳目を集めそうな事柄なら何でもかき集めようとするメディアとでは、手強さの質が違う。だから滋子は、残りの二割の筋書きを隙のないものにするために、野崎と高橋弁護士の助力を請うたのである。

野崎は、表現は悪いが面白がっていた。高橋弁護士は、またぞろ苦り切っていた。が、熱心に協力してくれた。それは無論、ここで下手を打てば、彼の依頼人である土井崎家の三人にまで、騒動の波が押し寄せることがわかり切っているからである。

こうして現在では、あの事件については、ひととおりの矛盾のない筋書きが流布している。曰く、前畑滋子は、一人息子の等を交通事故で失った萩谷敏子という母親の依頼を受けて、敏子が等の思い出を綴った本を執筆する手伝いをしていた。その過程で、等が参加していた「あおぞら会」の存在を知り、あくまでも等の思い出を集めるために「あおぞら会」を取材し、たまたま、あの組織の暗部に気がついた。そこで取材活動を深めてゆくうちに、その暗部に潜んでいる金川会長の甥・三和明夫の存在を知るに及んだ。

　小学生佐藤昌子の失踪事件は、まさにその取材活動の最中に発生した。地元の人びとが、彼の前科前歴を理由に、佐藤昌子の失踪に三和明夫が関係していると思い込み（結果的には、それは単なる思い込みではなかったわけだが）、母親の三和尚子と争って傷害事件が発生してしまった——などという経過には、滋子も敏子も一切関わりはない。あの日、滋子が敏子を伴い、千住南警察署の若き女性刑事野本希恵と共に三和家を訪れたのは、テレビの報道を見て驚き、とりあえず三和家の現況を把握するためには現地へ行くべきだと判断したからである。なお、野本刑事は滋子の以前からの知り合いであり、滋子が三和家を訪れる際、万が一、会見が紛糾した場合を想定して同道してもらったものであり、彼女もまた、佐藤昌子の拉致と、それ以前の三和明夫と彼の仲間たちによる一連の監禁・暴行・脅迫、そして殺人事件についてはまったく関知も予想も予測もしていなかったものである。

「わたしたちは、あくまでも〝あおぞら会〟と三和明夫を追いかけていただけです」

　前畑鉄工所の駐車場で何度か行うことになった共同インタビューで、滋子は繰り返しそう強調した。

「ですからあのとき、誰よりも驚いたのは、わたしたちなんですよ」

　面白がっている野崎は、わざと人の悪そうな笑い方をして、こう評したものである。

「シゲちゃんは天性の嘘つきだ」

　おっしゃるとおりでございます、自分でも呆れますよと、滋子は笑い返した。

「でも、わたし以上の役者がいますからね」

「そうだよな」と、野崎は認めた。笑いが消えて、ほとんど畏怖(いふ)に近いような感嘆の色が瞳に浮かんだ。

「あのおばさん、やるもんだよな……」

あの瞬間――萩谷敏子が三和尚子に謎めいた言葉を投げかけ、三和尚子の砦(とりで)を崩したあのやりとりに関してだけは、滋子が防波堤となることには無理があった。こればかりは、記者たちもレポーターたちも、敏子の直話をとらねば諦めない。引き下がらない。なにしろ、あの場に居合わせた記者たちもいるのだ。そこで滋子も妥協点を探し、敏子の個人情報を記事にしない、写真や映像は公開しないことを条件に、彼女を記者たちの前に立たせた。

敏子は、打ち合わせた筋書きどおりに話してくれた。それだけではなかった。彼女はそこに、独自の演出効果を加えた。

幼い息子を亡くし、一人残された傷心の母親の肖像。素朴で優しく、メディアだの報道だの、もちろんのこと犯罪などにはまったく無縁の善良な中年女性。

「あのとき――三和さんのお母さんに、わたしがいろいろ申し上げましたのは」

記者たちの視線を浴びながら、敏子はうつむいてとつとつと語った。

「前畑先生と一緒に、三和さんのお母さんのお帰りを待っているあいだに、近所の方から、いろいろと、三和さんには、悪い噂があることをお伺いしましたんです。女の人の悲鳴が聞こえたとかいうことでございますけども、それでわたし、あのとき三和さんのお母さんのお顔を見まして、あんまり悲しそうで、お辛そうで、それでとっさに思ったといいますか、感じたといいますか、悪い噂どおりのことがあったなら、このお母さんが知らなかったはずはない、知っていて、一人で苦しんでおられたんだって思いまして……これはもう母親の勘としか申し上げようがないんですけども、ハイ、それでわたし、あんなことを言ってしまったんでございますよ」

たまたま、あたっておりました。

「ですからあれは……言葉は悪いですけれども、今となっては、はったりとでも申しましょうか。お騒がせして本当に申し訳ないんでございますけども、ハイ」

うっすら涙ぐみながら、敏子は語ったのだ。傍らで聞いていた滋子さえ、信じ込みそうになってしまった。

母親の勘、か。

はったりだった——か。

本当に、それが真実だったのではないかと、滋子も思ってしまいそうになった。

こうして、滋子と敏子は事態を乗り切ってきた。滋子が作った筋書きは、立派に通用した。天性の嘘つきも、役に立つことがある。

取材メディアは滋子との約束を守り、萩谷敏子の存在は報道しても、彼女を特定できる情報は伏せてくれた。ただ、ネットワークの世界だけはそれほど甘くなく、いくつかのサイトで敏子の顔写真や名前がアップされていて（それをチェックして教えてくれたのは、〝あおぞら会〟について調べてくれた、あのネット通のライターである）、滋子の気がかりのもととなっている。既にして記者たちが訪れることもなくなって半月は経つのに、遠慮する敏子を説得し、まだ彼女を前畑家に引き留めている理由もそこにあった。

野本刑事が昼食を済ませていないと聞くと、敏子はまめまめしく立ち働き、そうめんを茹(ゆ)で薬味を刻んだ。食べ始めるとすぐに、野本刑事は目を丸くした。

「このそうめんの汁、どこの会社のですか？　スーパーで売ってます？」

滋子は我がことのように鼻を高くした。

「売ってません。敏子さんが出汁をとってつくるんですから」

敏子は大いに照れる。「もう一週間もすれば、冷たいそうめんより、煮麺の方が美味しくなりますよねぇ」

三人でいるあいだは、その後の三和明夫の様子とか、佐藤昌子がすっかり元気になったとか、事件についての話を散発的に交わした。ジャブの応酬でさえない、準備体操のようなものである。

敏子はきちんと察しており、食事が終わるとすぐ立ち上がった。

「先生、わたし洗い物を済ませて、買い物に行って参ります。クリーニング屋さんにも寄りませんとね。工場の皆さんのお三時は、今日は何がよろしいでしょうか」

「じゃ、あんみつをお願いします。駅前の大森屋。あれ、昭ちゃんが大好きなんですよ」

わかりました、行って参ります、ごゆっくり――と野本刑事に声をかけて、敏子はそそくさと姿を消した。

「察しのいい人です」と、女性刑事は言った。

「もう驚いたりしませんけどね」と、滋子は笑った。そして、野本刑事の鞄を指さした。「何かお土産をいただけるんですか？」

これまでの報道では――近頃では、三和明夫の事件に関する報道の頻度と量が激減しているのだが――彼の前科前歴に加わる、過去の新しい事件の情報は出てきていない。

土井崎茜も関係していた――かもしれない、眠れる事件の情報は。

鞄には手を伸ばさず、滋子の目を見て、野本刑事は訊いた。「昨日発売の週刊サンデー、見ました？」

滋子はかぶりを振った。

「批判されてましたよ。前畑滋子は、〝あおぞら会〟についてでもいいし三和明夫についてでもいいけど、今度こそきちんと書くべきだって」

ちなみに見出しは、「大事件を嗅ぎつける女レポーターの不可解な行状」だったそうである。

「ま、慣れてます。〝あおぞら会〟のことは、わたしが手を出さなくたって、もう充分に書かれてますしね」

三和明夫の逮捕からなか一日おいて、「あおぞら会」事務局には家宅捜索が入った。昨今ではむしろ、こちらの件の方が、新聞や雑誌の上では尾を引いているくらいだ。金川会長は、さんざん気を持たせてから「釈明会見」を開き、特殊な前科前歴を持つ甥を、その事実を知りながら「あおぞら会」の運営に関わらせていたことに対して、苦しい弁明を試みた。ものの十五分で終了した、質疑応答もない会見だった。

その後間もなく、彼は「あおぞら会」から身を引いた。会そのものも、次から次へと脱会者が出て、空中分解の様相を呈している。

野本刑事は鞄を開けた。Ａ４サイズのクリアファイルを取り出し、滋子に差し出す。

「大したものではありません」

彼女が渡りをつけた所轄署の「話のわかるおっさん」刑事は、たとえ公訴時効を迎えていようとも、三和明夫の過去に別の殺人事件が隠れているのなら放ってはおけないと、ずいぶん骨を折ってくれたそうだ。が、三和明夫が今度の一件で送検されるまでのあいだに、これという収穫を得ることはできなかった。

「どっちにしろ時効を迎えているのなら、下手につっついて、こっちの本件の方がこじれると困る、という考え方もありますからね」

滋子はファイルから、プリントされた二枚綴りの用紙を取り出した。横書きの文字が並んでいる。

「もう退官している人なんですけど、千住南署の少年課にいた先輩に会ってきました。で、高校時代の三和明夫とつるんでいた仲間の名前を、何人か教えてもらったんです。当時、少年課では有名な連中だったそうで」

現在の居所がわかった仲間が二人いて、会ってきた、という。

「そこにも書きましたけど、ちょっと興味深い証言ですよ」

土井崎茜が「家出した」ことになっていた当時、三和明夫が、彼や彼女とつるんで遊んでいた仲間たちに、それについてどう説明していたか、ということだ。

土井崎元は、「巧いこと言いくるめていたんでしょう」と言い捨てていたが――

「仲間に茜のことを訊かれると、明夫はそのたびに適当な作り話をしていたんです。茜が口うるさい親父とおふくろに嫌気がさして、家を出て働きたいというから知り合いの店を紹介したとか、俺の親戚が大阪に住んでて、そこで美容師の勉強をしてるとか、その金は俺が出してやったとか」

どんな説明をする場合でも、茜は親と縁を切りたがってるし、捜されるとまずいから、今の彼女の居所は教えられないと言っていたという。

「茜は彼にのぼせて入れあげていましたけど、明夫の方は意外とそうでもなかった。ほかにも女の子をぶら下げていたそうです」

「実は、ロミオとジュリエットじゃなかったわけですね」

三和ロミオは、飽きるのも早かったのだろう。彼にとって、女は消耗品に過ぎない。

「残念ながらね」野本刑事は、一瞬、茜のために本当に痛そうな顔をした。

「だから、茜が姿を消したのに、明夫が平然としていることを、仲間たちは特に不審には思わなかった。ただ――」

ただ、の先を、滋子は読んだ。

――当時、必ずしも茜と明夫の間柄は円満だったわけではなく、恋人然とふるまう茜に対して、明夫が怒る場合もあった。暴力をふるった場面も目撃されている。それは継続的な争いではなく、一時の喧嘩ではあったが、茜が泣いていたこともある。三和明夫は仲間たちに、茜がつきまとうのでうっとうしいと話したこともある。

「それで、仲間たちのごく一部ではありますが」と、野本刑事が続けた。「茜が姿を消したとき、三和明夫が彼女をどうかしたんじゃないかという疑いを抱いた者がいたそうです。つまりその」

滋子はわざと冷酷な表現をした。「うっとうしいから処分してしまった、と」

「そうですね」

しかし彼らは誰一人、その疑惑を三和明夫にぶつけることをしなかった。

――三和明夫は、遊び仲間のあいだではボス的存在ではあったが、まとめ役として頼られるというよりは、恐れられていた。

気にくわないことがあると、何をしでかすかわからない奴、ということだろう。

「それともうひとつ」野本刑事は指を立てた。「三和明夫は、自動車の窃盗に長(た)けていたそうなんです。いい腕だったって」

これには仲間たちの証言だけでなく、その退官した先輩の直話の裏付けもある。

「十六年前といえば、まだ自家用車の盗難防止装置なんて一般的なものじゃなかったし、中古車ディーラーとかが使っている汎用キーを手に入れれば、意外と簡単に駐車場から車を盗み出せたそうなんですね。窓ガラスを割って、車内に隠されているスペアキーを探し出して使う場合もあります」

三和明夫は、それも巧かったのだそうだ。

しかし彼は、盗んだ車を売り飛ばして金に替えることはなかった。そんなルートは持っていなかったのだ。ただ盗んで好きなように乗り回し、適当に乗り捨てるだけだった。その前に、車内にある金目のものを持ち出すことは忘れなかったが。

「三和明夫と土井崎茜がよく原付に乗っていたという話は聞いたんですけど」

「ああ、それは明夫の原付です」

「乗り回していたのは原付だけではなかった、という証言も、確かにありました」

「鳩の巣」の浦田鳩子がそう言っていたのだ。

野本刑事は軽くため息をついた。「というわけで前畑さん。明夫と茜のカップルの行動範囲は、わたしたちが漠然と考えているよりも、もっとずっと広かった可能性が出てきました。気まぐれに車を盗んではドライブしていたとなると、あなたが疑っている未解決の事件が――たとえ本当に存在するとしても、千住南警察署管内で起こったものだとは限らなくなりました」

「ですね」と、滋子も息を吐いてうなずく。「彼らが気まぐれで北へ向かった場合なら、警視庁の管内でさえないかもしれない」

「はい。ですから」

野本希恵はぺこりと頭を下げた。

「申し訳ありませんが、わたしには調べきれないと思います」

結局、三和明夫の告白を待つしかない。

あるいは——土井崎夫妻の。

「追及の仕方によっては、三和明夫は話すでしょうか？」

首を振って、望み薄ですと、若い女性刑事は答えた。「したたかですからね。しぶといですよ」

口元だけで苦笑すると、「そもそも、担当検事が追及してくれるかどうかも、もっと望み薄ですし」

滋子はプリント用紙をファイルに戻した。今度は、野本刑事が滋子に尋ねた。

「反応はありましたか？」

滋子は彼女の瞳を見た。

「土井崎夫妻に手紙を出したんですよね？」

「ええ」

「リアクションは？」

滋子はまたかぶりを振った。

「誠子さんから連絡は？」

「ありません。三和明夫の逮捕以来、一度もないんです」

野本刑事は、きれいに整えた眉をひそめた。「前畑さんがご両親に出した手紙が、何らかの形で影響してるんでしょうね。そうでなかったら、誠子さんが何か言って寄越さないのは不自然ですよ」

——前畑さん。あの三和明夫とかいう男の事件は何なんです？　どうしてあんな事件に、萩谷さんと一緒に関わってたんですか？

——あの事件が、もしかして、姉さんのこととも関係があるんですか？

「高橋弁護士は？」

「音沙汰なしです。わたしからも連絡はしていません」

表向きの筋書きが通った以上、高橋弁護士には、もう滋子と接触する必要がない。

「達夫さん——ああ、誠子さんの別れたご亭主ですけど」

「ええ、復縁しそうだとか」

「彼からも、電話一本ないんです」

井上達夫には、なかなか鋭いところがある。AとCを手にしたら、そのあいだにBがあることをすぐ推察することのできる青年だ。

不安げに目を細めて、野本刑事は問いかけてきた。「どうなさるんです？」

滋子は答えた。「待つだけです」

お膳の上のクリアファイルに収められたプリントは、妙に行間が広い。情報の乏しさをすまながって、せめて体裁だけつけようとしているかのようだ。

その行間に似た沈黙がおりてきた。

一段と高い金属音がして、野本刑事が、窓ガラスの向こうの前畑鉄工所を見やった。

「はったり、だったんでしょうか」

「え？」

「萩谷敏子さんですよ」

彼女の発揮した「能力」です。

「わかりません。どうなんでしょう」

「敏子さんの祖母のちやという女性には、あったんでしょう、その能力が。超能力というか、サイコメトラーですか」

「〝第三の眼〟ですよ」

昭二が使ったこの表現を、滋子も愛用するようになった。

「第三の眼ね。それが一種の〝資質〟というか〝適性〟というか、そのようなものであるのだとしたら」

固い物を噛み砕くように、女性刑事は言いにくそうな口つきになっている。

「等君だけでなく、敏子さんも持っていたとしても、不思議はないわけですよね」

理屈としては、そのとおりだ。

「敏子さんは何て言ってるんです？」

敏子は出かけているのに、野本刑事は声をひそめた。

「はったりでしたというのは、あくまでも警察やマスコミ向けの筋書きでしょう？　本当はどうだったと言ってるんです？　前畑さんには打ち明けているんでしょう？」

もちろんだ。滋子も尋ねてみた。

——わかりません。

敏子は当惑し、顔を伏せてそう答えた。何度尋ねても答えは同じだった。

——あのときは、とっさにああいうことが頭に浮かんできたんですよ、先生。あのときだけ、わたしにも、等みたいなことができたのかもしれません。それとも、記者の皆さんにお話ししたみたいに、母親の勘だったのかもしれないです。自分でも、もうわからないんです。「わたしはね」滋子も、工場の方を眺めながら言った。「あのとき、等君がお母さんに乗り移ったんだと思うことにしてるんです」

野本刑事は滋子を見つめる。

「あの新聞販売店のお子さん、覚えてますか？」

「ええ、小学生の男の子」

「字は違うけど、ヒトシという名前でした」

野本刑事はゆっくりとうなずいた。

「それがきっかけになって、あのとき一瞬、等君の魂が敏子さんに降りてきたんじゃなかったのかな」

ヒトシ君――と、小さく呟く声がした。女性刑事は目を伏せていた。思いのほか長い睫毛が頬に影を落としている。

「あの母子のあいだなら、そういうことがあってもおかしくないと思うんです」

萩谷等は、生前何度となく、母親の記憶を見て絵を描いていた。あの梅の花の絵もそのひとつだ。二人は記憶を共有していた。それは等の側からだけの共有のように見えたが、実は敏子の側からも、等よりは遥かに力が弱かったのだろうけれど、彼に働きかけていたのではなかったか。

その相互作用が、三和尚子を前にして、たった一度だけ蘇った。

「等君がいたんですよ。三和家の前で、夜道に立っているお母さんのそばに」

野本刑事は、うなずくことも、かぶりを振ることもなかった。黙って何度かまばたきし、開いていた鞄のジッパーを閉めた。

「野本さん」

女性刑事が顔を上げる。滋子は胸がつと熱くなるのを感じた。

「もっと言うとね、今度の事件のなかにいたのは等君だけじゃないんです。わたし——茜さんの姿も見ました。確かに見たような気がするんです」

どういうことです？　女性刑事が乗り出したとき、鞄のなかで携帯電話が鳴り出した。

滋子は、心に打ち寄せてきた波が引いていくのを感じた。タイミングが外れた。もう、野本さんにこの話をすることはないだろう、と思った。それでいい、と思った。

忙しく電話に応じ、間もなく残暑厳しい町中に戻ってゆくであろう女性刑事のために、冷たい緑茶を入れ替えようと、立ち上がった。


あの手紙への反応は、前畑滋子が夢に見ることはあっても、期待も予想もしていなかった形で返ってきた。

野本刑事の訪問から二日後の朝のことである。前畑家のリビングで、電話が鳴った。滋子と敏子は手分けして掃除をしているところで、電話のそばにいた敏子が受話器をとった。

相手の声に耳を傾ける。途端に、敏子の頬から色が抜けた。滋子は掃除機を止めた。

「先生」

敏子の声がおかしい。こちらに差し出した受話器も揺れている。

「土井崎さんのお母さんからです」

今回も、そしてこれが最後になるが、滋子は高橋弁護士に応援を求めた。土井崎向子との面会場所として、彼の事務所を提供してもらったのだ。

「今週の日曜日、午後一時。日曜ですから私は不在です。甥もおりません」

きびきびと、弁護士は言った。不愉快そうではなかったが、表情は硬かった。

「ただ、私は今扱っている某事件の控訴趣意書を書くために、午後二時には事務所に出てきます。ですから、あなたが自由に使える時間は一時間だけですよ」

感謝するしかない。

「でも、先生は同席なさらなくてよろしいんですか」

滋子の問いかけに、まばたきするほどのあいだだけ、高橋弁護士は怒った。怒りは稲光のように表れて、消えた。

「もう、私が耳にする必要はない話ですよ。あなたにとっては違うんだろうが」

言葉の末尾には、疲労感が滲んでいた。

滋子は十二時半から事務所で待っていた。自分でも驚いたが、平らな気持ちで座っていることができた。買い込んできた冷たい飲み物を事務所の冷蔵庫に収め、小鳥のような多田君がきれいに磨いて戸棚に並べてあるグラスを一対取り出して、コースターの上に伏せておいた。

一時五分前に、ドアチャイムが鳴った。

人間の勝手な想像には、限界や偏向があるものだ。土井崎向子は滋子より背が高く、骨太な体格をしていた。頬骨が高く、鼻筋がとおり、えらが張っている。美人ではないが、印象に残る顔立ちだ。

もっと弱々しい女性だとばかり思っていた。華奢(きゃしゃ)で細面(ほそおもて)で泣き顔で、出会ったばかりのころの萩谷敏子に通底する、おろおろしがちな雰囲気を身にまとった人だろうと。

まったく違っていた。土井崎夫妻は、いわゆる〝蚤の夫婦〟だ。二人の体格差と、それが醸し出す印象が左右するものは、夫婦のあいだで、家族のあいだで、きっと大きかったに違いない。

滋子は読み違いをしていた。

「初めてお目にかかります。茜と誠子の母でございます」

声は低くかすれていたが、震えてはいなかった。語尾が空に消えることもない。ただ顔色は蒼白だ。薄緑色のサマースーツが映っているせいばかりではないだろう。

ソファを勧め、飲み物を用意しているあいだ、滋子の胸は高鳴っていた。胴震いがしていた。昂揚しているのではない。気圧されているのだと自覚した。

土井崎向子は、前畑滋子と決着をつけるためにやって来たのだ。

「先日は、突然お電話をいたしまして、失礼いたしました」

膝を揃えて腰をおろし、軽くうつむいたまま、向子が先に切り出した。

かまいませんと、滋子は穏やかに応じた。

「わたくしの連絡先は、高橋先生からお聞きになったんですね?」

手紙を書いたとき、さんざん迷いはしたものの、滋子は電話番号を記さなかったのだ。書いたのは差出人としての住所だけである。電話番号を書くことで、夫妻に何かを期待している——もしくは要求しているように受け取られることが怖かったのだ。

ふっと間を置いてから、土井崎向子は目を上げた。

「いえ、誠子に聞きました」

滋子が推察していたとおり、三和明夫の事件に滋子と敏子が関わっていたことに、誠子は敏感に反応していた。それには井上達夫の助言もあったらしい。

「誠子がわたしどもに電話を寄越しまして、もしかしたら、あの三和という男は、姉さんのことと何か関係のある人物なんじゃないかと、わたしどもを問い詰めました。ひどく興奮しておりました」

——それにあたし、あの男の顔に見覚えがあるのよ、お母さん。昔、見たことがあるような気がするの。

誠子が朧（おぼろ）な記憶を持っていたとしても、それが現在の三和明夫の映像を見ることによって喚起されたとしても、不思議はない。

「わたくしのところには、誠子さんからはお尋ねがなかったんです」

言い訳がましく聞こえる台詞で、滋子は己を恥じた。

向子の硬い口調と、平らな表情に変化はない。「わたしも主人も、そのことなら前畑さんという方に直接訊いてみればいいと、誠子に申しました。すると誠子は、前畑さんはあたしには本当のことを言ってくれない、と」

——何か隠し事をしてるのかもしれない。ひょっとして、お父さんとお母さんが、前畑さんにそうするように頼んだの？

あたっている。確かに滋子は、土井崎元に会ったことも、強請についても隠していた。だがそれは、土井崎夫妻に頼まれたからではない。

「お手紙をいただいたのは、その後です」

淡々と、向子は続ける。このサマースーツは、たぶん新品だ。わたしに会うために買ったのかもしれない。滋子の思考は乱れて脇道に逸れた。

「それでわたしの方から、誠子に申しました。お母さんが前畑さんにお会いしてくるから、それまで待つようにと。よろしかったでしょうか」

もちろんですと、滋子は答えた。

二人の目が合った。

滋子は逸らさなかった。向子も逸らさなかった。壁の時計の針だけが、音もなく動いている。

「誠子は達夫さんと離婚しましたが」

言葉を続けながら、土井崎向子は視線を下げた。女性にしてはがっしりと広い肩が、わずかに落ちた。

「また復縁を考えていたようです。でも、うまくいくものじゃございません。ちょうどあのころから喧嘩ばかりするようになって、誠子はそのことでも悩んでいたようです。ヒステリックになっていたのも、半分方はそちらのせいかもしれません」

「わたくしも――」

言いかけて、声がかすれていたので、滋子は咳払いをした。

「わたくしも、誠子さんが達夫さんと喧嘩してしまったと聞いたことがあります」

二人の仲はぎくしゃくして、溝は深まる一方だったのだ。三和明夫の件が明らかになる以前も、誠子が滋子に連絡してこなかったのは、達夫のことでいっぱいいっぱいで、それどころではなかったからかもしれない。

「娘のことですから、わたしも可哀相だと思いますけれど、ああなってしまっては無理でしょう。そもそも、よりを戻そうとしたのが間違いでした」

誠子の離婚の原因を思えば、ひどく冷たい言いぐさだ。が、滋子はそうは感じなかった。乾いている、と思っただけだ。干涸(ひから)びている。荒涼としている。

ここにも読み違いがあった。土井崎向子は、滋子が土井崎元と誠子の語りを通して想像していたような女性ではなかった。

「主人は――」

ふと、労るように優しい声音になった。

「前畑さんは気づいていると申しております。たぶん、いろいろ調べてわかったんだろう。手紙には匂わせてあるだけだけど、みんなお見通しなんだろうと」

滋子は再び胴震いに襲われた。向子に悟られないよう、身体に力を入れた。

「それはどういう意味合いのお話でございましょうか」

駄目だ。太刀打ちできない。いつの間にか、滋子の方が向子の視線から逃げている。

「前畑さんにはおわかりのはずです」

静かな口調で返されて、しかし、滋子はとうとう目を閉じてしまった。

瞼の裏に、等が描いたあの絵を思い浮かべた。風見蝙蝠のある家。灰色の肌の少女。

――この女の子は悲しいんだよ。ここから出られないから。

面を上げて、滋子は口を開いた。「ひとつ、お伺いしてもよろしいでしょうか」

土井崎向子はただ黙礼した。

「茜さんは、中学校の校章を二つ持っておられたのではありませんか？　ひとつは新品で、ビニール袋に入ったままでした。クッキーの空き缶のなかにしまってありました。入学以来一度も着けたことがなかったのかとも思ったのですが、お母様がそういうことを許されるとも思いにくくて、不思議なのです。ご記憶はおありですか」

これまで滋子は、頑丈そうな造りで、複雑そうな機能を持ち合わせているように見えるのだけれど、操作パネルが見あたらないので、動かし方がわからない機械と向き合っていた。

だが、たった今、その機械の稼働音が聞こえた。これほど静かな場所でなければ聞き逃してしまうだろうかすかな音をたてて、機械が動き始めた。滋子は、たまたまスイッチに触れたのだ。どこにあるか見えないスイッチに。

土井崎向子の眼差しが揺らいだ。指先が少しだけぴくりとした。

「茜を埋めますときに」

声音は再び、淡々と干涸びたものに戻っていた。

「制服を脱がせました。家出するのに、制服を着たままのわけはありませんから、脱がせなくてはならないと思ったのです」

「一九八九年、十二月八日の真夜中のことですね？」

向子は岩のように動じず、ただ顎の先だけでうなずいて、続けた。

「茜が夜遊びから帰ったのは、十二時過ぎのことでした。あの日は中学の制服を着ていたのです。茜は、遊び回るときには私服で出ることが多かったんですが、制服を着たままふらふらしていることもございました。きちんと着てはいませんでしたが」

「着崩していたんですね」

「はい。それもファッションのうちだったんでしょう。あの男が――三和明夫ですか」

確認を求められて、滋子はうなずきを返した。「当時は〝シゲ〟と呼ばれていた少年です」

「あの男が、茜が制服を着るのが好きだったのかもしれません」

私服姿でふらふらするより、よりいっそう不良少女らしく見えたから。

「ともかく、着替えさせなくてはなりません。それで脱がしておりますときに、校章がついていないことに気がつきました。わたしが気づいたんです」

　空気が喉に詰まったようになって、声が途切れた。

「どこかで落としたのかもしれないと、夫と話し合いました。夫もわたしも取り乱してしまいました。どこで落としたのか――もしかして、外で――」

　喉がごくりと鳴った。

「夫は、今夜落としたのではないかもしれないから、気にしても仕方ないと申しました。わたしも夫も、茜の制服の校章のことは、さっぱり覚えていなかったのです。夫の言うとおりだと思いました。そう信じようといたしました。それでも家のなかは捜してみましたが、見つかりませんでしたから、それ以上はどうしようもございませんで」

　少しずつ、少しずつ、滋子の動悸が高まり始めた。息を殺した。

「捜索願を出しまして」

　向子も呼吸を整えようとしているのか、言葉が途切れがちになる。

「学校にもご報告に行きました。あれは――何日後でしたか」

「三日後です。十二月十一日です」

　土井崎向子は、記憶を補ってもらってありがたい、という目をした。滋子は正視できなかった。

　胸の奥が痛い。

「担任の先生にお会いした帰りに、事務室の前を通りかかって、校章を買おうと思いました。やっぱり必要になると思ったんです。あった方がいいと思いました」

　向子は事務員から校章をひとつ買った。三百円だった。

「持ち帰りまして、夜、誠子が寝てから夫に見せました。ひどく叱られました。そんなものは何の足しにもならない。それどころか、かえって怪しまれる材料になる、と」

土井崎茜の母親が、娘の捜索願を出したその日に、なぜ校章を買って帰ったのか。訝る人物がいるかもしれない。

「それで――そのまましまいこんだんです。あの缶のなかに入れたことは、忘れてしまっておりました。今頃になって、誠子が見つけるとは思いもしませんでした」

出頭した後、茜に関わるものはすべて持ち去ったつもりだった。クッキーの缶ひとつ、残しておいたのが仇となった。

滋子は、説明のしようのない罪悪感に、目眩を覚えた。思わず、手で額を押さえた。

「すべて覚えていることなんて、不可能ですよ、土井崎さん」

今度は、スイッチが入ったのではなかった。稼働音が変わった。エンジンが切り替わった。

突然、土井崎向子は両手で顔を覆った。姿勢が崩れた。前屈みになり、唸るような声をあげた。

「忘れるはずなんかないんです。わたしは恐ろしくて恐ろしくて、一日だって忘れたことなんかなかった。茜が校章をどこに落としてきたんだろうかと、想像しないではいられませんでした。いちばんいけない場所に落としてきたんじゃないのか、それが見つかったら、茜のしたことなんか、たちまち全部わかってしまう」

茜のしたこと。

深夜、両親の待つ家に帰るまでに。何もかも捨て去り、誰に何を言われても気にならないほどのぼせあがっていたボーイフレンドと二人で。

「撥ねちゃったんだと、申しました」

吐き戻すような声だった。

「車をくすねて、ドライブしてたら、人を撥ねちゃった。あんなとこを、あんな時間に歩いてると思わなかったから。歩いてる方が悪い。こっちは悪くない。シゲは悪くない」

向子の声に、十五歳の茜の告白がかぶる。

土井崎向子は全身で震えていた。頭を抱え、胎児のように身を丸めても、震えを抑えることはできない。

「場所なんかわからない。どっか田舎だった。山が見えた。暗かった。ぽつぽつと明かりが見えた。人が歩いてるなんて思うわけない。そう申しました」

何度問い詰めても、茜はそれだけしか言わなかった。場所なんか覚えてない。田舎だよ。真っ暗だったんだから。何しに行ったたって？　だからドライブだってば。

「土井崎さん」滋子は手を伸ばし、向子の背中に触れた。汗ばんでいるのは滋子の掌で、スーツには皺も染みもない。「茜さんはなぜ、その話を始めたんでしょう。よく自分から言い出しましたね？」

窒息しかけたかのように荒々しく息を吸い込んで、向子は少し身を起こした。

「聞き出したんです」

「お尋ねになった」

「帰ってきたとき、制服にいっぱい土がついておりました。爪のあいだにも土が詰まって、血がこびりついていました。爪が剝げかけていたんです」

茜の無軌道を諦めかけ、慣れきっていたはずの両親にも、今夜ばかりはただ事ではない事態が発生したと推察がついたのだ。

「茜の顔色も真っ白でした」

人を撥ねちゃった。

「盗んだ車を乗り回していて、轢き逃げをした、ということでしょうか」

問いかけながら、滋子は耳の奥で警報が鳴るのを聞く。頭のなかでパトライトが回転しながら点滅するのを見る。ただの轢き逃げなら、どうして茜の制服が土まみれになるのだ。なぜ指の爪が剝がれるのだ。

「大した怪我じゃなかったというんです」

向子の口から告白が溢れ出る。胃の内容物を戻すように。

「若い女の人だったそうです。道に倒れて、でも意識ははっきりしていて、痛がっていた。立ち上がれないようだった――」

シゲと茜は車を降りた。ヘッドライトのなかに、怪我をして倒れ込んでいる女性の顔が浮かび上がる。

逃げちゃおう。茜は言った。

顔を見られた。シゲは言った。

このまんまじゃヤバい。

幸い、車には傷はなかった。どこも何ともなかった。だからホントは撥ねたんじゃなくて、あの女が勝手に転んだだけかもしんない。

「その女性を、二人がかりで車の後ろに乗せたと申しました」

病院に連れていってやる、と。

実際には、茜が後部座席で、女性の所持品を漁っていた。バッグから財布を抜き取り、金を盗み、彼女が身につけていたアクセサリーを盗った。

どこへ連れてく？

「どこへ連れて行ったと話していましたか」

向子の回想に呑み込まれ、二人揃って錯乱するのを食い止めるために、滋子は歯を食いしばって質問した。

場所はわからない。知らないよ、覚えてないと茜は言った。

「三和明夫と茜さんは、怪我をした女性をどこへ連れて行ったんです？」

——何か、掘っ立て小屋みたいなとこ。道を走ってったら、あったから。

人気がない。周囲に人家はない。覗いてみたら、古い工具のようなものが置き去りにされていた。使い捨てられた納屋か、倉庫のようなものだったのだろう。

二人は、女性をそこに連れ込んだ。茜はそこで、彼女の服を脱がせた。高そうなものを着ていたから。ちょっと気に入ったから。

向子は片手でしっかりと口を押さえている。それでも、言葉は指の隙間から溢れる。

「警察に、届けられないように、しといた方がいい、と」

シゲは、茜の手で衣服を剝がされた女性に、その見捨てられた小屋のなかで乱暴した。

「止めませんでした」

向子は呻いた。目から涙が流れ落ちる。それを恥じるように、固く瞼を閉じる。

「茜は止めませんでした。どうして止めなかったんだと訊きました。あの子は答えませんでした」

——別に。何で？　別にいいじゃん。

何であたしが、シゲのしたいようにするのを止めなくちゃなんないの？

土井崎向子は、茜の言い返した言葉を諳（そら）んじるように呟くと、声を吞んで泣き出した。

我知らず、滋子は立ち上がっていた。その先に何が起こったか、推測するまでもない。事を終えて気が済んだシゲは、やっぱり女性を始末することにする。その方が安全だ。

いや——その方が面白い、だったのかもしれない。

女性はもう、抵抗する術がなかったろう。気を失っていたかもしれない。助けを呼ぶことはできなかったし、悲鳴をあげても誰にも聞こえなかった。

「殺害したのはシゲですね？」

確認するつもりで尋ねたのに、向子は激しくかぶりを振った。

「茜さんですか？　だって、いくらなんでも十五歳の女の子ですよ」

事前の準備があったわけではない。手元に凶器になるものなどなかろう。女の子の力で、大人の女性を、どうやって？

滋子は息を止めた。

茜の制服には土がついていた。遺体を隠すために埋めたのだろうと思っていたが——

「死んだと思ったんだ、と」

真っ青になって喘ぎながら、向子は言った。

「だから、小屋の裏手に、穴を掘って、できるだけ深く掘って」

小屋のなかに転がってた鉄の棒とか、木の枠の壊れたみたいなヤツとか使って。すっごいタイヘンだった。だから爪が割れて、剝がれて。

「茜は掌にも擦り傷をこさえていました」

掘って掘って、女を放り込んで、上から土をかけたんだ。

もしかしたら、まだ生きてたかもしんないけど、わかんない。

茜はなぜ、そこまで白状したのか。ベラベラしゃべったのか。あれほど両親を軽んじ、言うことをきかず、反抗していたのに。

怖かったからだ。その夜の体験は、茜にとっても異常なことだったからだ。しゃべらずにはいられなかったのだ。空回りするように、滋子は思った。そうに決まってる。十五歳の女の子だったんだもの。

「泣きべそを、かいておりました」

向子の涙は止まらない。血の気を失った頬を濡らして、冷えた涙が流れ落ちる。瞳の焦点が失せ、口は半開きになっていた。手は口元を離れ、空をつかんで拳を握っている。

「足がつくとヤバいからって、シゲは薬屋に寄ってくれなかったんだ。店もなかったし。ずっと血が止まらなかった」

——手が痛いよ。

手当てしてくれと、茜は言った。向子に、母親に甘えた。痛いい、痛いよ。

向子はそれを、聞き入れた。

「夫は動くこともできずに、ただ座り込んでおりました。わたしは救急箱をとってきました。消毒してやろうと思ったんです。あの子の手を。本当痛そうだったから」

茜はわたしの娘だから。

消毒して、血を拭って、薬をつけた。ガーゼをあてた。

「包帯を、巻いてやろうと思って」

茜は母親にもたれかかっていた。頭を垂れて座り込んだままの父親を無視し、優しく手当てしてくれる向子に身を任せていた。

「制服を脱ぎなさい。土がついてるから、そのままじゃ、包帯を巻いても汚れるよ。

茜は素直に従い、服を脱ぎかけて、父親に向き直り、言った。あっちへ行けよ。

土井崎元が頭を上げた。

夫の目が死んでいるのを、向子は見た。

娘の華奢な後ろ姿を見た。無防備に、向子に背中を向けている。長い髪が乱れ、ほっそりしたうなじが覗いている。

その瞬間。

「手に持っていた包帯で、あの子の首を絞めました」

後ろからぐるぐる巻きにして、締め上げた。突然のことで、茜は声をあげなかった。

「夫が飛びかかってきました。わたしを止めようとしたんでしょう。わたしは夫を蹴りました。後にも先にも、そんなことをやったのはあのときだけです」

蹴り飛ばされた土井崎元は、もがいて起き上がると、娘の首を絞めている妻を見た。

抵抗する娘を見た。生爪が剝げた指で、母親が締め付けてくる包帯を引きはがそうとしている。

死にものぐるいの抵抗だ。向子も全力を振り絞らなくてはならなかった。

「でも前畑さん、わたしはやり遂げました。茜はほそっこくて、わたしはこの体格ですから」

わたしが茜を殺したんです。

嘘だと、滋子は思った。それは嘘だ。

土井崎元も、妻に加勢したのだ。二人で、茜を押さえつけ、息が止まるまで締め上げていた。

しかし滋子は、それを口にしなかった。言わなくても伝わる。向子にはわかっている。

「そういうことです。そういうことでございました」

向子が滋子を仰ぎ見る。それでようやく、滋子も自分が意味もなく立ち上がっていたことに気づいた。膝から力が抜けて、すとんと腰をおろした。

「その女性は」

答える前に、向子は起き直り、ハンドバッグからハンカチを取り出すと、顔を拭った。ぴんとアイロンをかけて四つ折りにした、刺繍の入ったハンカチだった。

「見つかっておりません。今もそこに埋められたままなんじゃございませんか。わたしどもにも、捜しようもございませんでした。茜が覚えていなかったのですから」

「三和明夫は?」

彼が口を割るわけはないか。たとえ夫妻をいたぶるためだとしても、自分の身を危うくするような真似はしないだろう。

「すっきりなさいましたか」

あたしの声だ。あたしが土井崎向子に問いかけているのだ。告白してすっきりしたかと。なのに、何であたしの声じゃないんだろう。

違う。向子が滋子に尋ねているのだ。すっきりしたかと。

「前畑さんが疑問に思っていたことは、これで解決なさったんじゃありませんか」

滋子は何も言うことができなかった。バカみたいに座り込んで、向子の顔を見ていた。目の前で、土井崎向子は気を取り直してゆく。エンジンがまた切り替わる。稼働音が静まる。

姿勢を正して、向子は座り直した。もう、頬は濡れていない。涙も止まった。目尻がほんの少し赤らんでいるだけだ。

「茜はわたしの娘です。わたしがお腹を痛めて産んだ子です」

声音には、まるで自信のような力強さが戻っていた。

「だから、わたしが手にかけました。あの子がああいう人間になってしまった以上、それがわたしの責任です」

十六年の歳月をかけて、土井崎向子はそういう墓碑銘を刻んできたのだ。最初からそう思っていたわけがない。茜の傷を消毒してやった母親が、同じ手で、これほど確信に満ちて、茜の首を絞めることができたはずがない。

「ほかに道はございませんでした」

それが結論だ。向子の表情が静まった。

「なぜ出頭なさったんです？」

切っ先を向けるように、滋子は訊いた。

「隠し通すことだってできたはずです。なぜ告白なさったんです？」

向子の口元が緩んだ。微笑したのだ。

「夫に、頼まれました」

わたしどもの家の焼け跡をごらんになりましたか？

「家の半分だけ、焼けたのですよ。わたしどもが茜を埋めたところだけが焼けました」

それを見た土井崎元は、言った。

――茜が、もう外に出してくれと言ってる。もう勘弁してくれって言ってるんだよ。

滋子は、新聞に載っていた写真を思い出した。確かに、土井崎家の借家は、奇妙なほどきれいに半分だけ焼け落ちていた。

そして、茜の遺体が埋まっていた場所が、白線で囲んであった。

「夫は、わたしより弱いんです」

それを責めてはいない。かばっていた。

「止めても無駄だと思いました。わたしが嫌がったら、あの人は一人ですべてひっかぶって、警察に行くだけです。だから、一緒に出頭いたしました」

夫婦ですから。

「今日、わたしが出向いて参りましたのも、理由は同じことなんです。わたしが前畑さんにお目にかからなければ、夫は一人で参りましたでしょう」

「そして、すべてはご自分が一人でやったことだとおっしゃる?」

滋子の目を見て、向子はうなずいた。

「夫に、そんな嘘をつかせることはできません。茜を殺したのはわたしですからね」

そのとき、滋子は奇妙なものを見た。向子がわずかに胸を張ったのだ。子の命を奪う権限を持つのは、子に命を与えた母親だけだと主張するかのように。

「前畑さんが夫の嘘を信じてしまわれたら、それが誠子に伝わるでしょう。それはいけません。なおのこといけません」

滋子をたしなめるかのような、威厳のある口調だった。

土井崎向子が顔を動かした。滋子は彼女の視線を追った。壁の時計を見ていた。

「二時を過ぎました。高橋先生のご迷惑になりますね」

座ったままひとつ頭を下げて、失礼いたしますと、向子は腰をあげた。

滋子は動けない。言葉だけが飛び出した。「誠子さんに、お話しになるんですか」

向子は止まった。背が高い。本当にしっかりとした体格だ。揺るがない。

「こうなってしまっては、致し方ありませんよ、前畑さん」

どのみち、誠子に許してもらえるはずはないと、穏やかな口調で言った。悲哀はなかった。自己憐憫（れんびん）もなかった。そんなものは、とっくの昔に切り捨てた。過去のどこかへ置いてきた。

向子に残っているのは、十六年かけて刻みあげた墓碑銘だけなのだ。

「もっと早く打ち明けておれば、誠子があなたにお会いすることもなかったでしょうに」

「申し訳ございません」

返事はなかった。最初と同じように黙礼して、土井崎向子は歩き出した。ドアのノブに手をかける。ドアを開ける。

「土井崎さん」

弱々しい声だったけれど、向子には届いた。

「わたしは、茜さんを見ました。茜さんがいたんです」

野本刑事には話せなかったことだ。彼女に言わなくてよかった。これは、向子にだけ告げるべきことなのだ。

訝るように首をかしげ、向子は開いたドアを閉じた。

「茜が――？」

「はい、見たんです」

あの夜が明けて、翌日の昼前だった。滋子と敏子は、容疑者ではないから、警察署内に留められることはなく、近くのビジネスホテルに宿を取り、事情聴取を受けるために出直してきたところだった。

警察署の前が騒がしかった。記者やレポーターたちが群れている。テレビ局の中継車が停まっている。

「佐藤昌子ちゃんが、病院での検査と手当てを終えて、ご両親と一緒に警察署へ来たところだったんです」

滋子と敏子は担当の巡査に先導され、署の裏口から建物のなかに入った。取調室ではなく、前夜と同じ小さな会議室に通された。

廊下を歩いて、敏子が先に室内に入った。と、そのとき――

「同じ廊下の反対側から、昌子ちゃんとご両親が近づいてきたんです。昌子ちゃんは、お父さんにだっこされていました」

一家は、廊下のいちばん手前の部屋に入ってゆく。案内役の刑事がドアを開く。滋子は、足を止めてその様子を見ていた。

佐藤昌子の父親が、いったん少女を抱き下ろした。理由はわからない。大したことではないのだろう。すぐ後ろには、母親がついている。

ほんの数秒のあいだ、少女は前後を両親に挟まれて、一人で廊下に立っていた。滋子の視線に気づいたのか、こちらを振り返った。

おそらく父親のものだろう、大人のサイズのパーカーを着て、小枝のように細い足首と、ぶかぶかの運動靴が見える。小さな顔は、疲労と緊張で青ざめていた。

大きな怪我はないようだ、よかった――

滋子は少女に微笑みかけようとした。

その刹那、自分が見ているものを理解した。

「昌子ちゃんにも妹がいるんです。二人姉妹なんですよ」

ドアノブに手をかけたままの土井崎向子に、滋子は言った。

「近所の方々から、少しですけど聞きました。昌子ちゃんはたぶん、反抗期の入り口なんでしょう。小さい妹さんにヤキモチが妬ける年頃でもあるんでしょう。ご両親の言うことをきかなくて、叱られてばかりいたそうです。手のかかる女の子ですよという噂でした。また妹さんはおとなしい良い子で、昌子ちゃんは割をくっていたんでしょうね」

少女は窶れて、疲れ果てていた。その瞳のなかには安堵があったけれど、しかしそれ以外のものもあった。

拗ねていた。怒っていた。傷ついていた。妹ばっかり可愛がられる。妹ばっかり褒められる。あんたはお姉ちゃんなのに、どうして言うことをきけないの。いつもいつも、あたしばっかり叱られて、お母さんは笑ってくれない。お父さんはかまってくれない。

どうして？　どうして？　どうして？

あたしはここにいるのに。ううん、あたしはここにいるのかしら。あたしはどこにいるの？

あたしって、どこの誰？

だからあたし、お母さんの言うことなんか聞かなかったの。やっちゃいけないって叱られることをしたの。行っちゃいけないってところに行ったの。そこなら、あたしが見つかるかもしれないと思ったから。

茜だ。

滋子は知った。あたしが今、この廊下の先に見ているのは、幼い茜なのだ。

ここにもまた、茜がいる。

震えがくるような数秒が通過して、佐藤昌子は母親の腕に抱き上げられた。ドアの内側へと消えた。そのとき、昌子の小さな指は、母親の衣服の背中をつかんでいた。細い腕は、しっかりと母親に抱きついていた。母親も、全身で昌子を抱きしめていた。

滋子の内側で、音をたてて何かが溶けた。溶けたものは温かかった。清浄だった。滋子の体内を、心の隅々までも洗ってくれた。その心地よさに目がくらんで、思わず壁に手をつき、身体を支えなければならなかった。

「わたしには子供がいません。子育ての難しさも、喜びも知りません」

ようやく声を強めて、滋子は言った。

「それでも、思うんです。思ったんです。どうしようもなく、理由なんかなしに、こういうことが起こるときがあるんだって」

愛情を注いで、懸命に育ててきた我が子が、自分の手から離れ、親の目には見えない流れにすくいとられて、みるみるうちに遠ざかってゆく。手が届かない。声が届かない。振り返ってくれた子供と目が合っても、そこには理解しがたい暗い色が見えるだけだ。

「残酷で、恐ろしくて理不尽だけど、どうすることもできないまま、我が子が流されてゆくのを、ただ呆然と見ているしかない。そういうことが起こるときがあるんです」

佐藤昌子は、寸前で抱き留められた。滋子は、その瞬間を目撃したのだ。

「あなたもご主人も、茜さんが流されてゆくのを止めようとなさいました。最後のチャンスが、十六年前のあの夜でした。あなたは手を伸ばして茜さんをつかみました。つかんで、引き戻したんです」

そして茜を取り返した。

茜の命と引き換えに。

「あなたを責めることも、許すことも、わたしにはできません。でも、わたしは見ました。茜さんを見ました。茜さんに会いました。それだけ、申し上げたかったんです」

お引き留めして申し訳ありませんでした。滋子は深く頭を下げた。

「もうお目にかかることはございません。どうぞお身体を大事になさってください」

滋子が目を閉じ頭を垂れているうちに、事務所のドアが静かに開閉した。

土井崎向子は去っていった。帰っていった。夫と、誠子と、茜の墓碑銘が待っている場所へ。彼女の人生のなかへと。

それから何日経ったろう。滋子は腑抜けのようになり、昭二とも敏子とも、ほとんど口をきかなかった。昭二は怒り、半泣きになり、また怒り、敏子は狼狽し、困っていた。

滋子は待っていたのだ。もうひとつの終幕がくるのを。

土井崎誠子は、真夜中に電話をかけてきた。たぶんそうなるだろうと、滋子は身体で予感していた。誠子と対峙（たいじ）し、誠子と別れるなら、茜が逝ったのと同じ、夜のど真ん中だ。

誠子は、妙に明るい口調だった。

「いろいろお世話になりました。ありがとうございました」

酔っているのだ。自分を見失うほどではないけれど、少しだけ。

「両親と話しました」

そうですかと、滋子は言った。そのまま黙っていた。誠子も黙っている。

電話を切られるかなと思った頃、誠子が続けた。「血筋でしょうか」

敏子さんと等君、という。

「敏子さんのお祖母さんが千里眼だったから、敏子さんも等君も、その血を継いだんでしょうね。超能力者は、等君だけじゃなかったんですね」

滋子は何も言わなかった。

「おかげさまで、わたし、やっとお父さんお母さんに会えました」

話の脈絡がない。でも通じるからかまわない。滋子は耳を傾ける。

「姉のこと、よくわかりました」

誠子は小さくしゃっくりした。

「土井崎茜はろくでなしでした」

わたし、父も母も立派だったと思います。

「両親は、わたしのために姉を手にかけたんです。わたしのためにそうしてくれたんです。わたしを守るために。そうでしょ?」

滋子は答えなかった。

「そうに決まってますよ。だからこそ、姉がいなくなってからもずっと、わたしの目から真相を隠してくれていたんです。あんな男にお金を払ってまでね。みんなみんな、わたしを守るためです」

そんなことしてくれるの、親だけです。わたしをそれほど愛してくれるのは。

滋子はそっと口を開いた。「達夫さんはお元気ですか」

「別れました」素っ頓狂(すっとんきょう)なほど陽気な口調で、誠子は言った。「やっぱり駄目でした。わたしたち、もう昔の二人には戻れません」

あの人、うちのお父さんにお金を貸してたんですよ。やっと白状したんです。お父さんが、家出した姉さんに送金してると思ったんですって。だからわたしには内緒にしてたんですって。

「バカみたい」

目の前の達夫に、じゃれかかって喧嘩をふっかけているような言い方だった。

「達ちゃん、バカですよ。何にもわかってないんだもの」

だけど――だけど。

「なのに達ちゃん、みんな知ってます。それでわたしは、達ちゃんが知ってることを知ってます。達ちゃんは、達ちゃんが知ってることをわたしが知ってることを知ってます。もう、堂々巡り。なのに達ちゃん、偉そうにわたしにお説教するんですよ。それで、二人で幸せになろうなんて言うんです」

バカみたい。そんなことあり得ないのに。

誠子は泣いていた。

「前畑さん。前畑さんも達ちゃんと同じです。何もかも知ってるけど、何にもわかってない。そうでしょ？」

そうですねと、滋子は応じた。

「だからあたし、土井崎誠子が教えてあげます」

アルコールに加え、泣き出したせいで呂律が回らない。おしえれあげらす、と聞こえた。

「あのね、幸せになるって、半端じゃなく難しいんですよ。血の繋がった人だってね、切って捨てなくちゃならないときだってあるんです。ろくでなしだったら、しょうがないでしょ？　そうでしょ？　ろくでなしだったらさぁ」

うちの姉さんですよ。

「わたしの両親は、だからそうしてくれたんです。そういうこと、あるんです。前畑さん、わかってない。ゼンゼンわかってない」

わかってないよ。またしゃっくりをする。

「誠子さん、眠れますか」

「何？　わたし？　眠れますよ。ちゃんと寝てます」

「それなら、今夜はもう寝んでください。夜更かしは身体に毒ですよ」

言い終えないうちに、誠子は叫んだ。「前畑さんなんかに、そんな心配してもらわなくたっていいです！」

滋子の耳が鳴った。受話器は耳から離さずにいた。その甲斐はあった。

誠子が小さく、ごめんなさいと呟くのが聞き取れたから。

「わたしこそ、あなたにお詫びしなくてはなりません」と、滋子は言った。「わたしはあなたに頼まれたこと、ちゃんとできませんでした」

できましたよ——と、誠子は言った。

「やってくれたよ。だからわたし、泣いてるんじゃないの。バカみたいに」

わたし、どうしてほしかったんだろう。

「姉さん、わたしを恨んでる」

「それは間違いですよ。いつか敏子さんが言ってたでしょ」

手放しで泣いて、誠子は受話器を落としてしまったらしい。滋子は彼女が戻ってくるのを待った。

「敏子さん、元気ですか」

「ええ、お元気です」

「会いたいなぁ。会いたい、会いたい」

子供が駄々をこねているみたいだ。

「誠子さん、わたしたちはもう、お会いしない方がいいと思いますよ」

誠子は声をたてて泣き、しばらくして素直に、うんと答えた。

「もう、会えませんね」

「その方がいいんです。誠子さんには、もうわたしたちは必要ない。かえって邪魔になるだけです」

「わたし、元気になりたい」

「なれます」

「また、幸せになりたいの」

「なれますよ」

元気になって、あなたはあなたの人生を生きて、幸せになるんです。受話器に向かって、滋子は言った。言葉が電話機に染みこみ、電話線のなかを通って、本当に流れてゆくといいのに。それが誠子に届いて、いつかあたしが洗われたように、誠子を洗ってくれるといいのに。

「前畑さん」

「はい」

「さよなら」

電話は切れた。ゆっくりと、滋子は受話器を置いた。

思い出したのは、誠子の顔でも、土井崎夫妻の声でも、〝茜の姿〟でもなかった。あれは誰だったろう。誰が言ったことだっけ。

そうだ、「あおぞら会」の荒井事務局長だ。あの人、あたしが、三和明夫のことで金川会長を非難したとき、こう言ったんだった。

——それなら、どうすればよろしいというのでしょう。

幸せになるためには。

——身内のなかに、どうにも行状のよろしくない者がいる。世間様に後ろ指さされるようなことをしてしまう。挙句に警察のご厄介になった。そういう者がいるとき、家族はどうすればよろしいのです？　そんな出来損ないなど放っておけ。切り捨ててしまえ。前畑さんはそうおっしゃるのですか。

誰かを切り捨てなければ、排除しなければ、得ることのできない幸福がある。

滋子には馴染みのない、よくできた物語のようにしか思えない海の向こうの宗教は、人間は原罪を抱えていると説く。神が触れることを禁じた果実を口にして、智恵を知り恥を知り、しかしそれによって神の怒りに触れ、楽園を追放されたのだという。

それが真実であるならば、人びとが求める楽園は、常にあらかじめ失われているのだ。

それでも人は幸せを求め、確かにそれを手にすることがある。錯覚ではない。幻覚ではない。海の向こうの異国の神がどう教えようと、この世を生きる人びとは、あるとき必ず、己の楽園を見出すのだ。たとえ、ほんのひとときであろうとも。

敏子と等のように。

土井崎夫妻のように。

誠子と達夫のように。

茜と〝シゲ〟のように。

〝山荘〟の主人、網川浩一でさえも、きっときっとそうだった。

血にまみれていようと、苦難を強いるものであろうと、秘密に裏打ちされた危ういものであろうと、短く儚(はかな)いものであろうと、たとえ呪われてさえいても、そこは、それを求めた者の楽園だ。支払った代償が、楽園を地上に呼び戻す。

萩谷等は、それを描いていた。あらかじめ失われたすべての楽園と、それを取り戻すために支払われるすべての代償を。


寝床に戻ろうと、部屋を出かけた。と、常夜灯の淡い光の奥に身を潜めて、昭二と敏子がこちらの様子を覗(うかが)っている。

滋子は噴き出した。昭二と敏子は顔を見合わせ、それから笑い出した。

「一杯やろうよ」滋子は言った。「昭ちゃん、明日は会社、休みにしちゃいなよ」

「無理言うなぁ」

「社長権限だよ。いいじゃない」

支度しましょうと、敏子が台所へ行った。

「どこで飲みましょうか」

「会社」滋子は宣言した。「会社の事務所に行きましょう」

昭二が呆れた。「何時だと思ってンだ」

「いいの。等君の絵の前で飲むんだよ」

結局は、滋子のワガママが勝った。鍵を持って家を出て、三人で前畑鉄工所の事務所に入り、明かりをつけて床に座り込み、ビールと焼酎を飲んだ。

「昭二さんにも先生にも、本当によくしていただいて、わたしはもう、感謝することばっかりでございますが――」

いい加減酔った前畑夫婦に、意外にもアルコールに強い性質(たち)で、いつもとまったく変わらぬ物腰のまま、萩谷敏子は切り出した。泣いていない。丸い笑顔だ。

「でもわたしも、そろそろ等と二人の暮らしに戻ろうかと思います」

「イヤだなぁ、そんなの言いっこなしですよ」

無防備に声を張り上げる昭二の背中を、いい音をたてて滋子は打った。

「野暮なこと言わないの。そうですね敏子さん、等君と二人暮らしだよね」

「はい、先生」

いろいろ、ありがとうございました。

「でもさ、もとのアパートに戻るのは、まだまずくないですか」

「引っ越ししようと思っております」

「あ、そうなの」昭二がちょっと絶句する。「だけど、あの部屋には思い出が――」

敏子はうなずいた。「はい。ですから思い出も持って引っ越します。等が一緒におりますから、大丈夫です」

敏子の言うとおりだ。滋子は、心残りを持て余しているような昭二のグラスに、焼酎をどぼどぼ足してやった。

「兄と相談しまして、新しい物件を探してもらいました。勤め先も見つかりそうです」

敏子の頬が柔らかくふくらむ。その目に、壁を飾った等の絵の色が映っている。絵を収めた額のガラスに、車座になって酔っぱらう三人が映っている。

それから二日後に、敏子は等の位牌を抱いて、前畑家を後にした。

新しいアパートへの引っ越しには、昭二がどうしてもと言い張ってきかないので、滋子も一緒に手伝いに行った。

その場で、敏子の兄の萩谷松夫に会った。妻の武子と二人で来ていた。

滋子の顔を見て、バツが悪そうに目をそらした松夫は、

「敏子がお世話になりました」

しゃっちょこばって挨拶すると、大声で妻を呼びながら、積み上げた段ボールの脇を抜けて二階へと消えた。

敏子の新居には、真っ先に、等の勉強机が運び込まれた。荷物が少ないので、梱包を解いて片付けて、一日で終わった。等の中学の制服も、机の脇にまた掛けられた。それを見届けて、滋子と昭二は帰ることにした。引っ越し蕎麦を食べて行ってくださいと、敏子には引き留められたけれど、松夫と武子がいたから、部外者は遠慮しようと思った。それに滋子は、敏子から、あの美味しい出汁の取り方をしっかり伝授してもらってある。

帰宅して郵便箱を開けると、ダイレクトメールと請求書に混じり、滋子宛の封書が一通届いていた。

差出人の名前を見て、記憶を探り、滋子は飛び上がった。二階の仕事部屋まで駆けのぼり、ノートを開いてチェックした。間違いないとわかって、また飛び上がった。それだけでは足りずに、天井を向いて叫んだ。手を打ってぐるぐる回った。

「何なんだよ」

階段をのぼってきて、昭二が驚いている。

「誰からの手紙だ？　ラブレターかよ」

「そうよ」踊りながら、滋子は答えた。「それ以外の何物でもないわよ、これは。昭ちゃんこそ何してるの？　踊って踊って！」

翌日、滋子はさっそく、手紙の差出人と会うことにした。確認したいことがいくつもある。山ほどある！

相手の青年は、滋子の質問すべてに、満足のゆく答えをくれた。これなら大丈夫だ。

「それにしても、よく顔がわかりましたね」

「覚えていましたから」と、相手は明るく笑った。美男子ではないが、いい面構えだ。笑うともっと好ましくなる。この人の父親もこのタイプなのだろうかと、滋子は楽しく想像をめぐらせた。

「ネットには、写真だけじゃなく名前も出ていましたし。でも、それがかえって心配でした」

「目についた限りは、わたしの知り合いが動いて、削除するように働きかけてくれてたんですけどね」

全部消しきれなかったことが、かえって幸いしたのか。世の中、本当に思いもかけない事が起こるものだ。

「親父は迷ってたんです。今さら会いに行ったって、かえって迷惑になるだけじゃないかって言いまして」

「お気持ちはお察しします。迷って当然ですよ」

「でも、僕は会いたかったんですよ。さっきみたいな心配もあったから、余計にね。そんなこんなでごちゃごちゃ言いあってるうちに、親父の具合が悪くなって」

「お加減はいかがなんですか」

「来週あたり、退院できそうです。幸い、軽い発作でしたから」

でも、それで迷いが晴れたんでしょうと、青年は愉快そうに言った。

「元気でいられるうちに、やっぱり会いたいから、おまえ何とかしてくれって」

この前畑さんていう人に頼めばいいんじゃないか？　なあ、どうだろう。

頼まれた滋子は、共犯者のように楽しく笑った。「それでは、何とかしてさしあげましょう」

その週の土曜日の午後、滋子は青年を伴って、萩谷敏子の新しいアパートを訪ねた。事前に連絡しておいたから、敏子は待っているはずだ。

と思ったら、当の本人が重そうなスーパーの袋を提げて、ドアを開けようとしているところだった。滋子は思い出した。そうそう、敏子さんてこういう人なんだ。先生がいらっしゃるから、何かこしらえようと思って買い物に行ってきたんです。

敏子はこちらに背中を向けていて、気づかない。新しいアパートはダブルロックで、鍵が二本あるから手間がかかるらしい。

「敏子さん」滋子は声をかけた。敏子が振り返る。

「あ、先生」

顔全体をほころばせたところで、表情が止まった。視線は滋子ではなく、隣に立っている青年の方を向いている。

滋子はすっと後ずさりして、半歩退いた。

敏子はだんだん、目を瞠る。

自転車が二台、ベルを鳴らして後ろを通る。

「おばさん」と、青年が呼びかけた。「敏子おばさんですよね」

かつて、彼はそう呼んでいたのだそうだ。父親は、ちゃんと結婚するまでは「敏子さん」と呼べと言いつけ、敏子は敏子で、「あなたのお母さんはあなたを産んでくれたお母さん一人だけだから、おばさんのことはずうっと〝おばさん〟でいいんだよ」と言ったそうだ。

おばさんが作ってくれるオムライスは、ほっぺたが落っこちるほど旨かったそうだ。友達みんなに自慢しまくったと、青年は言った。だから、当時の青年のいちばんの親友は、敏子のことを「オムライスのおばさん」と呼んでいたそうだ。

敏子は目を瞠ったままだ。キーリングが手のなかから滑り落ちて、足元に落ちた。

「おばさん」

青年の声が、温かく震えた。

「義美です。大上義美です」

お久しぶりです！　震えを抑えようと、快活な声を張り上げる。学生時代からラグビーをやっているとかで、腹の底に力の入ったいい声だった。

敏子の目が飛び出しそうだ。

「大上満夫さんの息子さんですよ」

滋子の声を、敏子は聞いていない。スーパーの袋を足元に置くと、出し抜けに、糸が切れたようにふらついて、そのままの勢いで、よろめきながら駆け寄ってきた。大上義美があわてて抱き留める。

敏子が生涯一度だけ望み、相手にも望まれ、しかし成就しなかった夢。夫と子供。大上満夫と義美と、三人で築く家庭。

「まあ、まあ、まあ」

敏子は義美に触れて、あわてて手を引っ込めた。こんな頑丈な若者が、彼女が触っただけで消えてしまうとでもいうかのように。

消えないですよ。滋子は心の内で言った。本物です。だから消えませんよ。

「大きく、なって。ホントにまあ、大きく、なって、ねぇ」

しゃがみこんでしまった敏子の肩を、義美が大きな掌で撫でている。通りかかった人がそんな二人を見て、怪訝そうに、説明を求めるように、傍らに立つ滋子に目を移す。滋子はにっこりした。それだけで答えになると思ったから、敏子が落ち着くまで、何人通りかかっても、同じようにして微笑を返した。

心の底では、ちょっぴり焦れてもいたけれど。ねえ敏子さん、早く等君にも紹介してあげてくださいよ。等君のお兄さんなんだから。

長かった残暑も、やっと終わった。秋の兆しの風が、敏子の泣き声を散らして吹きすぎる。滋子は目を細め、口笛を吹くように、風に乗せて小さく囁きかけた。

お母さん。

頭のなかに、梅の花がいっぱいだよ。

――きれいだね。きれいだね。

風のなかから囁き返す声が、確かに聞こえたと、滋子は思った。

あとがき

長編小説は、作者一人の力で作り出せるものではありません。一年余りの連載期間中、様々な形でバックアップしてくださいました産経新聞の皆様に、厚くお礼を申し上げます。また、残酷で救いのない事件の様相を探り当ててゆく過程に、ともすれば書きながらメゲてしまいがちなわたしを救ってくださったのは、水野真帆さんの手になる優しい挿絵の数々でした。本書『楽園』の真に楽園たる部分を創造したのは、作者のわたしではなく、水野さんだったと思います。

単行本化に際しては、文藝春秋出版局の皆様と、装丁・デザインの鈴木正道さんにお世話になりました。水野さんが作り上げてくださった連載版『楽園』と、この単行本『楽園』の二つの〝貌(かお)〟を、それが創造されてゆく過程からつぶさに見ることができたのは、作者の嬉しい特権です。ありがとうございました。なお、冒頭のエピグラフは吉野美恵子氏訳の文春文庫版より引用させていただきました。

本書はフィクションであり、登場する人物・団体名、地名等、物語の内容もすべて、もっぱら作者の頭のなかにのみ存在するものです。

もともと、この作品のヒントとなったのは、わたしが見た夢でした。自分にはもう一人姉がいて、わたしの知らぬまに殺害されており、その亡骸が家の床下に埋められている——という内容の夢で、目が覚めたとき、涙が出そうなほど寂しく悲しかったことをよく覚えております。「もう一人」と申しますのは、現実にわたしには姉がおりますもので、ですから夢を見た直後、「こんなヘンな夢を見ちゃったよ。縁起でもないよねぇ」などと話し、一緒に苦笑いをしたものでした（思えば、犯罪小説を書く作家の身内というのも、よくよくストレスの溜まる立場です）。

その当時、わたしは『模倣犯』という作品を手がけていました。本書のなかで前畑滋子が再三思い出し、周囲からも思い出すよう働きかけられる、〝山荘〟を舞台とした「九年前の事件」を描いたもので、こちらも非常に残酷な事件が連発する大部の長編作品でしたので、精神的にかなり疲れており、だから暗い夢を見たのだろうと思いましたが、あまりにも鮮やかな夢で、筋立てもくっきりと頭に残っていましたので、とりあえずメモをとっておきました。

月日が経つうちに、仕事机の端っこに貼り付けたそのメモは汚れ、破れて、結局はゴミ箱行きとなりましたが、夢の記憶は薄れませんでした。逆に言えば、記憶が残っていたので、メモは要らなくなってしまったのです。

この夢を小説にしよう——と、わたしは思うようになりました。そして具体的なプロットを作り始めました。ただの夢が、本格的な題材のストックになったのです。タイトルも、『楽園』と決めました。

ちょうどそのころ、産経新聞文化部から、連載小説のご依頼をいただきました。連載スタートの二年ほど前のことだったと思います。

まさに、タイミングぴったりでした。腹案をお話ししたところ、それでいきましょうというご快諾をいただくこともできました。

ところが、連載前の下準備に取りかかって間もなく、東京都内某所で、「公訴時効」「犯人が被害者の亡骸を家の床下に埋め、永いあいだそこで生活していた」という二点で、『楽園』の筋書きとよく似た事件が発覚しました。

わたしはたいへん困惑しました。現実の事件には、時効の壁を前に無念の思いを噛みしめる被害者の遺族の皆様がおられます。事件が犯人の暮らす地域社会に与えた衝撃も大きなものでした。『楽園』は断念しようかと、逡巡いたしました。

それでも結局、この作品を書きました。書き上げたい、頭のなかにあるこの話を、小説という形にしたいという欲望に負けたと申し上げていいと思います。

このような経緯で誕生した本書でありますが、ストーリーの進展に従い、だんだんと暴かれてゆくどの事件も、どれひとつとして現実の事件から材を得たものはなく、どんなモデルも存在していないことを、ここでお断りしておきたいと思います。

さらにもうひとつ。

全国の土井崎茜さん、まことに申し訳ございません。

犯罪を扱った作品を発表するたびに、犯人や被害者と同姓同名の読者の皆様にはさぞかし不愉快なことだろう――と思うと、穴があったら入りたいという気持ちになります。それこそ「縁起でもない」ことだからです。

今回はいつにも増して、胃がキリキリ痛みました。同時に、作中の〝茜〟について書いているとき、わたしはいつも、とても悲しかった。あの夢を見て目が覚めたときと同じ、涙が出そうなほどの寂しさと悲しみを感じ続けておりました。

それはたぶん、わたし自身のなかに今でもほんの少しだけ残っている、「かつては少女だった部分」が、〝土井崎茜〟のために悲しんでいたからだろうと思います。

二〇〇七年八月

宮部みゆき

［初出］
産経新聞　２００５年７月１日〜２００６年８月13日

■カバー写真：小山泰介
■装丁：鈴木正道(Suzuki Design)

著者紹介

1960年、東京都生まれ。87年に「我らが隣人の犯罪」で第26回オール讀物推理小説新人賞を受賞しデビュー。92年に『本所深川ふしぎ草子』で第13回吉川英治文学新人賞、『龍は眠る』で第45回日本推理作家協会賞を受賞し、93年には『火車』で第6回山本周五郎賞を受賞。97年に第18回日本SF大賞を『蒲生邸事件』で、99年には『理由』で第120回直木賞をそれぞれ受賞した。2001〜02年にかけて『模倣犯』により第55回毎日出版文化賞特別賞、第5回司馬遼太郎賞と第52回芸術選奨文部科学大臣賞を受賞。07年には『名もなき毒』で第41回吉川英治文学賞を受賞した。最近の著作に『ICO——霧の城』『日暮らし』『孤宿の人』などがある。【宮部みゆき公式ホームページ(大沢オフィス「大極宮」)
http://www.osawa-office.co.jp/】

楽園(らくえん) 下

2007年8月10日 第1刷発行
2007年8月15日 第2刷発行

著 者 宮部(みやべ)みゆき

発行者 庄野音比古

発行所 株式会社 文藝春秋
〒102-8008 東京都千代田区紀尾井町3-23
電話 03-3265-1211

印刷所 本文・理想社 付物・大日本印刷

製本所 加藤製本

万一、落丁・乱丁の場合は送料当方負担でお取替えいたします。
小社製作部宛、お送り下さい。定価はカバーに表示してあります。

ISBN 978-4-16-326360-1

宮部みゆきの本

とり残されて

婚約者を自動車事故で喪った女性教師は「あそぼ」とささやく子供の幻にあう。そしてプールに変死体が……。他に「いつも二人で」「囁く」など心にしみいるミステリー全七篇。

文春文庫版もあり

人質カノン

深夜のコンビニにピストル強盗！　そのとき、犯人が落とした意外な物とは？　街の片隅の小さな大事件と都会人の孤独な肖像を描いたよりすぐりの都市ミステリー七篇。

文春文庫版もあり

宮部みゆきの本

我らが隣人の犯罪

僕たち一家の悩みは隣家の犬の鳴き声。そこでワナをしかけたのだが、予想もつかぬ展開に……。他に豪華絢爛「この子誰の子」「祝・殺人」などユーモア推理の名篇四作の競演。

文春文庫版

蒲生邸事件

二・二六事件で戒厳令下の帝都にタイムトリップ――。受験のため上京した孝史はホテル火災に見舞われ、謎の男に救助されたが、目の前には……。日本SF大賞受賞作！

文春文庫版

文藝春秋刊